KB152165

Top Stent

대표역자 장성욱

공동역자 김동훈 김오현 김형일 유병철
이석원 장예림 정필영 한아람

혈관내 하이브리드를 이용한 외상 및 출혈 관리

EndoVascular Hybrid Trauma and Bleeding Management, EVTM

대동맥내 풍선폐쇄 소생술

Resuscitative Endovascular Balloon Occlusion of the Aorta, REBOA

Top Stent

첫째판 1쇄 인쇄 | 2021년 02월 05일
첫째판 1쇄 발행 | 2021년 02월 17일

옮 긴 이 장성욱 외
발 행 인 장주연
출판기획 한수인
책임편집 이경은
일러스트 김경열
표지디자인 김재욱
편집디자인 유현숙
발 행 처 군자출판사
등록 제4-139호(1991.6.24)
(10881) 파주출판단지 경기도 파주시 회동길 338(서패동 474-1)
전화 (031)943-1888 팩스 (031)955-9545
www.koonja.co.kr

ISBN 979-11-5955-656-2

정가 28,000원

Top Stent

The art of EndoVascular hybrid Trauma and bleeding Management

집필진

About the Author

The Art of EndoVascular hybrid Trauma and bleeding Management

■ 대표역자 장성욱

학력사항(Education)
단국대학교 의과대학 졸업
단국대학교 의과대학원 석사
충북대학교 의과대학원 박사

경력사항(Professional Experience)
단국대학교병원 수련의
단국대학교병원 흉부외과 전공의
삼성서울병원 흉부외과 임상강사
단국대학교병원 권역외상센터 흉부외과 임상조교수
단국대학교병원 권역외상센터 흉부외과 부교수
단국대학교 의과대학 의학과 부교수
흉부외과 전문의
외상외과 세부전문의
중환자의학 세부전문의
대한외상학회 수련위원
외상술기교육연구학회 교육이사
전국권역외상센터 협의회 총무
Director of BESPIT
(Basic Essential Surgical Procedures in Trauma)
현) 단국대학교병원 외상외과 과장
현) 충남권역외상센터 센터장
현) 대한흉부외과학회 교육위원
현) 대한흉부외과학회 수련위원
현) 대한흉부외과학회 중증외상연구회 총무
현) 대한외상학회 고시위원
현) 대한외상학회 학술위원
현) 대한외상학회 편찬이사
현) 전국권역외상센터 평가 소위원회 위원
현) 외과계 전공의 교육지원 사업 교육위원회 위원
현) 민간 외상의료협의체 위원
현) Faculty of ESPIT
(Essential Surgical Procedures in Trauma)
현) Faculty of BESPIT
(Basic Essential Surgical Procedures in Trauma)
현) Director of ET-REBOA course
(Endovascular training of REBOA)
현) 대한외상소생협회 한국전문외상처치술(KTAT) course director
현) Faculty of EVTM (Endovascular Resuscitation and Trauma Management) society
현) Deputy director of EVTM society in Asia

저서
1. 외상술기매뉴얼, 2015년, 군자출판사, 공동저자
2. 그림으로 보는 외상학, 2015년, 군자출판사, 공동저자
3. 외상의학, 2018년, 범문에듀케이션, 공동저자
4. Endovascular Training of REBOA(Resuscitative Endovascular Balloon Occlusion of the Aorta, REBOA) hands-on course book, 2019년, 군자출판사, 책임저자

■ 공동역자 (가나다 순)

김동훈 단국대학교 의과대학 외상외과
김오현 연세대학교 원주세브란스 기독병원 응급의학과
김형일 단국대학교 의과대학 응급의학과
유병철 가천대학교 의과대학 외상외과
이석원 단국대학교 의과대학 외상외과
장예림 서울대학교병원 외과
정필영 연세대학교 원주세브란스 기독병원 외상외과
한아람 서울대학교병원 외과

목차

Table of Contents

The Art of EndoVascular hybrid Trauma and bleeding Management

주의사항

Notice

이 책은 의사와 의료진이 외상 환자들을 치료하는데 도움을 주기 위해 쓰여졌다. 저자, 편집자 및 여러 업체는 이 책의 편찬과 이익 관계는 없으며, 일부 사진은 어떠한 보상 없이 책에 개제되었다. 이 책은 외레브로 대학병원에서 행해진 임상연구의 일부로 작성되었으며, 병원 연구부문으로부터 인쇄에 대한 재정적 지원을 받았고, 스웨덴 정부와 유럽 연합의 윤리적, 법적 지침에 따라 수행되었다.

이 책은 스웨덴 외레브로 대학병원이 발행하고, 모든 권리는 편집자에게 맡겨져 있다. 편집자, 병원 및 저자는 본 책의 정보 사용에 대해 어떠한 책임도 지지 않는다. 이 책은 저자들의 의견만을 표현하고 있으며, 저자 또는 편집자 중 누구도 오용이나 유해한 취급에 대해 어떠한 책임도 인정할 수 없다. 이 책의 모든 자료는 교재와 설명에 사용될 수 있지만, 금전적 보상은 없으며, 그 출처에 대한 명확한 언급은 필요로 한다. 모든 사진은 허가를 받아 촬영했으며, 가능한 한 저자 자신의 자료를 사용하였다.

Editor in chief

Dr. Tal M. Horer *tal.horer@regionorebrolan.se*

Translator in chief

Dr. Sung Wook Chang *changsw3@naver.com*

Acknowledgements

외레브로 연구부의 지원과 재정적 지원을 해준 Göran Wallin, Mathias Sandin, Anders Ahlsson 그리고 Mats Karlsson에게 감사드립니다. 출혈 환자들을 위하여 열심히 일한 외레브로 대학 병원의 직원들, 그리고 이것을 가능하게 해준 동료들, 특히 혈관 및 중환자 팀들의 위대한 업적을 인정하고 진심으로 감사드립니다!

한글화 번역에 대하여 김동훈, 김오현, 김형일, 유병철, 이석원, 장성욱, 장예림, 정필영, 한아람 선생님 그리고 외상술기교육연구학회 산하 GREAT society (Group for resuscitative endovascular and advanced treatment for trauma)에게도 감사드립니다. 우리는 이러한 협력이 외상 환자의 생명을 구하고 예방가능 사망률을 줄이는 데 도움이 되기를 바랍니다.

서문

Introduction

The Art of EndoVascular hybrid Trauma and bleeding Management

이 책에 참여한 많은 외과의사들은 출혈성 외상 환자들에게 수술적 접근법을 제공했던 Mattox와 Hirshberg의 위대한 책인 "Top Knife(최고의 칼)"에서 영감을 받았다. "Top Stent (최고의 스텐트)"에서 현대 시대에 적용할 수 있는 혈관내 히이브리드를 이용한 외상 및 출혈 관리(EndoVascular hybrid Trauma and bleeding Management, EVTM)와 유사한 유용한 자원을 개발하고자 했다. 비록 스텐트 및 스텐트 이식(stent graft)의 EVTM 기능 전체를 모두 포함하지는 않지만, 우리는 이 책을 "Top stent" 라고 명명하였다.

왜 이 책이 필요한가? 지난 20년 동안 외상환자 치료를 위한 혈관내 접근법은 확대되어 적용되고 있다. 출혈 환자들에게 시행되는 현대 혈관내치료법은 대동맥류 질환의 치료에서 시작되었지만, 그 이후 외상 치료로 확산되었다. 사실 수년 동안 기본적인 혈관내 접근법으로 출혈 환자를 치료하는 센터들이 있다는 일화적인 보고를 시작으로, 이 후 기술의 지속적인 발전과 더불어 EVTM 접근법의 사용을 위한 "혈관내 시대(endovascular era)"가 예고되었다. 현대 혈관내치료법의 발전은 장비 뿐만 아니라 진단 도구(CT 및 초음파, 혈관 조영술, 도플러 등)의 발달로 전세계적으로 EVTM 접근법의 활용이 증가되었고, 오늘날에는 외상환자 진료 시 다양한 임상 진료분야에 맞게 빠른 진단 및 혈관내치료에 사용될 수 있도록 발달되었다. 그러므로, 이러한 진료로부터 얻은 교훈을 서로 더 잘 공유하고, EVTM 원칙에 따라 최적의 활용을 정의하기 위해 서로간에 협력할 필요가 있다.

혈관내치료법은 초기 외상 치료의 보완적 요소의 관점에서 계속되어야 하다는 점에서 인식되어야 한다. 이는 다른 여러 진료지침 및 미국 외과학회 전문외상소생술(American College of Surgeons Advanced Trauma Life Support™)의 진료지침과 마찬가지로 일상적 실무와 일반적인 외상 진료지침 모두에서 명백하다. 그러나 이 책의 공동작업자들은 지속적인 경험을 통해 EVTM 접근법이 외상환자의 가장 초기 치료에 있어 필수적인 요소가 될 준비가 되어 있다고 믿는다. 간단히 말해서, 우리는 EVTM이 외상 치료의 패러다임의 변화를 나타낸다고 생각한다. 그것은 이미 몇몇 병원에서 하이브리드 치료 개념의 일부로서, 외상 환자의 초기 치료 알고리즘의 일부분으로 수술과 결합되어야 한다고 받아들여지고 있다. 즉, EVTM은 외상 환자의 응급실 도착 시 또는 이미 응급실에서 나온 외상 환자의 경우에도 1차 치료로서 통합될 수 있다. 아마도 전쟁터나 병원전 처치처럼 선택된 경우라면 확립될 수도 있을 것이다. 이러한 패러다임의 가치 있는 변화의 예는 전 세계를 선도하는 센터에서 나타나고 있다. 가장 중요하게 대두되는 예로는 대동맥 풍선폐쇄(Aortic balloon Occlusion, ABO) 또는 대동맥내 풍선폐쇄 소생술(Resuscitative Endovascular Balloon Occlusion of the Aorta, REBOA; 이 책 전반에 걸쳐 대동맥내 풍선폐쇄 소생술에 사용할 용어)의 사용이다. REBOA("the new kid on the block")는 현재 심각한 부상을 입은 외상 환자들에게 혈역학적으로 일시적인 안정을 얻기 위해 많은 센터에서 사용되고 있고, 심지어 전통적으로 시행되는 소생개흉술(resuscitative thoracotomy)을 어느 정도 대체하기도 한다.

대부분의 경우, REBOA와 EVTM에 필요한 기본 기술은 외상 환자를 치료하는 대부분의 병원에서 찾을 수 있다. 그러나 이러한 접근법을 최적으로 활용하기 위해 "언제", "어디서" 및 "어떻게"의 질문에 대하여 좀 더 정의를 잘 할 필요가 있다. 그러기 위해서는 외상외과의사, 혈관외과의사, 인터벤션을 전공한 영상의학과의사, 흉부외과의사, 정형외과의사, 의료진, 응급의학과 및 마취과 전문의들이 함께 모여 기존의 지식을 결합하는 다학제 접근이 필요하다. EVTM 원칙의 활용은 많은 변수(지역적 기능 및 특성과 몇 가지 사항에 대한 자격)에 의해 좌우되지만, EVTM 원칙을 효과적으로 현대의 외상 치료로 통합하려면 다학제, 다국적 및 다기관적 공동작업의 개발 및 유지 관리가 필요할 것으로 생각된다.

이 "책"은 소규모의 EVTM 전문가 집단이 외상에 의한 출혈 환자의 치료 및 전문가로서 어떻게 생각하고 행동하는지를 기록한 그들의 견해이다. 그들은 모두 '손에 피를 묻힌 의사'로 활동적으로 이 분야에서 일하고 있고, 이 책은 EVTM을 효과적으로 수행하는 방법에 대해 협력하고 아이디어를 모으기 위해 노력한 결과물이다. 아마도 다른 많은 방법들이 있을 수 있다. 그러나, 외상 환자의 "골든 타임" 관점에서 보면, 우리가 시행하고 있거나, 시행하기를 원하는 것들이 옳은 것임을 보여줄 것이다. 모든 시술 기반의 중재(procedure-based interventions)와 마찬가지로 "완벽한 하나의 방법"은 거의 없지만, 몇몇의 EVTM의 방식은 안전하고 효과적일 수 있을 가능성이 높다. 이 책에서는 독자가 다른 곳에서 찾을 수 있는 어떤 증거도 언급하지 않을 것이다. 우리는 개인적인 견해를 제시하고 EVTM에 대한 우리의 집단 경험에 대해 열심히 배운 "팁과 도움이 되는 힌트(tip and trick)"를 개략적으로 설명하려고 노력할 것이다. 독자 여러분은 이 정보들을 분석하고 취사선택하여 무엇이 허용되고, 실행 가능한지, 그리고 당신의 병원 및 환경에 적합한지 결정해야 한다. EVTM 치료법이 모든 수술을 대체하는 것이 아니다. 오히려, 어떤 경우에는 과거부터 시행된 외과적 수술과 손상통제수술이 유일한 최선의 치료법일 수 있다. 그러므로, 개복 수술을 포함한 외과적 수술과 결합하여 포괄적인 외상 진료 능력을 시스템으로 만드는 것도 매우 중요하다.

이 책을 제작함에 있어 각기 다른 전문가들이 자신의 견해와 치료의 팁을 표현하고 여러 형식을 채택하는 것이 중요하다고 판단되어, 다른 국적의 의사들이 모여 다양한 모국어를 영어로 전환하는 도전을 하였다. 그리하여, 각각의 주제를 다루는 장에서 서로 다른 방식으로 작성되어 있고, 때때로 어떤 점이 반복된다고 느낄 수 있지만, 많은 저자들의 견해를 반영하였기 때문에 그 자체로도 유용하다고 생각한다. 또한, 이 책에서는 각각의 주제를 다루는 장에서 서로 다른 방식으로 작성되어 있지만, 방식이나 언어가 지식 공유의 장애물이 되어서는 안 된다는 것을 인식하기를 바란다. 남성 대명사("he")를 자주 사용함에도 불구하고 EVTM는 성별, 인종 및 민족성에 대하여 어떠한 차별도 없으며, 우리는 모두 EVTM 원칙을 사용하는 데 있어서 "하나"이다.

이 책은 합의가 아니라 전문가 의견의 집합이다. 여기에 있는 자료를 배포하거나 인용하기 위하여 적합하다고 생각되는 자료는 자유롭게 사용될 수 있다. 다만 이 책에 기술된 의견에 대한 토론 또는 논문 등에 인용하거나 사용하는 경우에는 출처로 "Top Stent" 책 이름을 언급할 것을 요청한다. 그리고, 이 책의 홍보를 위하여 어떠한 경제적 보상이나 기부자에 대한 보상도 요구하지 않을 것이다. 저자들은 앞으로도 www.jevtm.com과 같은 다른 플랫폼의 사용을 포함하여 향후 몇 년 내에 이 책을 더 발전시키기를 희망한다. 그리고, 우리는 "모든 외상 환자 치료의 궁극적인 목표, 즉 생명을 구하기 위해 당신이 협력하는 한 옳고 그름은 없다!"라고 생각한다. 이 "Top Stent" 창간판이 제작될 만한 가치가 있는가에 대한 독자들의 판단을 기대한다.

역자서문

Reverse Letter Preface

혈관과 고형장기 등의 손상으로 1초에 1 mL의 출혈이 동반되어 있는 외상 환자가 병원에 도착했다고 가정해보자. 손상 후 한 시간이 지났다면? 환자는 약 3.6 L의 대량출혈로 생명이 위험해질 것이다. 이 상황에서 우리는 무엇을, 어떻게 해야 하는가? 생명을 구하기 위하여 우리가 할 수 있는 최선의 진료를 해야 할 것이다. 그렇다면, 최신의 진료는 무엇인가? 절대로 우리가 무지하여 또는 병원의 시스템을 원망하면서 시간을 보낼 수 만은 없다.

우리나라에서는 권역외상센터 건립과 더불어 손상통제술 및 인터벤션을 포함한 외상 진료의 발전으로 대량출혈이 동반된 환자의 예방가능 사망률을 줄일 수가 있게 되었다. 특히, 혈관내 술기의 발전 중 혈복강 또는 골반골 골절 등에 의한 대량 출혈 환자에게 폐쇄 하부의 출혈을 줄이고 뇌와 관상동맥의 혈류량을 증가시킬 수 있는 손상통제술 중 하나인 대동맥내 풍선폐쇄 소생술(resuscitative endovascular balloon occlusion of the aorta, REBOA)이 전세계적으로 사용되면서 환자 치료의 가교역할로서 그 역할을 충분히 하고 있다. 그러나, 우리나라의 경우 몇몇 권역외상센터를 제외하고 나면 이와 같은 혈관내 하이브리드를 이용한 외상 및 출혈 관리(EndoVascular hybrid Trauma and bleeding Management, EVTM)에 대한 치료를 적용하기 어려운 병원들이 아직 많다.

이 책은 Tal M. Hörer (EndoVascular hybrid Trauma and bleeding Management; EVTM society, President)의 도움을 받아 번역할 수가 있었다. 또한, 이 책은 다양한 분야의 전문가들이 EVTM 및 REBOA에 대한 치료원칙에 대하여 전공과목에 상관없이 다학제 접근이 가능할 수 있도록 제작되어

EVTM 패러다임의 변화와 현대 외상 진료 발전의 가치를 잘 설명하고 있다고 생각된다. 이 책을 통하여 의료진의 지식과 이해가 현장에서 환자의 생명을 살리고 더 나아가 환자를 위한 다학제 진료의 EVTM 패러다임을 발전적으로 바꿀 수 있다면 우리나라 외상진료 발전에 도움이 될 수 있을 것이다. REBOA 술기 교육코스를 만들기 위해 많은 노력을 해 주신 단국대학교병원 권역외상센터 교수님들과 책의 출판을 위하여 귀중한 시간을 내어 주신 ET-REBOA faculty(술기위원) 분들께 감사드리고, 대한외상학회 및 외상술기교육연구학회 회원님들께 진심으로 감사드립니다.

우리가 변화하지 않는다면, 외상 진료의 발전기회는 없을 것입니다.

2021년 2월

장 성 욱

Todd E. Rasmussen MD

United States Combat Casualty Care Research Program, Fort Detrick, Maryland The Norman M. Rich Department of Surgery, the Uniformed Services University of the Health Sciences, Bethesda, Maryland

Disclaimer: 이 원고에서 표현된 견해는 저자의 견해로서 미 공군, 미 육군 또는 국방부의 공식 입장이나 정책을 반영하지 않는다.

Corresponding author:

Todd E. Rasmussen, MD, FACS

Colonel USAF MC

Director

US Combat Casualty Care Research Program

722 Doughten Street, Room 1

Fort Detrick, MD 21702-5012

Office: 301-619-7591

Email: todd.e.rasmussen.mil@mail.mil

"탐색술, 외부압박술 또는 결찰 등이 없이 주요 동맥의 흐름을 막을 수 있다면, 수술의 새로운 시대가 될 것이다(1864년경)."

러시아 외과의사 Nicolay Pirogov

그의 인용문에서, 러시아의 과학자이자 의사인 니콜라이 피로고프(Nicolay Pirogov) 교수는 수술의 절개와 직접적인 노출 없이 출혈부위와 먼 곳에서 출혈 혈관을 관리할 수 있는 시기를 의학 분야에서 예견했다. 비록 "혈관내"라는 용어는 사용하지 않았지만, 그는 출혈을 조절하고 상처를 치료하기 위해 손상된 장기의 내부와 가장 가까운 곳에 배치할 수 있는 장치의 사용을 그려냈을 것이라고 추측할 수 있다. 피로고프 이후 100년도 채 되지 않아 월터 리드 육군 의료센터의 칼 휴즈(Carl Hughes)중령이 한국전쟁 당시 출혈을 조절하기 위해 원시적인 대동맥내 풍선카테터를 사용했다고 보고했다. 그 후 이보다 빠르게 반세기가 앞으로 더 앞당겨졌고, 수술 분야에서는 더 작고 쉬운 카테터 기반 장비의 혁신과 함께 혈관 질환을 치료하기 위한 기술 혁명이 이루어지고 있다. 이 "Top Stent" 책에서 기술된 것처럼, 오늘날의 발전은 단지 혈관 질환의 치료 영역을 넘어 확장될 것이고, 외상환자 및 출혈성 쇼크에 혈관내기법을 사용하려는 피로고프와 휴즈의 열망을 현실로 만들 것이다.

이어지는 페이지와 장에서, 저자들은 혈관 손상, 출혈 및 쇼크를 치료하기 위한 혈관내기법의 기본적인 기술들을 배우고, 수행하고, 가르치기 위한 가장 적절하고 관련된 주제들을 적시에 요약해 주었다. 창간판 "Top Stent"에서 간단하고 다양한 형식으로 기탄없이 포괄적인 내용으로 균형을 잡았다. 그리고 적절하고 사용 가능한 혈관접근 장과 외상 치료를 위한 혈관내기법의 세 가지 주요 범주가 포함된다. 1. 대동맥내 풍선폐쇄 소생술(REBOA), 2. 스텐트 및 스텐트 이식, 3. 색전술 도구와 장치. 또한, 이 책은 기존의 관습적인 치료는 적게 기술하면서 하이브리드 수술실과 혈관내

치료가 동시에 가능한 수술실 및 대동맥이 아닌 동맥의 풍선폐쇄술에 대해 설명하기도 한다.

군사적 전문지식을 지닌 저자들의 견해를 반영하여, 부상 지점, 이송 경로 및 고정된 의료시설과 같은 다양한 전투 부상자 진료 환경에서 사용될 혈관내기법의 잠재성에 대해서도 기술하였다. 이러한 전향적인 관점은 현재와 향후 몇 년 동안 새롭게 잠재적으로 생명을 구할 수 있는 기술로 적용될 수가 있으므로 다양한 독자(군인과 민간인)에게 반드시 알려져야 한다. 이 책은 장, 단점을 모두 기술하였기에, 혈관내치료법의 한계와 그와 관련된 발생 가능한 합병증에 대한 장을 포함하고 추론된 논평도 기술되었다. 본문에서는 이러한 기법을 수행, 학습 및 훈련하는 방법과 요약을 제공하며 주요 사항으로 마무리한다.

책임 편집자인 Tal Hörer와 각 장을 책임진 저자들의 공로를 인정한다. 이 책은 EVTM (혈관내 하이브리드를 이용한 외상 및 출혈 관리)을 공식화하고, 당면한 사례에 대하여 시기 적절한 의료자원이 될 것이 확실하다. 또한 향후 수 년 내에 혈관내 접근법을 통하여 생명을 구할 수 있는 가능성을 극대화하기 위해 보다 정보에 입각하여 이 치료방법을 알리기 위해 박차를 가할 것이다. 이러한 훌륭한 성과에 대하여 헌신적인 저자들에게 축하하고 감사의 인사를 드린다. - 피로고프와 휴즈는 분명히 이 토론에 대하여 매혹적이라고 생각할 것이다.

Thomas Larzon
Pioneer in endovascular surgery

지팡이와 모자까지, 지체 없이 환자를 수술실로 보내십시오! 내가 30년 전에 혈관 수술을 배우기 시작했을 때 이런 규칙들이 있었다. 복통이나 요통, 박동성 복부 덩이(mass) 및 혈역학적 쇼크가 임상 증세로 나타나면, 이들은 복부 동맥류 파열의 세 징후였다. 이 당시 복부의 영상 촬영 시간은 거의 30분이었고 유일한 방법은 개복 수술이었기 때문에 이와 같은 규칙들은 받아들여졌다.

그 진단은 항상 정확하지 않았고 사망률도 50%에 이르렀다. 시간이 지남에 따라 치료는 여러분이 잘 알고 있듯이 급격하게 변화하여 혈관내 대동맥류 재건술(EndoVascular Aneurysm Repair, EVAR)이 받아들여졌고, 지금은 파열된 동맥류의 주된 치료이다.

우리는 우리가 잊지 못하는 여러 순간들이 있다. 2000년 수술실에서도 말 그대로 죽은 환자가 내 앞에 있었다. 흉부 대동맥류 파열이 진행 중이었던 환자로 실제로는 파열된 상태였다. 우리는 대동맥내 풍선폐쇄와 동시에 심폐소생술 그리고 흉부대동맥 스텐트이식을 통하여 그 환자는 고맙게도 살 수가 있었다.

나는 운이 좋게도 적시에 적절한 기관에서 올바른 일을 할 수 있었고 지금은 외상 진료에 관한 한 역사는 반복된다는 것을 알게 되었다. 지금까지 유아기에 불과했던 REBOA 개념의 발전을 따라가는 것은 매우 흥미로울 것이다. 외상 진료의 미래를 만들기 위해 당신의 일에 대하여 헌신할 젊고 준비된 그리고 미래의 의사 여러분 모두를 축하한다. 우리가 함께 하면 된다. 정말 도전이다!

저자 및 기고자 목록

List of authors and contributors

다음과 같은 전문가들이 이 책을 만드는 데에 기여하였다. 여기에는 특별한 순서가 없다. 다만, 이렇게 경험이 많은 의사들이 이 책을 만들기 위해 글을 쓰고 편집하고 조언을 아끼지 않는 등의 큰 노력을 하였다.

Jonathan J. Morrison *MD, PhD Vascular surgeon*
Dept. of Vascular Surgery, Queen Elizabeth University Hospital, Glasgow, UK.
The Academic Department of Military Surgery & Trauma, Royal Centre for Defence Medicine, Birmingham.
jjmorrison@outlook.com

Joseph J. DuBose *MD, FCCM, FACS Trauma and Vascular surgeon, Surgical Intensivist*
David Grant Medical Center, Travis AFB, CA, USA
Divison of Trauma, Acute Care Surgery and Surgical Critical Care & Divison of Vascular Surgery, University of California – Davis Medical Center, USA.
jjd3c@yahoo.com

Viktor A. Reva *MD, PhD Trauma surgeon and vascular surgeon*
Dept. of War Surgery, Kirov Military Medical Academy, Saint-Petersburg, Russian Federation.
vreva@mail.ru

Junichi Matsumoto *MD, PhD, Interventional radiologist*
Dept. of Emergency and Critical care medicine, Saint-Marianna University Hospital, Kawasaki, Japan.
docjun0517@gmail.com

Yosuke Matsumura *MD, PhD Interventional radiologist*
Dept. of Emergency and Critical care medicine. Chiba University Hospital, Japan.
R Adams Cowley Shock Trauma Center, University of Maryland School of Medicine, USA
yousuke.jpn4035@gmail.com

Mårten Falkenberg *MD PhD, Vascular surgeon*
Dept. of radiology, Sahlgrenska University Hospital, Göteborg, Sweden
marten.falkenberg@vgregion.se

Martin Delle *MD, PhD Interventional radiologist*
Dept. of Radiology, Karolinska University Hospital, Huddinge, Sweden
martin.delle@karolinska.se

Per Skoog, MD, *PhD Vascular and general surgeon*
Dept. of Vascular surgery, Sahlgrenska University Hospital, Goteborg, Sweden
peraskoog@yahoo.se

Artai Pirouzram, *MD Vascular and general surgeon*
Dept. of Cardiothoracic and Vascular surgery
Orebro University Hospital and Orebro University, Sweden
Artai.pirouzram@regionorebrolan.se

Megan Brenner *MD MS RPVI FACS Trauma and vascular surgeon*
RA Cowley Shock Trauma Center
University of Maryland School of Medicine, Baltimore, Maryland, USA
mbrenner@umm.edu

Melanie Hoehn *MD, FACS Vascular surgeon*
RA Cowley Shock Trauma Center
University of Maryland School of Medicine, Baltimore, Maryland, USA
mhoehn@smail.umaryland.edu

Thomas Scalea *MD, FACS Trauma surgeon*
RA Cowley Shock Trauma Center
University of Maryland School of Medicine, Baltimore, Maryland, USA
tscalea@umm.edu

저자 및 기고자 목록

List of authors and contributors

Elias N Brountzos *MD, EBIR Interventional radiologist*
National and Kapodistrian University Athens, Greece
2nd Dept. of Radiology, Division of Interventional Radiology
General University Hospital "Attikon", Greece
ebrountz@med.uoa.gr

Timothy K Williams *MD, RPVI Vascular surgeon*
David Grant Medical Center, Travis AFB, CA
UC Davis Medical Center, Sacramento, CA, USA
timothykeithwilliams@gmail.com

Thomas Larzon *MD, PhD Vascular and general surgeon*
Dept. of Cardiothoracic and Vascular surgery
Örebro University Hospital and Örebro University, Sweden
Thomas.larzon@regionorebrolan,se

Koji Idoguchi MD *Trauma and vascular surgeon*
Division of Endovascular Therapy, Senshu Trauma and Critical Care Center, Rinku General Medical Center, Japan.
idoguchi@ares.eonet.ne.jp

Lauri Handolin *MD, PhD Trauma surgeon*
Helsinki University Hospital Trauma Unit, Finland.
lauri.handolin@pp.inet.fi

George Oosthuizen *MBChB, FCS(SA), FACS Trauma surgeon*
Pietermaritzburg Metropolitan Trauma Service, University of KwaZulu Natal, Pietermaritzburg, South Africa.
george.oost@gmail.com

Joseph D Love *DO, FACS Trauma surgeon*
McGovern Medical School at UTHealth
Dept. of Surgery Memorial Hermann Hospital, TMC and Life Flight.
Houston, Texas, USA
josephdlove@gmail.com

Boris Kessel *MD Trauma surgeon*
Trauma unite and division of Surgery
Hilel Yafe Hosptail and Thechnion intitute of technology, Hadera and Haifa, Israel
bkkessel01@gmail.com

Lars Lonn *MD, PhD, EBIR Interventional radiologist*
Dept. of vascular surgery and dept of radiology, National Hospital and University of Copenhagen, Denmark
lonn.lars@gmail.com

Mikkel Taudorf *MD, PhD Interventional radiologist*
Dept. of Radiology
National Hospital, Copenhagen, Denmark.

Marta Madurska *MD Vascular Surgeon*
Department of Vascular Surgery
Queen Elizabeth University Hospital
Glasgow, United Kingdom
martamadurska@hotmail,com

Jan Jansen *MD, FRCS, FFICM Trauma, general surgeon and intensivist*
Aberdeen Royal Infirmary, Aberdeen and St Mary's Hospital, London, UK
jan.jansen@abdn.ac.uk

저자 및 기고자 목록

List of authors and contributors

The Art of EndoVascular hybrid Trauma and bleeding Management

Lisa Hile *MD Emergency medicine physician*
Dept. of emergency medicine, Johns Hopkins University, Baltimore, Maryland, USA
lhile1@jhmi.edu

James Daley *MD MPH Emergency medicine physician*
Yale New Haven Hospital
New Haven, USA
James.i.daley@yale.edu

John Holcomb *MD, FACS Trauma surgeon*
McGovern Medical School at UTHealth
Dept. of Surgery Memorial Hermann Hospital, Houston, Texas, USA
John.holcomb@uth.tmc.edu

Kristofer Nilsson *MD, PhD Anesthesia and Intensive care physician*
Dept. of Cardiothoracic and Vascular surgery
Örebro University Hospital and Örebro University, Sweden
kristofer.f.nilsson@gmail.com

Pantelis Vassiliu *MD, PhD, FACS, Surgeon*
4th Surgical Clinic, "Attikon" University Hospital Athens, Greece
pant_greek@hotmail.com

Tal M. Hörer *MD, PhD Vascular and general surgeon*
Dept. of Cardiothoracic and Vascular surgery; Dept. of Surgery.
Örebro University Hospital and Örebro University, Sweden
tal.horer@regionorebrolan.se or talherer@yahoo.com

Top Stent에서 사용되는 단어 및 약어 목록

List of words and acronyms used in Top Stent

The Art of EndoVascular hybrid Trauma and bleeding Management

하이브리드	**HYBRID** open and endovascular management
대동맥내 풍선폐쇄 소생술	**REBOA** Resuscitative Endovascular Balloon Occlusion of the Aorta
대동맥 풍선폐쇄술	**ABO** Aortic Balloon Occlusion (or IABO)
완전폐쇄 REBOA	**tREBOA** total REBOA (used frequently as REBOA in general)
간헐적 폐쇄 REBOA	**iREBOA** intermittent REBOA
부분폐쇄 REBOA	**pREBOA** partial occlusion REBOA
현장/이송 중	**REBOA** fREBOA field REBOA (as well as **transfer REBOA**)
감압된 REBOA	**dREBOA** Deflated REBOA in situ
제품, RESCUE balloon™ (Tokai)	**RB, Rescue Balloon catheter**
제품, ER-REBOA™ (Prytime)	**ER-REBOA catheter**
응급실	**ER** Emergency room
사용설명서(매뉴얼)	**IFU** Instructions for use
혈관집(sheath)	**Sheath = introducer**
수축기혈압	**SBP** Systolic Blood Pressure
수술실	**OR** operating room
둔상에 의한 흉부대동맥 손상	**BTAI** Blunt Thoracic Aortic Injury
외상성 뇌손상	**TBI** Traumatic brain injury
혈관내 흉부대동맥 치료	**TEVAR** Thoracic Endovascular Aortic Repair
혈관내 대동맥 치료	**EVAR** EndoVascular Aortic Repair
좌측 쇄골하동맥	**LSCA** left subclavian artery
CT혈관조영술	**CTA** Computer Tomography Angiography, at times we use the word CT
완두동맥	**BCT** Brachiocephalic trunk (or Innominate artery)
외상초음파	**FAST**- Focused Assessed sonography in Trauma
위장관(출혈)	**GI** Gastro-intestinal (bleeding)
인터벤션영상의학	**IR** Interventional Radiology
색전제종류, GS	**GS** Gelatin sponge
전문외상소생술	**ATLS** Advanced Trauma Life Support
경피혈관성형	**PTA** Percutaneous Transluminal Angioplasty
총대퇴동맥	**CFA** Common Femoral Artery
표재대퇴동맥	**SFA** Superficial Femoral Artery
심부대퇴동맥	**DFA** Deep Femoral (profundal) Artery
복부구획증후군	**ACS** abdominal Compartment Syndrome
전신염증반응증후군	**SIRS** Systemic Inflammatory Response Syndrome
하대정맥	**IVC** Inferior Vena Cava
내장골동맥	**IIA** Internal Iliac Artery
외장골동맥	**EIA** External Iliac Artery

CHAPTER 1

혈관 확보에 관한 모든 것

It is all about the vascular access

Yosuke Matsumura, Junichi Matsumoto, Lauri Handolin, Lars Lönn, Jonny Morrison, Joe DuBose, Tal Hörer

최근의 전문외상소생술(advanced trauma life support, ATLS)은 외상환자의 진단과 치료에 공통적으로 적용할 수 있는 프로토콜을 정립하는 등 혁신적 발전을 거듭해왔다. ATLS의 일차평가인 ABC에서는 기도확보 및 동반 손상의 진단과 처치, 외부 출혈에 대한 지혈 등 효과적인 초기 치료를 위한 프로토콜화 된 접근법에 대해 강조한다. 그러나 현재 ATLS에서는 외상처치에서 혈관내 하이브리드를 이용한 외상 및 출혈 관리(endovascular hybrid trauma and bleeding management, EVTM)의 조기 사용에 관한 언급은 없다. 적절한 기술과 능력만 있다면, EVTM은 중증외상환자의 초기 치료에 있어 매우 유용한 방법이 될 수 있다.

ATLS의 일차평가인 ABCDE에 덧붙여 조기 혈관 확보의 개념을 추가한 AABCDE (airway and simultaneous vascular access, breathing, circulation etc) 개념을 기억해야 한다. 왜 이런 AABCDE 개념이 중요할까? 답은 매우 간단하다. 실제 중증외상 처치에서는 수액이나 약물 투여를 위한

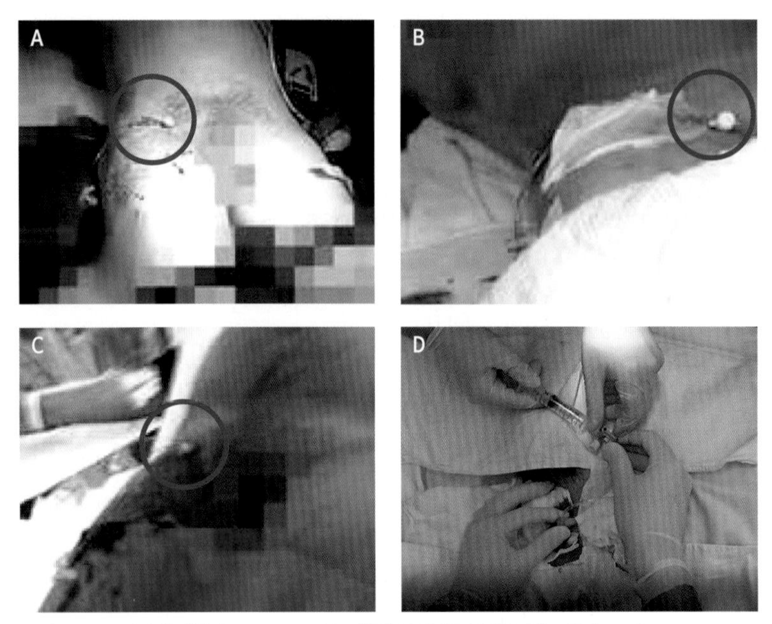

그림 1 A~C. 외상 환자에서 5Fr sheath를 사용하여 동맥로를 확보하는 사진.
D. 대퇴동맥으로 7Fr sheath를 삽입한 상태.

말초정맥이나 중심정맥 확보를 초기부터 시행하고 있기 때문이다. 중증외상환자에서 초기 정맥로를 확보하는 동시에 총대퇴동맥(common femoral artery, CFA)의 혈관을 확보하는 것은 환자의 생존에 매우 중요한 역할을 한다. 정맥로를 확보하는 것이 혈액 샘플을 채취하는 것과 동시에 수혈, 약물 투여 등을 위해 중요하듯, 초기 동맥 확보 역시 중요한 부가적 기능이 있음을 항상 기억해야 한다. 동맥로를 확보하는 것은 외상 처치에 있어 대동맥내 풍선폐쇄 소생술(resuscitative endovascular balloon occlusion of the aorta, REBOA)을 비롯한 진단적 또는 치료적 시술이 가능하도록 역할을 하기 때문이다. 동맥로를 확보하면 지속적인 동맥혈압

모니터링을 통해 혈역학적 안정성을 정확하게 평가할 수도 있고, 반복적인 혈액 샘플 채취도 가능하다. 또한 출혈 부위의 진단 또는 혈관색전술, 스텐트삽입과 같은 지혈용 술기에 필요한 혈관조영술 및 REBOA 등을 위해서도 동맥로확보는 필요하다. 간혹 동맥로를 통한 수액 투여도 가능하지만, 이는 정맥로만큼 효과적이진 못하다. 따라서, 대퇴동맥(또는 정맥)은 환자의 혈역학적 상태를 비롯하여 생존에 매우 필수적인 혈관로를 제공한다. 마지막으로 치료한 외상환자를 떠올려보자. 환자의 대퇴동맥과 정맥을 언제 확보하였는가? 일차평가(primary survey) 중 확보하였는가? 아마 아닐 것이다. 이는 동시에 예후를 좋게 만들 수 있었던 기회를 놓쳤다는 의미일 수도 있다.

Tips

초기부터 대퇴동맥로(정맥로를 포함하여) 확보를 고려해야 한다. 확보되었다면 혈액샘플 채취나 혈압 모니터링으로 사용될 수 있다. 가능하면 손상받은 부위의 대퇴부 혈관은 사용하지 말고 손상받지 않은 부위의 혈관을 선택하는 것이 좋다.

총대퇴동맥은 상대적으로 접근하기 쉽고 해부학적으로 사람에 따라 큰 차이 없이 비슷한 형태로, 그 크기 또한 적절하다(혈역학적 상태와 연령에 따라 다르지만 보통 6-9 mm이다). 젊은 환자에게 제대로만 시행된다면 성공률도 높고, 위험도 '비교적' 적다. 여기에서 '비교적'이란 말이 중요하다. 출혈, 혈관박리, 혈전생성 등 어느 정도의 위험이 동반되기 때문이다. 그러나 출혈성 쇼크 상태인 환자의 경우에는 위험대비효과(risk-benefit ratio) 측면에서 보면 신속하고 정확한 중재술은 확실히 효과가 있다고 할 수 있다. 대퇴부 혈관 확보는 앞서 언급한 것처럼 가장 위험도가 높은 심각한 손상환자에게 소생술을 시행할 수 있는 기반을 제공할 수 있을 것이다.

대퇴부 혈관 구조는 사람마다 거의 비슷하다. 대퇴정맥은 동맥에 비해 몸통 안쪽(medially)으로 위치하고 동맥과 정맥 모두 압박으로 출혈을 쉽게 조절할 수 있다. 대퇴동맥 확보에 관해 해부학적인 몇 가지 이슈, 즉 동맥로를 확보하는 방법에서부터 사용 및 유지하는 법 그리고 더 이상 필요하지 않을 때 동맥로를 안전하게 제거하는 법 등에 관해 논의하려고 한다. '혈관 확보'가 출혈휜지(외상으로 인한 출혈일 수도 있고 분만이나 위장관출혈 같은 비외상 출혈일 수도 있다)의 초기 치료와 관련하여 어떤 역할을 하는지 고민하는 것에서부터 논의를 시작하려고 한다.

1. 대퇴동맥 확인 및 확보하는 법

How to identify the femoral artery and access guidance techniques

혈관 확보에 있어서 기본은 바로 '확보하려는 혈관 아래로 심각한 손상이 관찰된다면 가능한 해당 부위는 피해야 한다'는 점이다. 손상받지 않은 반대쪽을 선택하는 것이 좋지만, 만약 양측 하지를 모두 손상받은 경우라면 추후 논의할 방법을 사용해볼 수 있다. 또 하나 고려해야 할 점은 확보하려는 혈관 위쪽으로 혈관손상이 있을 수 있다는 점이다. 그런 경우라면, 확보된 혈관을 사용할 수 없을 뿐만 아니라(예를 들면, 확보한 혈관으로 주입한 수액이 손상 부위를 통하여 새어나감), 오히려 위험을 가중시킬 수도 있다(예: 대퇴동맥으로 삽입한 와이어가 박리된 근위부장골동맥(proximal iliac artery)이나 대동맥으로 진입).

2. 초음파 유도 기법

Ultrasound guided puncture

초음파 유도하에 혈관 확보를 시행한다는 것은 매우 유용하지만, 가장 큰 문제는 시술자마다 질적으로 차이가 난다는 점이다. 또한, 같은 환자에게 시행한다고 해도 모두가 같은 정도의 영상을 획득할 수는 없다. 우선적으로 시술자는 병원의 초음파기계 작동법과 혈관을 보기 위한 초음파 세팅법, 투과 깊이와 밝기 조절법 등 기본적 사용법을 알고 있어야 한다.

이러한 사항들은 초음파와 외상초음파(focused assessment with sonography for trauma, FAST) 등에 관한 정식 교육을 통해 익숙해져야 한다. 10-15회 정도 시행해보면 술기를 안전하게 시행하기 위해 선행되어야 할 구조물에 대한 기초적인 이해가 가능해진다. 어느 정도 수준에 도달하려면 시간이 필요한데, 이는 시술을 안전하게 시행하기 위한 의지에 달린 문제이지, 전공과 직접적으로 연관된다고 생각되지는 않는다(눈 한 번 깜빡이는 시간보다도 더 빠르게 혈관을 확보하는 심혈관조영술 의사도 우리 주변에 존재한다).

응급상황에서는, 나보다 더 빠르고 익숙하게 초음파를 시행할 수 있는 동료가 있다면 동료에게 혈관 확보를 부탁하는 것이 좋다. 외상 후

침대에 누워있는 환자는 훈련용 모의 환자가 아니다. 기능이 잘 되는 확실한 혈관을 안전하게 확보하기 위해서는 나의 자존심을 내세우기보다는 환자에게 필요한 조치를 시행하는 것이 우선임을 기억해야 한다.

Advice

중환자에 시행하기에 앞서 예정된 상황(elective setting)에서 시행해 볼 것을 권한다.

실제 시술할 때는 아래의 순서를 권장한다.

1. 초음파의 탐촉자 방향(probe orientation)을 확인한다. 탐촉자의 좌측이 화면상의 좌측과 일치하도록 한다.
2. 샅고랑(groin) 부위를 횡축(transverse view)으로 스캔하여, 대퇴정맥이 안쪽에 위치하고 압박 가능한지를 확인한다. 보통 동맥은 초음파로 확인할 때 맥박이 있으나 항상 그런 것은 아니다. 또한 이상적으로는 총대퇴동맥이 표재대퇴동맥(superficial femoral artery)과 심부대퇴동맥(deep femoral artery)으로 갈라지는 분지점을 확인할 수 있어야 하는데, 이는 매우 중요한 기준점이 된다.
3. 탐촉자를 종축(longitudinal view)으로 돌려 후복막으로부터 나오는 외장골혈관(external iliac vessel)과 총대퇴동맥 및 그 뒤의 대퇴골두, 표재대퇴동맥과 심부대퇴동맥으로 갈라지는 분지점 등을 확인한다. 가장 이상적인 천자 부위는 대퇴골두 앞쪽으로 위치하는 총대퇴동맥이다. 이 부분의 초음파 확인이 어렵다면 앞선 구조물들을 확인하기 위한 연습이 필요하다.
4. 천자 부위를 정했다면, 약간의 피부절개를 하고(모두가 절개를 하진 않

지만), 앞서 언급한 방식으로 주사바늘을 삽입한다. 주사바늘은 초음파를 사용하여 확인할 수 있다. 종축뷰에 익숙하다면 사용해도 되지만, 대부분은 횡축뷰를 사용한다.

5. 혈액이 맺히면(flashback), 초음파 탐촉자를 내려놓는다. 다만, 다시 사용할 수도 있으니 오염되지 않도록 주의한다. 와이어를 혈관내로 삽입한다. 이때 쉽게 삽입된다면 초음파를 멈춰도 될 것이다. 그러나 쉽게 진입이 되지 않는다면 다시 초음파로 확인한다. 와이어의 끝부분(tip)이 혈관 안에서 확실하게 확인된다면 다행이지만 혈관내에서 확인되지 않을 수도 있다. 만약 확실하지 않다면 다시 한번 생각해봐야 할 것이다.

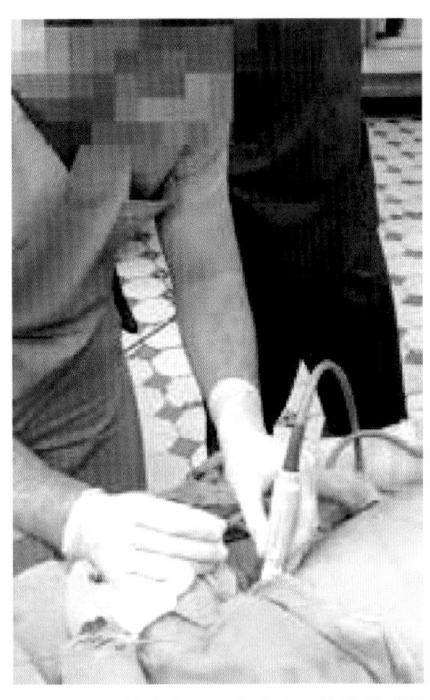

그림 2 외상환자에게 초음파 유도하에 천자하는 모습.

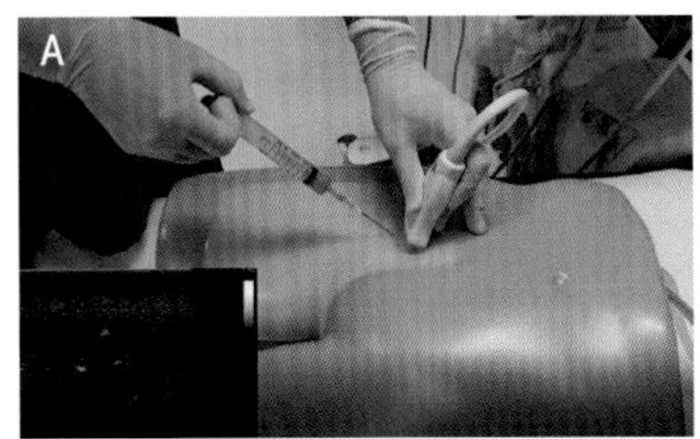

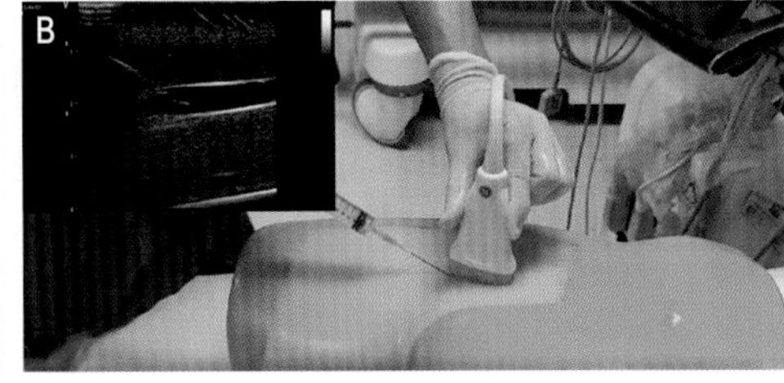

그림 3 초음파 유도하에 동맥천자하는 모습[endovascular training for REBOA (ET-REBOA) 코스]. A. 횡축(transverse view), B. 종축(longitudinal view).

Tips

- 응급실 내 초음파가 항상 사용할 수 있도록 준비되어 있어야 한다. FAST를 시행할 때도 매우 유용하지만, 혈관을 확보할 때도 사용 가능하다.
- 혈관 확보 시 필요한 탐촉자도 구비되어 있어야 한다.
- 초음파 사용 시 식별할 수 있도록 초음파 반사성의 주사바늘(echogenic needle)을 사용한다면 훨씬 편하게 시술할 수 있다.
- 초음파 유도하에 술기를 시행할 수 있도록 초음파 사용에 익숙해지길 권장한다.

3. 초음파를 사용하지 않고 맹목천자하는 법

Access without imaging, or the "blind" puncture – how to do it

현대의학에서는 총대퇴동맥이나 정맥을 확보하는 데 있어 초음파를 사용하는 것이 가장 안전하고 효과적인 방법으로 알려져 있으며, 이는 응급상황에서도 마찬가지다. 외상환자에서 혈관 확보를 시도할 때 역시 초음파는 매우 유용하다. 즉시 초음파를 사용할 수 있는 상황이라면 반드시 사용해야 한다. 앞서 언급한 것처럼, 표재대퇴동맥과 심부대퇴동맥의 분기점을 초음파로 쉽게 확인할 수 있기 때문에 이를 기준으로 총대퇴동맥을 찾을 수 있다. 그러나 초음파를 현장에서 바로 사용할 수 없다면, 해부학적 구조에 대한 자세한 지식이 매우 중요하고, 흔히 발생하는 실수들에 대해 잘 알고 있어야 한다.

샅고랑인대(inguinal ligament)는 일반적으로 허벅지 위쪽 부분(비만환자들에서는 다소 어려울 수 있지만)에서 잘 만져지므로 구분이 가능하다. 이 인대 위쪽으로 너무 높게 천자하지 않는 것이 좋다. 바깥쪽으로는 장골능선(iliac crest)을, 안쪽으로는 치골(pubic bone)을 촉지할 수 있는데 이는 대부분의 환자에서 샅고랑인대를 확인할 수 있는 구조물이다. 이 인대 위쪽으로의 천자는 장 손상이나 후복막출혈 같은 복강내 혹은 복강외 손상을 유발할 수 있다. 또한 추후 제거 시 동맥을 봉합하는데 시간이 더 걸리고, 더 어렵게 만드는 원인이기도 하다. 천자 부위 선정으로는 이 인대 부위에서 손가락 2개 정도 아래에서 시작하는 것을 권고한다. 다시 한번 강조하지만, 대퇴정맥이 동맥보다 안쪽에 위치한다.

동맥을 천자하려다 우발적으로 정맥을 천자한 경우, 제거하지 말고 천자된 정맥에 5-7Fr sheath를 삽입하도록 한다. 중증외상환자의 소생술에 있어 이 굵은 정맥은 매우 유용하기 때문이다. 또한, 삽관이 여러 군데 되어 있다면 정확하게 라벨링하는 것도 중요하다. 나뿐만 아니라 동료들도 역시 어느 카테터가 어느 혈관에 삽입되어 있는지 반드시 알아야 한다.

Comment

우리가 흔히 언급하는 'sheath'라는 것은 'introducer'와 같은 의미로 사용하기도 하는데, 밸브 달린 카테터로 혈관내에 삽입되어 다른 카테터가 진입할 수 있게 해주는 또 하나의 카테터를 의미한다.

또 하나의 유용한 팁은 혈관을 확보할 때, 동맥인지 정맥인지 확실하지 않다면, 우선 확보한 카테터를 그냥 놔두고 새로 시도하는 것이다. 처음 확보한 카테터는 초기 소생술을 모두 마치고 나서 나중에 제거해도 충분하다. 응급상황에서 혈관 확보를 시도하다 보면, 출혈을 조장하게 되고 이는 추가적 실혈을 유발할 수 있다. 이 부분을 압박하려다 보면 다른 술기를 시행함에 있어 방해가 되기도 한다.

Advice

혈관 확보를 성공하지 못했어도 카테터를 그냥 놔둔다(출혈이 조장될 수도 있다). 나중에 수술실이나 중환자실에서 제거하면 된다.

샅고랑 부위를 천자할 때 흔히 발생하는 실수는 너무 아래쪽이나 먼 쪽에서 천자하는 것이다. 이런 경우 표재대퇴동맥이 천자될 가능성이 높다. 표재대퇴동맥은 종종 촉지되기도 하고 이를 총대퇴동맥으로 착각할 수도 있으므로 촉지보다는 육안상 해부학적 기준점(landmark)에 의존해야 한다. 큰 사이즈의 카테터가 표재대퇴동맥에 위치하면(총대퇴동맥보다 작다) 하지 허혈의 위험성이 높고 특히 이미 상당한 쇼크가 진행된 경우라면 위험이 더 높다. 제대로 기능만 한다면 이런 부분은 나중에 고려하고 우선 사용한다. 그러나 잊어서는 안 된다.

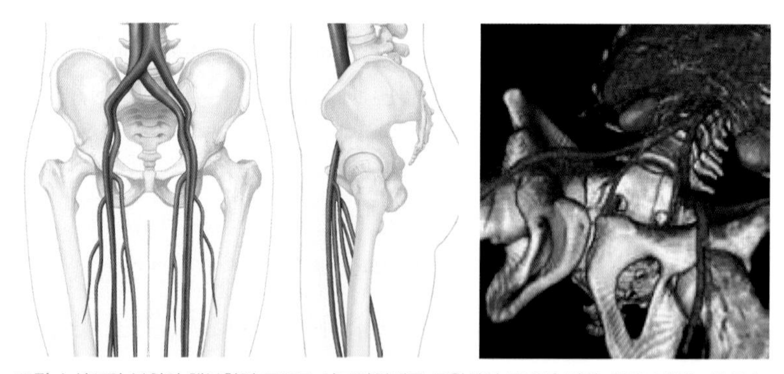

그림 4 샅고랑 부위의 해부학적 구조로 샅고랑인대를 포함하여 동맥과 정맥, 치골, 장골능선 모습. 천자는 샅고랑인대에서 2 cm 떨어진 곳에서 시작한다. 혈관의 3D 재구성 모습. 후복막으로 진입하는 동안의 장골혈관의 각도를 확인한다.

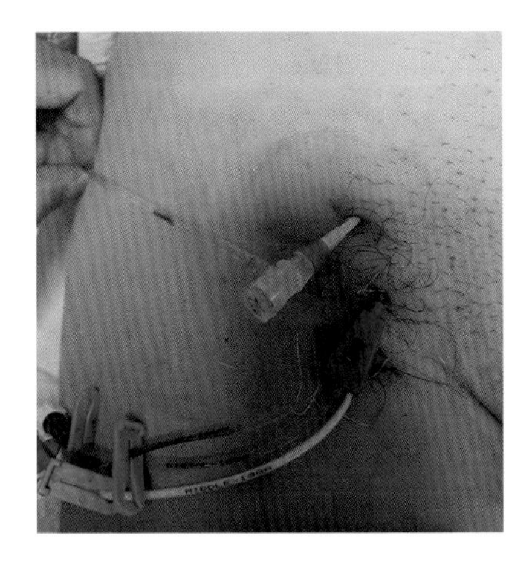

그림 5 대퇴정맥에는 중심정맥관, 대퇴동맥에는 7Fr sheath가 삽입된 사진. 대퇴동맥에 삽입된 7Fr의 천자 부위가 샅고랑 인대보다 높이 위치하고 있다.

샅고랑 부위 혈관을 확보할 때 해부학적 기준점을 사용한다면, 이때 흔히 발생할 수 있는 실수와 이를 피할 수 있는 방법을 알고 있어야 한다. 동맥 촉지에 의해서만 천자를 하면(쇼크가 상당히 진행한 경우라면 촉지하기도 어렵지만) 너무 높거나 낮게, 또는 너무 바깥으로나 너무 깊게 찌르는 경우가 발생한다. 치골의 샅고랑인대의 1/3지점에서, 정맥의 바깥쪽으로 천자를 시작하는 것이 유용한데, 치골 가장자리(pubic bone edge)에서 손가락 2개 정도 떨어진 지점으로 보통 동맥이 이곳에 위치한다.

환자의 혈압이 어느 정도 유지되고 있다면, 가장 잘 뛰는 동맥압을 찾도록 한다. 고령환자에서는 석회화된 혈관이 오히려 촉지가 잘 될 수 있다는 점과 동시에 석회화된 혈관일수록 카테터 진입은 더욱 어려울 수 있다는 점도 명심해야 한다. 만약 환자가 어느 정도 혈압을 유지하고 있다면(대략 80 mmHg 이상), 동맥압을 촉지할 수 있을 것이고 초음파를 이용하면 혈관의 맥박 여부를 눈으로 확인하거나 도플러를 이용하여 소리를 들을 수도 있을 것이다. 마른 환자라면 비만 환자보다는 훨씬 수월하

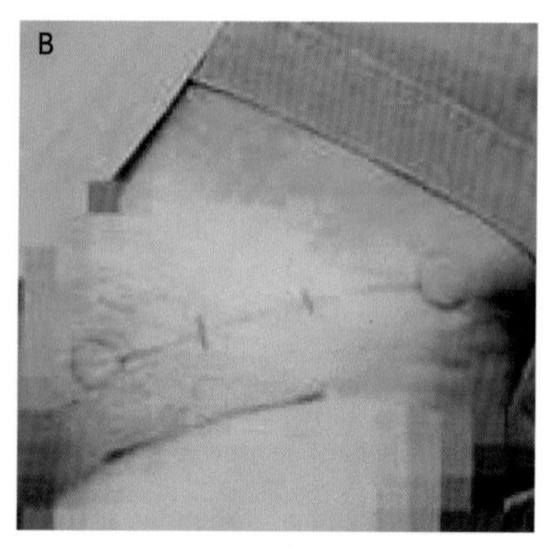

그림 6

A. (정규 혈관수술 중) 환자의 좌측 총대퇴동맥을 촉지하는 모습. 환자의 우측에서 거의 평행하게 천자하고 있다. 맹목천자(blind puncture)나 혈관조영술을 이용하기도 한다.

B. 혈관 확보를 위한 기준점. 샅고랑인대(위쪽)와 샅고랑주름(inguinal fold, 아래)이 표시되어 있음. 젊고 마른 환자라면 분명하게 확인이 가능하겠지만 고령환자나 비만환자에서는 명확히 확인하기 어렵다.

기 때문에 운이 좋은 경우이다. 카테터를 혈관 내에 잘 위치시킬 수 있도록 동맥의 종축 주행 방향과 연속성 등에 대해 잘 알고 있어야 하고, 혈관 확보를 잘하기 위해서는 동맥의 3차원적 구조를 항상 상상해보는 것이 필요하다.

Practical tips

동맥 구조와 맥박을 촉지하기 위해서는 손가락 2개를 사용하는 것이 좋다. 바깥에서 안쪽 방향으로 천천히 움직여보는 것이 동맥촉지를 해보는 데 도움이 된다. 본인의 맥박을 이렇게 확인해보는 것도 좋은 방법이다.

4. 천자 방법과 맹목천자

Puncture methods and blind puncture

대퇴동맥과 정맥을 확보하는 데 여러 방식이 있으나 필자의 생각으로 가장 안전한 방법은 초음파 유도하에 시행하는 single puncture 테크닉(단일혈관벽천자법)이다. 방법은 다음과 같다. 주사바늘을 혈관으로 찔러 혈액이 맺히는 것(flashback)을 확인할 때까지 삽입하고 와이어를 혈관 내강으로 진입시킨다. 주사바늘은 12시 방향(가장 앞쪽으로)으로 가깝게 하여 관통시키는 것이 가장 이상적이다. 와이어는 혈관으로 통하는 루트를 확보하여 혈관 내로 다른 장치(sheath, catheter, balloon 등)가 위치할 수 있게 하는 가이드 역할을 한다. 1950년대에 이미 이 방식을 시행했던 인터벤션영상의학 전문의(interventional radiologist)의 이름을 기리는 뜻에서 Seldinger technique (셀징거법 혹은 over the wire technique)이라고 부른다. 혈액맺힘을 확인하는 것은 매우 중요한데, 천자한 혈관에 대해 많은 정보를 주기 때문이다. 선홍색의 맥박성 혈액맺힘은 확실히 동맥혈일 것이나 앞으로 언급할 내용을 다루는 환자들에게서 이렇게 명확하게 관찰할 수 있는 경우는 드물다. 저혈압의 출혈환자에서는 맥박이 약하고 색깔도 어두우며 박동성으로 확인되지 않을 가능성이 높다. 이런 상황에서는 조심스럽게 이미 천자한 혈관을 진행시켜 확보하는 것이 중요하다. 만약 정맥을 확보한 것이라면 그 혈관은 정맥로로(혈액검사와 소생술을 위해) 사용하면 된다. 정맥 천자 시에는 보통 어두운 색의 비박동성 혈액이 흐르는 것을 관찰할 수 있다.

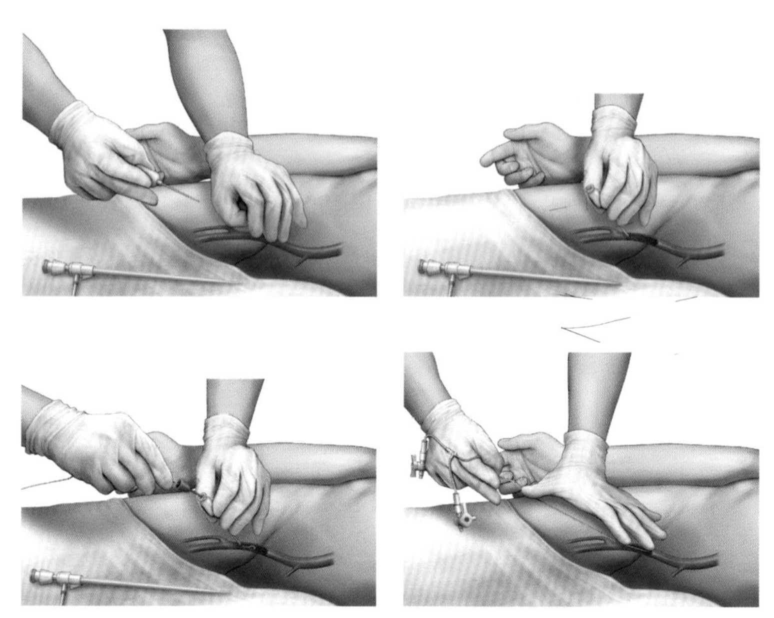

그림 7 Seldinger 방식의 주요 단계. 일부 동영상과 다른 자료들을 www.jevtm.com이나 다른 사이트에서 찾아볼 수 있다. Seldinger 방식에 대해서는 본문에 설명하고 있다.

Remark

천자를 하면 주사바늘에서 출혈이 발생하여 와이어를 삽입할 때까지 어느 정도의 출혈이 발생할 것이다. 보통 10-20 mL를 초과하지 않으므로 무시할 만한 양이다. 그러므로 이런 것 때문에 스트레스 받을 필요 없이 계속 진행하여 와이어를 삽입시켜라. 혈액이 관찰된다는 것은 혈관 내에 위치하고 있다는 의미이다.

외상환자에서는, 대부분의 의사들이 큰 바늘(18G)과 적당한 사이즈의 와이어(0.035", 0.035 inch)를 사용하겠지만, 미세천자세트(micro-puncture set)를 선택할 수도 있다. 이는 보통 21G 주사바늘과 얇은 0.014" 와이어로 구성되어 있다. 어떤 전문가들은 출혈환자에게 큰 바늘(18G)을 사용할 것을 권하는데, 혈액맺힘을 통해 천자가 잘 됐음을 확인할 수 있어 좀 더 손쉽게 혈관을 확보할 수 있기 때문이다. 왜냐하면, 미세천자세트를 사용하는 경우에는 혈액맺힘이 좀 더 명확하지 않으므로, 천자성공 여부를 알기 어렵기 때문이다. 아직 이 부분에 대해서 명확한 결론을 내지는 못했지만, 최소한 REBOA에 관해서라면 큰 바늘이 유리한 것은 사실이다.

Tips

매번 천자 시도 후에는 멸균된 증류수로 바늘을 깨끗하게 해두거나 아니면 교체해야 한다. 천자 시에는 바늘을 천천히 움직이고 한 번 혈액이 맺히면 그 자리에서 움직이지 않도록 한 다음 와이어를 삽입한다. 갑자기 혈액방출이 사라진다면 혈관 안에 위치하지 않거나 혈관 벽에 닿았을 수 있다. 다시 혈액이 흐르도록 바늘을 천천히 그리고 주의 깊게 다뤄 확인해본다. 확실하지 않다면 반대쪽에 할지, 아니면 도움을 요청할지 플랜 B를 생각해야 한다.

5. 천자를 하는 두 가지 방식

In terms of the puncture, there are two main methods described

1) 단일혈관벽천자(Single wall puncture)

가장 직관적인 방법으로, 혈관에 40-45° 방향으로 주사바늘을 접근시키는 방법이다. 기억해야 할 점은 바로 이 각도 때문에 피부에 천자되는 부위와 실제 혈관이 천자되는 부위의 위치가 동일하지 않다는 것이다. 이것이 바로 샅고랑인대에서 2 cm 정도 떨어진 위치에 시행하는 것을 추천하는 이유다. 혈액이 맺히는 것을 확인했다면, 주사바늘의 허브를 약간 낮추어 혈관에 좀 더 평행할 수 있게 한 후 몇 mm 정도만 더 진입시킨다(다른 방식을 추천하는 이들도 있다. 혈액이 맺히면 그때부터 주사바늘을 움직이지 않는 이들도 있다). 바늘을 안정적으로 잘 고정시키고 혈액이 꾸준히 흘러나오는지를 확인한 다음 와이어를 삽입한다. 바늘을 통해 일부 출혈이 될 수 있지만 무시할 만한 양이며, 현재 혈관 안에 잘 위치하였다는 것이 중요하다. 이 방식은 바늘이 혈관 앞쪽 벽을 확실하게 뚫은 것이 아닌 경우 와이어를 진입시킬 때 동맥의 중벽(media)을 뚫어 혈관벽

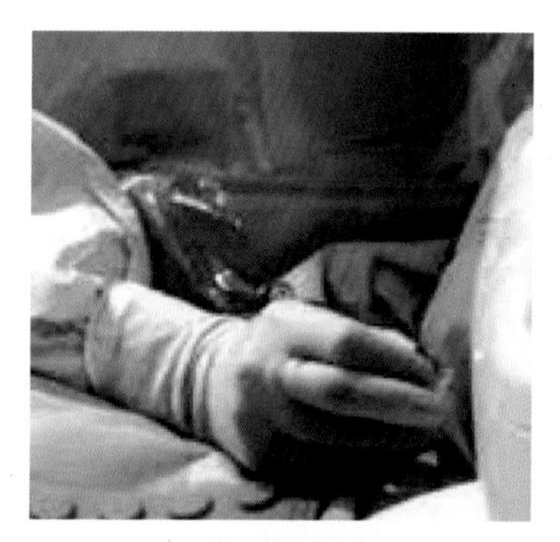

그림 8 정규 혈관내시술 환자에서의 천자 모습. 촉지 후 방향을 맞추어 바늘을 45°각도로 진입시킨다. 혈액이 안정적으로 흐르는 것이 확인되면 와이어를 삽입한다. 좀 더 수평하게 바늘을 조절할 수도 있다.

을 박리할 수도 있다는 위험이 존재한다. 특히 sheath를 넣을 경우 이는 중요한 허혈성 문제를 유발시킬 수 있어 주의해야 한다. 혈액이 맺히는 양상이 이런 상황을 피하는 데 중요한 핵심이다. 만약 확실하게 잘 맺힌다면 박리의 가능성은 낮겠지만, 외상에 의한 저혈압 환자에 있어서는 말처럼 쉽지 않을 것이다.

> **Tips**
>
> 다른 시뮬레이터 등의 모델에 천자를 연습해보면 바늘을 사용할 때의 느낌과 와이어를 진입시킬 때의 느낌 등에 도움이 될 것이다.
> 와이어 삽입 시 강제 삽입해서는 안 되며, 미끄러지듯이 들어가야 한다. 그렇지 않다면 그건 혈관 내에 있는 것이 아니다.

2) 이중혈관벽천자(Double wall puncture)

이중혈관벽천자는 좀 덜 정형화된 방법으로, 혈액맺힘이 관찰된 직후 일부러 더 진입시키는 방법이다(혈액이 관찰되지 않을 때까지). 그런 다음 바늘의 각도를 약간 낮추고 천천히 바늘을 뺀다. 바늘 달린 작은 주사기를 사용한다면, 약간의 음압을 가하기 위해 주사기 손잡이(plunger)를 당기면서 할 수도 있다. 다시 혈액이 관찰되면 가이드와이어를 삽입한다. 이 방식으로 하면 바늘이 좀 더 혈관내에 안정적으로 위치할 수 있어 작은 혈관이나 직경이 작아진 혈관을 확보할 때는 좀 더 유용하다. 동맥으로 와이어가 통과하는 것이 문제이긴 하지만 제대로 한다면 이런 경우는 거의 발생하지 않는다. 더 흔하게는 혈관 뒤쪽 벽을 뚫음으로 발생할 수 있는 뒤쪽 혈종의 위험이 있는데 이로 인해 후복막 출혈이 유발될 수 있다.

맹목천자(blind puncture)에 대해 요약하자면, 손가락으로 혈관 위치를 확인한 후 앞서 언급한 대로 천자를 한다. 맹목천자가 가장 좋은 방법은 아니지만, 어떻게 하는지를 알고 있다면 초음파를 이용할 수 없는 상황에서 도움이 될 수 있다. 실제 임상에서 종종 응급 상황에 맹목천자가 시행되기도 한다. 그러나 가능하다면 초음파를 사용해야 한다.

6. 혈관절개술

Cut-down

1) 동맥 또는 정맥절개술

수술적 처치로 직접 절개하여 혈관을 확보하는 방법은 처음부터 시도할 수도 있고 가장 나중에 시도할 수도 있다. 중증외상환자에게 절개술을 처음부터 시도하는 이들도 있다. 천자가 어려울 것으로 판단되는 경우, 바로 절개술로 전환하는 것이 현명하다. 중증환자에서는 성공 가능성이 적어 보이는 술기를 자꾸 시도하지 말고 절개술을 일찍 고려하는 것이 나을 수도 있다.

절개술을 시행할 때는 샅고랑 부위로 접근하는 정규 수술이 아니라는 점과 환자의 생명이 위태로운 상황이라는 점을 기억해야 한다. 이런 상황에서는 적절한 멸균소독과 국소마취를 시행할 만한 시간이 없다는 점을 받아들여야 한다. 그러나 미리 포장된 패키지가 있다면 더 좋을 것이다. 이 경우 수술용 칼로 샅고랑인대의 가운데 부위를 5 cm 정도 수직 절개하고, 칼이나 메젬바움 가위를 들고 총대퇴동맥을 촉지하며 절개

한다. 동맥 부위까지 절개해 들어가면 맥박이 촉지되며, 천자할 수 있는 앞측 벽이 시야에 확보될 것이다. 근위부와 원위부 혈액 통제를 완전하게 할 필요가 없다. 앞서 언급한대로 동맥을 천자하고 혈관내로 와이어를 삽입시킨다. 작은 self-retaining surgical retractor가 있으면 도움이 된다.

Remark

주의할 점은 매우 급박한 상황이므로 추가 손상을 일으킬만한 행위는 피해야 한다는 점이다. 새로 동맥성 출혈을 야기하거나 동맥손상을 일으키고 싶지 않다면 말이다.

7. X-ray 유도하 천자법

X-ray guided puncture

유용하다고 알려진 또 다른 방법은 X-ray나 투시검사(fluoroscopy)를 이용하여 천자하는 방법이다. 그러나 매우 급박한 상황에서 이런 장비를 이용하기는 어려울 것이다. X-ray를 사용하면 대퇴골두를 확인할 수 있는데 보통 동맥이 대퇴골두의 안쪽에 위치하고 바로 여기가 천자 부위다. X-ray 영상은 경피적 접근 혹은 절개술 시 부가적으로 도움이 될 수 있고, 주로 혈관조영술이나 수술실 기반으로 사용되지만 일부 상황에서는 응급실에서도 사용될 수 있다.

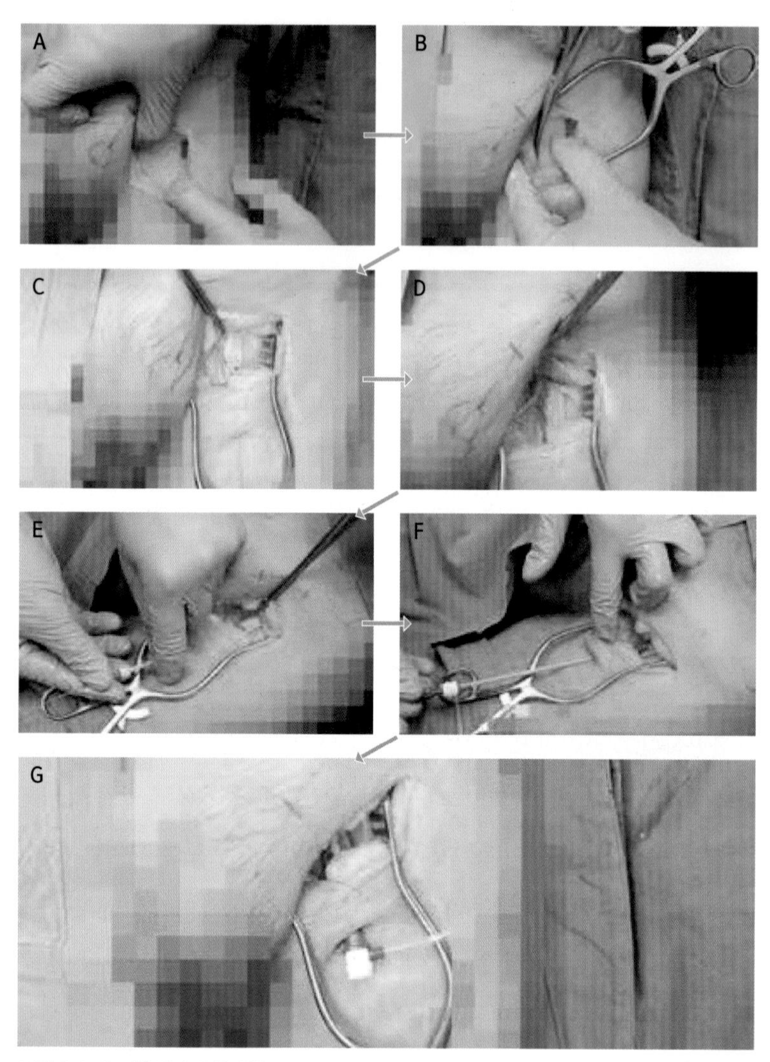

그림 9 A~G. 좌측에서 우측방향으로 사체에 절개술을 시행하여 동맥을 확보하는 모습. 해부학적 기준점과 촉지를 이용하여 박리하며 혈관 앞쪽 벽을 노출시킨다. Seldinger 방법으로 혈관을 천자한다. 여기서는 경피적으로 천자했지만 혈관벽에 직접 할 수도 있다.

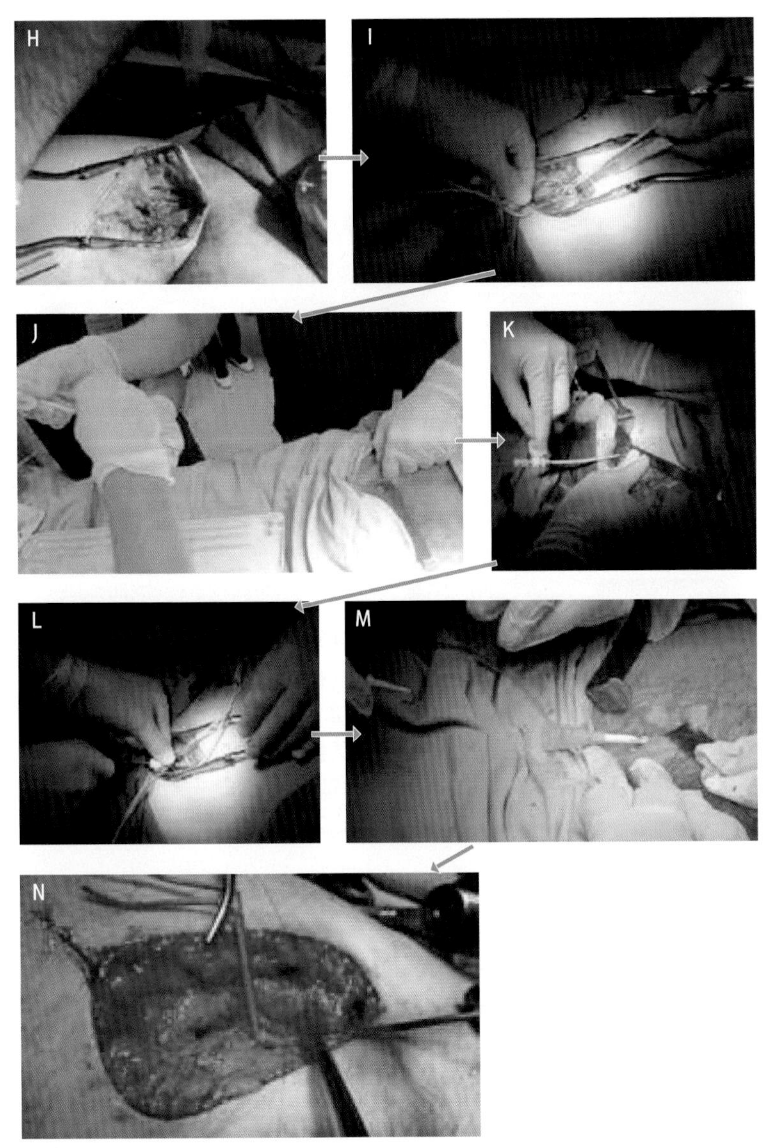

그림 9 H~N. 외상환자에서 절개술을 이용한 REBOA.
좌측에서 우측 방향으로 천자, 와이어, sheath 위치. 마지막 사진은 sheath 제거 후 봉합하는 모습.

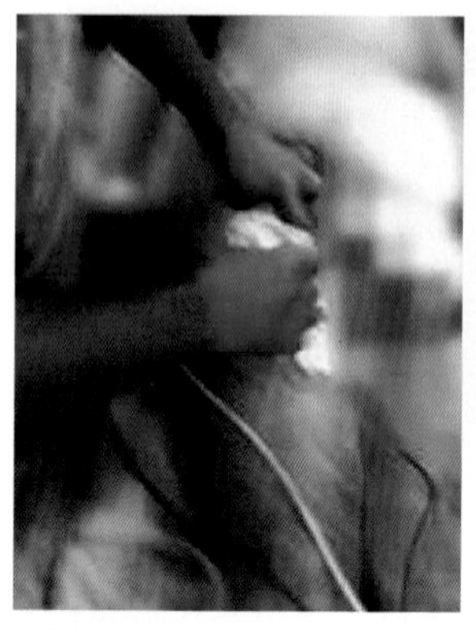
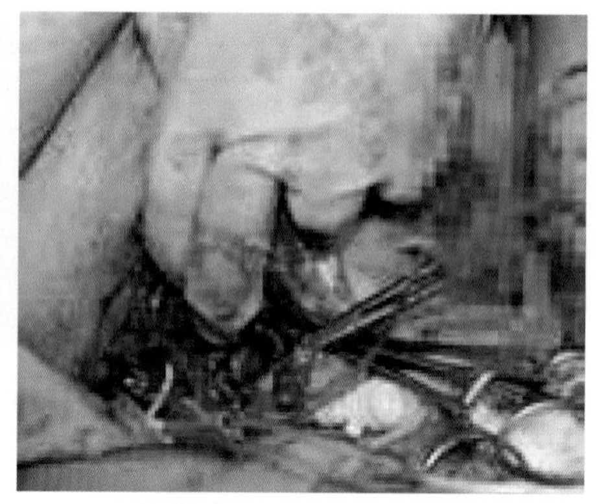

그림 10 REBOA 삽입을 위해 비만 환자에서 혈관 확보를 위한 절개술을 시행하는 모습. 이런 환자에서 혈관 확보는 매우 힘들 것이다.

Comment

응급실에서 사용하는 경우 방사선 안전에 대해서 잊지 말아야 한다. 응급실(또는 수술실)에서는 오고 가는 인원이 많으며 모두가 납차단복을 입고 있지는 않다. 전리방사선은 되도록 적게 사용하고 촬영 직전 다른 인원이 안전수칙을 준수하는지 확인할 수 있도록 의사소통을 해야 한다. 일부 센터에서는 모든 인원이 보호가운을 걸치고 수술실에 출입하기도 한다.

8. 혈관 안으로 삽입되었는가? 이제 무엇을 하고 무엇을 사용할 것인가?

Ok, you are in? What to do and what to use now?

혈관에 주사바늘로 천자가 되었다면, 주사바늘을 움직이지 말고 와이어를 혈관 안으로 삽입한다. 왼손을 이용하여 환자 몸에 주사바늘을 안

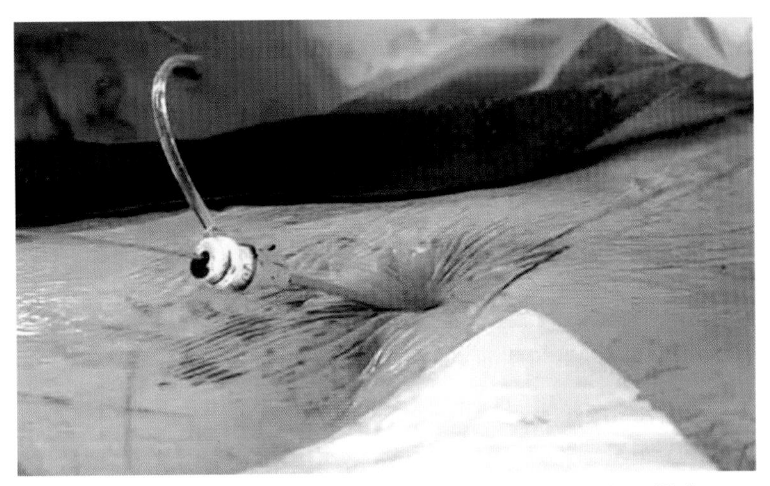

그림 11 Seldinger 방식으로 삽입 중인 sheath. Dilator 없이 밀어 넣지 않도록 주의하라. 심한 출혈이나 박리를 조장할 수 있다.

정적으로 고정시킬 수 있도록 한다. 와이어를 고르는 것은 각각의 장단점이 있기 때문에 중요하다. 안전한 와이어는 짧은 0.035 inch Starter-J 와이어다. 진입할 때는 반듯하지만, 혈관 내에서 J 모양을 이루고, 비교적 안전하게 진입된다. 또 다른 선택지로는 직선형으로 끝이 부드러운 Bentson 와이어가 있다. 이 와이어는 곁가지로 삽입될 수 있는 위험이 좀 더 높지만, X-ray에서 관찰된다. 와이어를 천천히 삽입하되 저항이 느껴지면 진입을 멈춘다. 투시검사(fluoroscopy)를 사용하지 않는 경우라면 와이어 진입 후에는 보이지 않으므로 진입 시의 느낌을 알아야 한다. 와이어를 주사바늘에 삽입하기 전, 바늘의 각도를 좀 더 낮춰 혈관과 좀 더 평행하게 만들어야 수월하며 지속적으로 저항감이 느껴지는지 확인한다. 제대로 되고 있지 않은 듯한 느낌이 든다면, X-ray나 초음파를 추가적으로 사용한다.

최소 20 cm 정도 와이어가 삽입되면 주사바늘을 제거하고 sheath를 삽입해야 한다. 시행하려는 술기에 충분히 직경이 큰 sheath를 삽입한다. 진단적 용도로는 4-5Fr이면 충분하지만, 스텐트나 balloon을 계획하고 있다면 더 큰 사이즈가 필요하다(6-7Fr). 삽입 전 sheath가 잘 준비되었는지 확인한다. 급한 상황에서는 직접 하는 것이 가장 좋다. 일반적으로 sheath (혈관집)는 dilator (확장기)와 같이 있으며 두 가지 모두 삽입 전 멸균식염수로 세정(flushing)을 해줄 필요가 있다. 세정 후 dilator가 sheath의 허브 부분에 딸깍하며 잘 고정되는지 꼭 확인해야 한다. 그렇지 않으면 삽입하면서 dilator가 도로 sheath로부터 빠져버리는 일이 발생할 수 있다.

투시검사(fluoroscopy)나 초음파를 사용하지 않는 경우라면 대동맥을 손상시킬 수 있으므로 긴 sheath (25-30 cm)를 사용해선 안 되고 짧은 sheath (11 cm)를 사용해야 한다. 저항 없이 부드럽게 진입한 와이어라 해도 장골동맥이나 대동맥에 위치하지 않을 수도 있다. 항상 곁가지로 삽관되었을 가능성도 알고 있어야 한다. 짧은 sheath를 사용하면 총대퇴동맥이나 외장골동맥에는 위치할 수 있으나 그 이상으로 진입하진 않는다. 응급실에서 맹목접근을 하는 경우 짧은 sheath를 사용하는 것이 안전하다. Sheath가 삽입되고 나면, 혈관으로의 통로 역할을 하게 되므로 주의 깊게 다뤄야 한다.

자, 이제 5Fr (또는 7Fr) sheath를 확보한 후 멸균식염수로 세정하는 것을 잊지 않았다면 이제부터는 사용할 수 있다[REBOA 삽입 시 필요한 굵은 sheath로 교환하거나(upsizing), 수액소생술 또는 혈압모니터링이든 모두 가능하다]. 다른 장소로(CT, 혈관조영실, 수술실) 이동하거나 또는 동

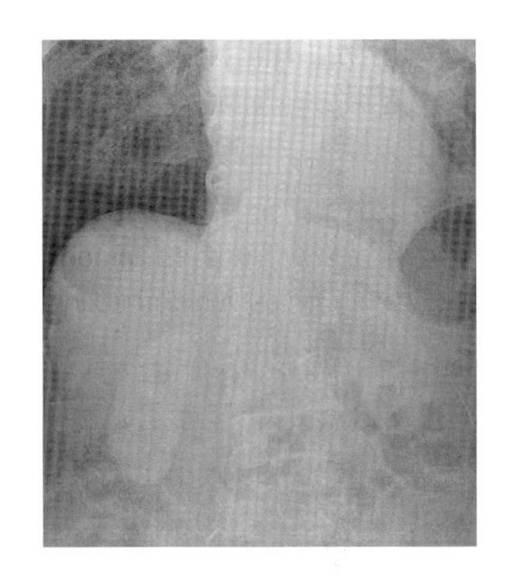

그림 12 좌측 총대퇴동맥을 통하여 삽입된 RESCUE balloon™ 풍선 카테터가 우측 장골동맥에 위치하는 사진.

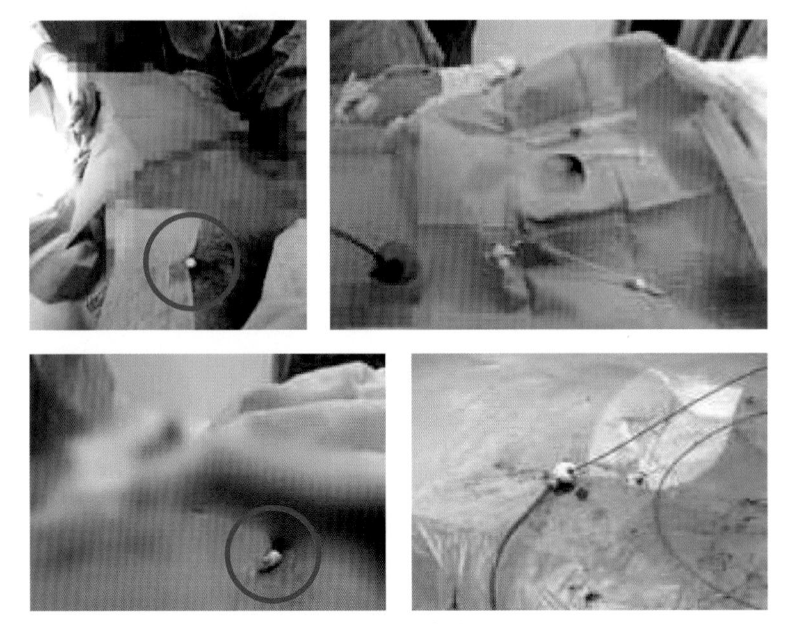

그림 13 외상에 의한 출혈 환자에서 수술 전 sheath (5Fr)를 준비하고 유지해둔 모습.

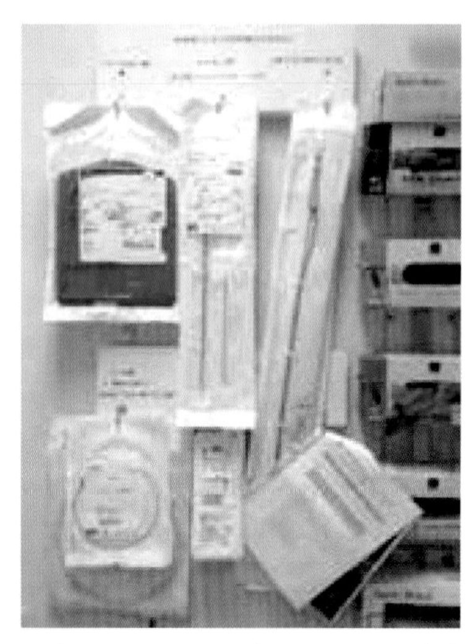

그림 14 Puncture set와 REBOA kit. 하나의 예시일 뿐이며 각자 병원에서 사용할 수 있게 준비해두도록 한다.

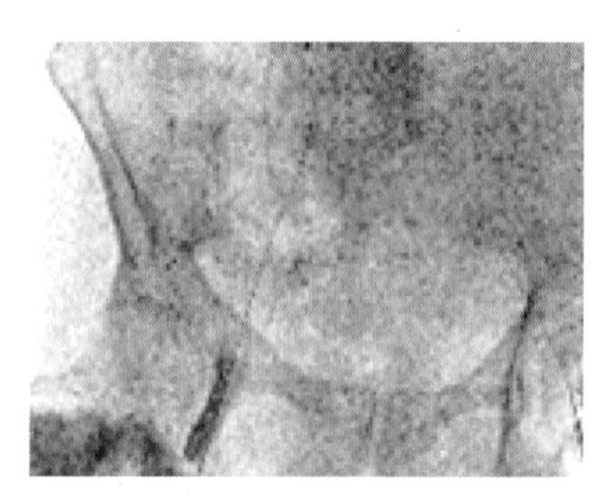

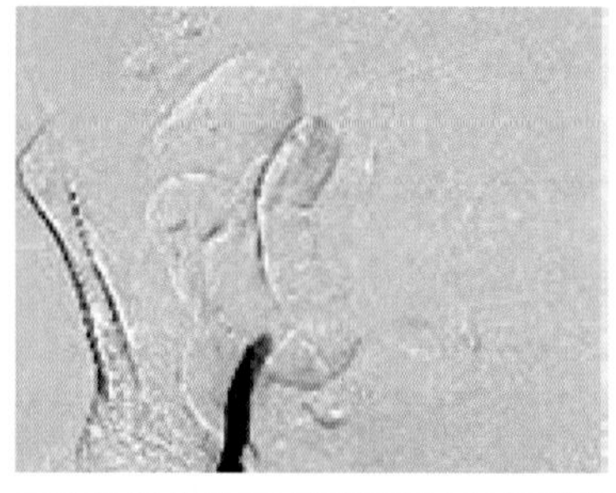

그림 15 이전 시도로 혈관박리가 된 부위에 접근하는 사진. 위치를 확인하기 위해 Bolia 카테터를 사용하였고(위 사진) 새로운 카테터로 교체했다. C-arm 혈관촬영상 혈관벽에 카테터가 존재하면서 박리가 발생한 모습(조영제).

맥관에 연결하기 전에 sheath를 스테이플러, 봉합사, 테이프 등을 이용해서 잘 고정해둬야 한다. 만약 빠지게 되면 매우 심한 출혈이 발생할 수 있기 때문이다. 다른 의료진에게도 확보된 sheath에 대해 알려줘야 한다. Sheath를 당장 사용하지 않을 계획이라면 혈압모니터링으로 연결하거나 혈전생성을 막기 위해 10-20 drops/min의 속도로 수액을 주입하도록 한다.

다음으로 대퇴동맥이나 정맥확보를 위해 필요한 물품을 정리해둔 테이블에 대하여 설명하고자 한다. 두 혈관 모두 확보가 필요하거나 실패했을 경우를 대비하여 여러 세트를 준비해 둘 필요가 있다. 비용은 그리 많이 들지 않으며 모든 혈관파트나 중재파트를 통해 외상처치실에서 사용할 수 있도록 준비해 줄 수 있을 것이다. 혈관 확보 키트를 보유하도록 권고하며, 이는 특별히 REBOA kit라고 하기도 한다.

혈관 확보 키트(Vascular access kit)

- 국소마취제와 10 mL 주사기/바늘 2개
- 18G (또는 와이어가 통과할 수 있는) 천자바늘
- 표준 와이어나 Bentson 와이어(0.035 inch)
- 4-5-6-10(그리고 12) Fr sheath (e.i., Cordis 또는 Cook)(일부 REBOA는 〉12Fr)
- 멸균증류수 및 10-20 mL 주사기
- 피부 봉합 스테이플러, 3.0 피부봉합사, 피부테잎
- Simple drape (with hole preferred, 간단한 공포)
- 조영제 및 별도의 10 mL 주사기
- REBOA kit

Tips

보유하고 있는 장비나 경험에 의해 키트를 구성해야 한다. 언제든지 사용할 수 있게 준비해두도록 한다. 키트가 무엇으로 구성되어 있고, 이를 어떻게 사용해야 하는지 팀원들 모두가 알아야 한다.

9. 혈관 확보 시 문제해결

Troubleshooting access

와이어가 삽입된 것 같지만 확신이 들지 않을 때 작은 카테터(Bolia catheter, 4Fr 정도이며 사용하기 편하다)를 와이어 위로 진입시켜 혈액이 카테터를 통해 방출되는지 확인하거나 조영제를 사용하여 혈관조영술로 확인하는 방법이 있다(가능한 경우에). 혈관내에 있는 것을 확인했거나 upsizing이 필요한 경우에는 0.035 inch 와이어를 삽입해두고, 기존의 작은 카테터를 제거한 후 새 sheath를 위치시킨다. 어떤 저항감이라도 느껴지는 경우 위치가 부적절할 수 있음을 항상 명심해야 한다. 일반적으로 작은 카테터는 혈관 손상을 유발하지 않지만 그래도 주의가 필요하다. 만약 문제가 있다고 판단되면, 새로 천자하든지, 초음파를 사용하든지 다른 의료진에게 도움을 요청한다. 시간 낭비 없이 신속하고 침착하게 새로운 바늘로 천자를 시도하여 혈관을 확보하도록 한다. 잘못 삽입된 sheath는 잠시 놔두고 나중에 제거해도 된다. 만약 주사바늘을 제거한 상태라면, 천자 부위를 잘 압박해주고 전략을 바꿔서 새로 시도한다.

10. 혈관 확보를 위한 시점은 언제인가?

What about the timing of the vascular access?

환자가 혈역학적으로 불안정하다면, 그때가 바로 혈관 확보를 위한 시점이다. 명확하게 지속되는 출혈이 없다 하더라도, 대퇴 부위의 혈관 확보를 고려해야 한다. 특히 환자 상태가 악화되었을 때에는 혈관내 하이브리드를 이용한 외상 및 출혈 관리(endovascular hybrid trauma and bleeding management, EVTM)가 환자에게 여러 선택지들을 제공할 수 있다.

손상기전, 활력징후, 병원 전 평가 등으로부터 환자가 도착하기 전에 결정을 내려야 할 때도 있다. 환자의 활력징후가 정상이라면 혈관 확보는 비교적 손쉬울 것이다. 그러나 출혈성 쇼크의 초기에는 보상기전이 일어날 수 있어 혈압 등에만 의존하면 안정적으로 보이던 환자의 상태

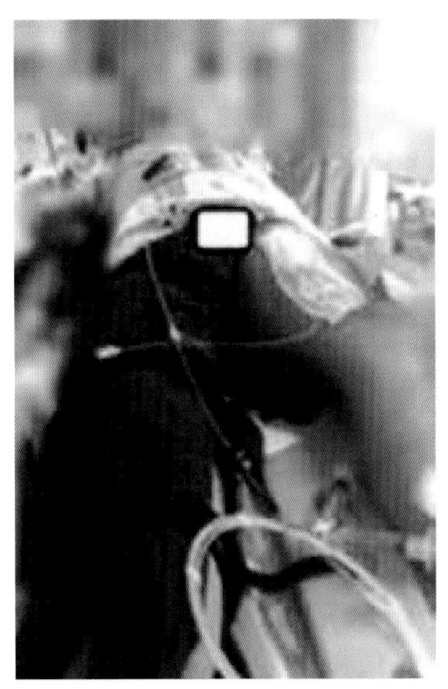

그림 16 T-pod 골반고정대를 시행한 상태에서의 REBOA. 좌측에 5Fr sheath를 가지고 있다.

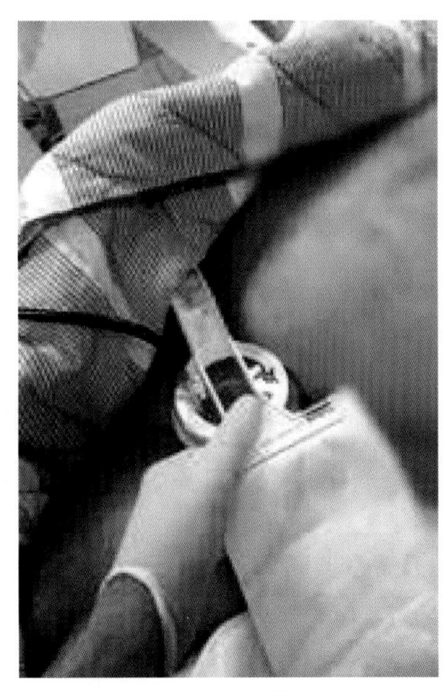

그림 17 Femo-Stop을 이용한 압박. 대부분은 8Fr sheath까지는 이걸 사용하지만 18-20Fr의 ECMO sheath 때도 사용하기도 한다. 환자에게 이것을 적용해도 괜찮은지 사용 전 주의 깊게 생각해야 한다.

가 지속된 출혈로 인하여 몇 분만에 악화될 수도 있다. 앞서 언급했듯이, 동맥 확보는 혈액 채취뿐만 아니라 실시간 혈압 모니터링이나 혈관조영술 혹은 REBOA를 해야 하는 등 여러 가지 이유에서 유용하다. 그러므로, 조기에 혈관 확보하는 것을 주저해서는 안 되고, 기도삽관 중이나 ATLS의 일차평가 중 시도해야 한다.

혈관을 쉽게 확보할 수 없다고 판단되면 동료들에게 부탁하여 양측에서 sheath 확보를 시도할 수도 있다. 만약 골반골절로 색전술이 필요한 환자라면 양측에서 혈관 확보를 시도하여 시간을 절약하도록 한다. 환자가 REBOA가 필요하다면, 반대측 sheath로 혈압을 모니터링하는 것이 부분폐쇄 REBOA (partial occlusion, pREBOA)를 하는 동안 원위부 관류상태를 확인하는 데 도움이 된다. REBOA 삽입 후에는 더 이상 살고랑 부위에서 동맥압을 촉지할 수 없으므로, 반대측 동맥에 sheath를 확보하는 것이 쉽지 않을 것이다. 따라서 REBOA와 반대측 혈관을 이용한 색전술로 골반골절 환자를 안정화시킬 수 있다면, 동시에 양측에서 혈관 확보를 하는 것을 권장한다. T-pod 등 골반고정대를 사용하는 경우에는 천자 부위가 꼭 육안으로 확인될 수 있도록 하는 것이 중요하다. T-pod를 약간 들어올려 공간을 만들어 주고 다른 사람들이 sheath가 삽입되어 있음을 확인할 수 있도록 해야 한다.

11. 언제 어떻게 sheath를 제거하는가?

How and when to remove the sheath?

가장 간단한 답은 다음과 같다. 혈역학적으로 안정되고 응고장애 없이 더 이상의 중재술이 필요하지 않은 상태이다. 문제는 그때가 언제인지 정확히 알 수 없다는 점이다. 정맥성 출혈이나 CT에서 놓친 간헐성 출혈이 있을 수도 있다. CT에서 혈관외유출이 없는 안정적인 환자에게 뒤늦게 심각한 출혈이 발생했던 경험들이 있었을 것이다. 작은 크기의 sheath (5-7Fr)는 하루 정도는 유지할 수 있다(경우에 따라 며칠씩 유지시키기도 하지만 그다지 권장하지 않는다). 큰 사이즈의 sheath (10-12Fr)는 중재술을 마친 후, 혈전 생성과 허혈을 막기 위해 가능한 빨리 제거해야 한다. 그러나 불안정한 환자는 앞서 언급한 대로 세정(flush) 후 우선은 sheath를 유지해도 된다. Sheath를 제거하기 전까진 말초순환에 대한 평가를 매시간 시행해야 한다. 만약 혈액을 뽑았을 때 핏덩이(clot)가 관찰된다면 혈전이나 색전이 발생했을 가능성이 있다. 이런 상황에서는, 대퇴동맥에 대한 수술적 탐색(open exploration)을 하여 필요시 색전제거술을 시행하는 것이 가장 좋은 방법이다.

Word of caution

Sheath는 체내에 삽입되어 있는 한 혈전/색전의 원인이 된다.

Sheath를 제거한다면 외부압박(손이나 장비로), 봉합장비, 근막봉합 또는 수술적 제거 중 하나를 사용할 수 있다.

1) 외부압박(External compression)

이 방법은 7Fr (어떤 이는 8Fr라고 한다) 크기의 sheath에 적용할 수 있는 방법으로 손이나 다른 장비로 압박하는 방법이다. 그러나 환자가 응고장애가 발생한 상황이라면, 재출혈의 위험성이 있다. 매시간마다 천자부위를 확인해야 하며 첫 한 시간 동안은 절대 천자 부위를 덮어두지 않도록 한다. 방금 생명을 구한 환자를 대퇴부 출혈로 잃고 싶지는 않을 것이다. Fem-stop 같은 장비를 이용할 수도 있지만, 사용법에 능숙할 때만 사용해야 한다.

2) 봉합장비(Closure device)

Perclose, Starclose, Exoseal, Angioseal 등 여러 장비가 있다. 그냥 집어서 봉합할 수 있는 것이 아니기 때문에 사용방법에 대한 훈련이 필요하다. 만약 이런 장비 사용에 능숙하다면 가장 좋겠지만 처음 시도하는 환자를 높은 위험에 처하게 하지 말아야 한다. 장비별로 사용 가능한 sheath의 사이즈는 사용매뉴얼을 참조한다.

3) 근막봉합(Fascial suture)

이는 매우 유용한 실용적인 방법으로 중환자실에서 시행할 수도 있고 sheath 사이즈를 줄이는 데도 이용할 수 있다(예를 들면 12Fr에서 5Fr로). 피부를 열고 대퇴근막을 확인한 다음 sheath 주변에 gliding knot 봉합을 한다. 이는 훈련이 필요하며, 이 책에서는 자세히 언급하지 않을 것이다. 이 술기는 특정 환자에게 매우 좋은 방법일 수 있다.

그림 18 근막봉합.
작은 피부절개 시행 후 피하지방을 젖혀 근막을 촉지하였다. 그 후 Gliding suture를 시행하였다. 이 방법에 대한 자세한 사항은 다른 문헌을 참고한다. 이 방법은 수술실이나 중환자실에서 시행 가능하고, 숙련된 의사에 의해 시행되어야 하며 시행 전 충분히 준비되어야 한다.

4) 수술적 제거(Direct suture repair)

수술실에서 시행해야 하며 혈관외과의사의 협조가 필요하지만 가장 확실한 방법이다. 절개하고 혈관을 확보한 다음 5.0 prolene으로 혈관을 봉합한다. 이 방식의 좋은 점은 재출혈 여부를 알 수 있고 필요시 색전제거술을 할 수 있다는 점이다. 또한 혈관조영을 시행할 수도 있고 추가 정보를 얻는 경우도 있다. 다시 한번 강조하자면, 조금의 의심이라도 있다면 의심에 머무르지말고 절개를 한 다음 직접 혈관을 확인해야 한다. 혈관의 혈액 흐름은 초음파 도플러를 이용하여 확인할 수도 있다. 이와 같은 방법을 사용했음에도 불구하고, 혈관손상 여부가 확실하지 않다면, 혈관조영술과 색전제거술 또는 수술이 필요할 수도 있으므로 이를 주저하지 말아야 한다.

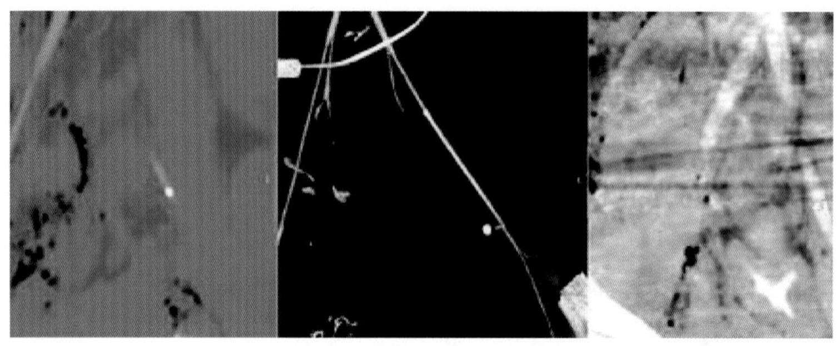

그림 19 외상환자에서의 5Fr sheath (좌측에서 우측으로).
11Fr sheath REBOA 사용 후 혈전 생성과 허혈이 발생하였다. 환자는 저혈량성 상태로 사진마다 혈관의 크기가 다른 것을 확인할 수 있다. 좌측과 가운데 사진은 저혈량성 쇼크 때의 CT 사진이고 우측은 소생술 후 정상적인 크기의 혈관 사진이다.

12. 굵은 sheath로 변경하기

Upsizing the sheath

REBOA 같은 좀 더 큰 혈관내 장치가 필요하다고 판단한 경우에는 큰 크기의 대퇴부 sheath가 필요할 것이다. 임상적으로는 7-12Fr 크기의 카테터를 이용하는데 보통 REBOA 카테터 크기에 의해 결정된다.

Tips

REBOA나 특정 크기의 카테터가 통과되는 sheath 인지를 확인하는 것이 중요하다. 혈관조영술을 고려한다면 REBOA 카테터보다 더 큰 사이즈의 sheath가 필요할 수 있다. 세정(flushing)이 필요한 큰 크기의 sheath를 확보하는 것이 항상 나쁜 것만은 아니다. 정말 필요할 때, 카테터 크기가 매우 중요할 수 있기 때문이다.

큰 사이즈로 교체하기 전에 sheath 내부를 식염수로 세정하고(flushing) dilator를 넣는다. 와이어를 대동맥으로 삽입할 때 와이어 위치를 잊으면 안 된다. Over-the-wire 테크닉을 사용하여 작은 카테터를 큰 사이즈로 바꾸는 경우에는 가이드와이어의 길이가 sheath 길이의 최소 두 배가 되어야 한다. 보통 키트 안에 한 개 정도 있다. 와이어를 대동맥 내로 삽입하고, dilator와 sheath를 삽입한다. Dilator를 사용할 때 연조직에 대해 저항감이 느껴지는데 이는 정상적인 상황으로, 순조롭게 진행 중인 시술에 실수를 하지 않으려면 당황하지 말아야 한다. Dilator와 가이드와이어의 꺾임을 방지하기 위해 dilator의 피부 위 2-3 cm 부위를 잡고 시행한다. Dilator를 돌려가며 가이드와이어를 앞뒤로 움직여보며 저항이 없는 것을 확인하고 저항이 있다면, dilator와 sheath를 무리해서 삽입하지 않는다. 가이드와이어가 dilator 내에서 부드럽게 움직인다는 것은 적절하게 삽입되고 있다는 것이다. 부드럽고 단계적으로 dilator를 넣는다면 더 도움이 될 것이다(일부는 이를 Parkinson maneuver라고 부른다).

주의할 것은 수성 코팅된 가이드와이어를 조심하라는 점이다. 왜냐하면 술기 중 시술자도 모르는 사이 가이드와이어가 쉽게 제거될 수 있기 때문이다. 동료가 가이드와이어 끝을 움직이지 않도록 잡아줄 필요가 있고, 불행히도 혼자서 술기를 해야 한다면, dilator를 제거할 때 와이어가 움직이지 않도록 주의해야 한다.

이 시점이 바로 가장 위험한 때이다. 예기치 못하게 가이드와이어가 제거되면 건잡을 수 없는 출혈이 발생할 수 있다.

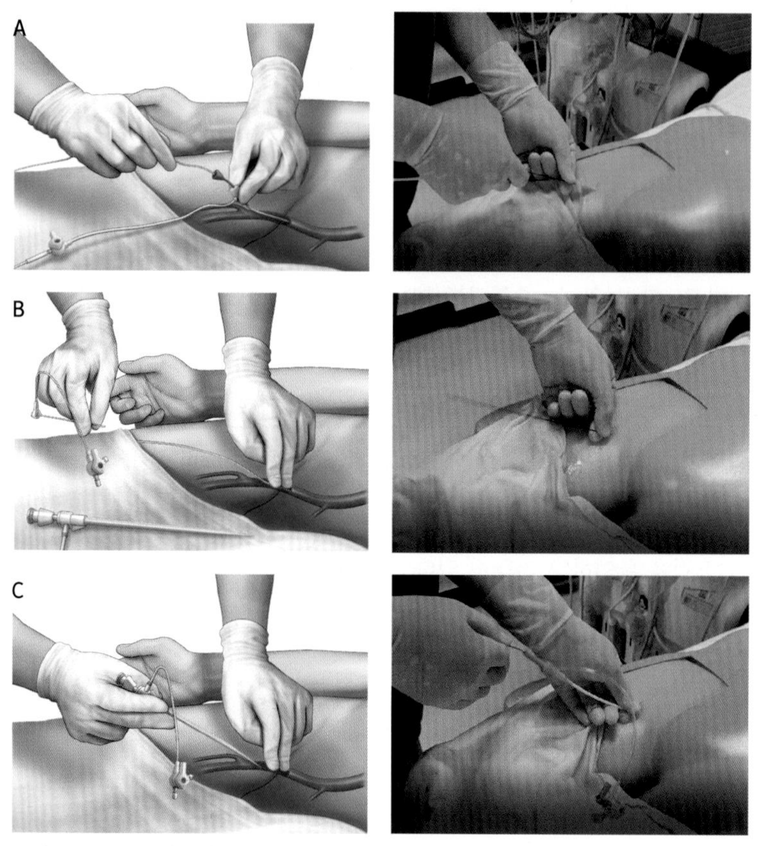

그림 20 Sheath 크기 변경.

Over-the-wire 방식[endovascular training for REBOA (ET-REBOA) 코스]

A. 삽입되어 있는 sheath를 통하여 유도철사를 삽입한다.

B. 유도철사를 거치한 상태로 sheath를 제거한다.

C. 거치된 유도철사를 통하여 크기가 굵은 sheath를 삽입하여 교체한다.

13. 확보된 혈관을 유지하는 법

Maintaining a vascular access

이미 확보한 sheath나 카테터에 혈전이 생기는 것은 바람직하지 않다. 삽입 후에는 식염수로 세정(flushing)하고, 혈관조영술이나 색전술 용도로 sheath를 사용할 것이라면 혈전생성을 방지하기 위해 주기적으로 세정하는 것이 도움이 된다. 반복해서 이야기하는 데에는 이유가 있다. 혈전생성은 문제거리이다. 혈관 내로 혈액흐름이 없고 큰 sheath를 가지고 있다면 상황은 더 복잡해진다. REBOA 시행 중 큰 sheath를 사용할 때 총대퇴동맥 내경 전체를 sheath가 막을 수 있는데, 이런 경우 혈전생성과 하지허혈의 위험성이 매우 높다. 이러한 경우에는 압박주머니(pressure bag)를 달아 지속적으로 천천히 식염수를 이용하여 세정하는 것이 혈전 생성을 예방하는 데 도움이 된다. 국소 헤파린 주입도 도움이 될 수 있지만, 외상 및 출혈 환자에서는 응고장애로 인해 사용하기 어려운 면이 있어 본인 판단에 따라야 한다. 큰 사이즈의 sheath는 가능한 한 조기에 제거해야 하며, 만약 제거를 원치 않는다면, 매우 신중히 관리해야 한다. 시행한 날 밤은 버틸 수 있을지 모르지만, 다음 날이 되면 또 다른 문제가 발생해 있을 수 있으므로 신중히 관리하도록 한다.

근막봉합을 통해 sheath 사이즈를 감소시키는 여러 방법들이 있다. 이런 방법으로 5Fr나 7Fr sheath로 유지할 수 있지만 외상환자 치료에 있어서는 여전히 논란이 있다. 더 이상 sheath가 필요없다고 생각된다면 바로 제거한다.

14. 다른 혈관 확보(정맥, 상완동맥, 액와동맥)

Other vascular accesses (veins, brachial, axillary)

이미 언급한 것처럼, 총대퇴동맥 확보는 중증외상환자 처치에 있어 필수적이다. 그러나 종종 카테터가 예상치 않게 정맥에 들어가기도 한다. 이럴 경우 카테터를 제거하지 않아도 된다. 대퇴정맥은 수액소생술을 위한 좋은 루트이다. 필요한 경우 혈액검사를 위해 약 10 mL 정도 혈액을 채취할 수도 있다. 그러나, 중증 골반골절 환자라면 총장골정맥(common iliac vein)에 손상이 있다고 가정해야 한다. 대퇴정맥은 흔히 사용하지는 않지만, 일부 환자에서는 간이나 하대정맥 등으로 바로 연결시키는 용도 또는 혈관내 봉합(endo repair) 등에 사용될 수도 있다. 일반적으로 대퇴정맥 확보는 안전하고 제거 후 손으로 압박하는 것으로도 충분하다(18-20Fr 정맥 sheath도 손으로 압박해서 지혈한다).

쇄골하정맥은 경추보호대를 풀지 않고서도 시도할 수 있는 훌륭한 정맥로이다. 물론 의인성 기흉(iatrogenic pneumothorax) 가능성도 염두에 둬야 한다. 액와정맥(axillary vein)은 초음파 유도하에 접근할 수 있다. 이 부분은 다른 책에서도 참조 가능하므로 여기서는 다루지 않기로 한다.

동맥과 관련해서는 상완동맥(brachial artery)을 고려해 볼 수 있다. REBOA를 상완동맥 혹은 액와동맥으로 접근한 증례보고가 있지만 대부분의 혈관외과의사는 외상환자를 치료할 때 총대퇴동맥을 선호한다. 그 이유는 상완동맥은 노출하기 쉬운 편이지만(3-4 mm 정도로 작아 천자가 쉽지는 않다) 문제는 REBOA 카테터를 쇄골하동맥을 통과하여 하행대동맥까지 위치할 수 있도록 해야 한다는 점에 있다. 이를 위해서는 투시검사(fluoroscopy)가 준비되어 있어야 하고 이 루트를 이용하는 경우 시간이 오래 걸리며 기도확보가 필요한 불안정한 환자에서 진행하기가 어렵다는 점이다. 대동맥궁(arch) 부분에서 조작하기가 쉽지 않고 색전이 경동맥으로 진행할 위험도 있다. 이 방식에 대해서는 좀 더 자세한 정보와 자료들을 다른 곳에서 찾아볼 수 있을 것이다.

각각의 방법들이 장단점을 가지고 있으므로 당신에게 가장 익숙하고 편한 방법을 사용하면 된다. 초기에는 훈련용 모델에 시행해보고 예정된 일반 환자에서 동맥 천자를 시행해 본 다음 출혈을 동반한 저혈압 환자에게 시행하는 것이 좋다. EVTM 컨셉 중 하나인 혈관로 확보(access)는 매우 중요하므로 당신이 가장 잘 할 수 있는 것을 하되 동료가 더 잘

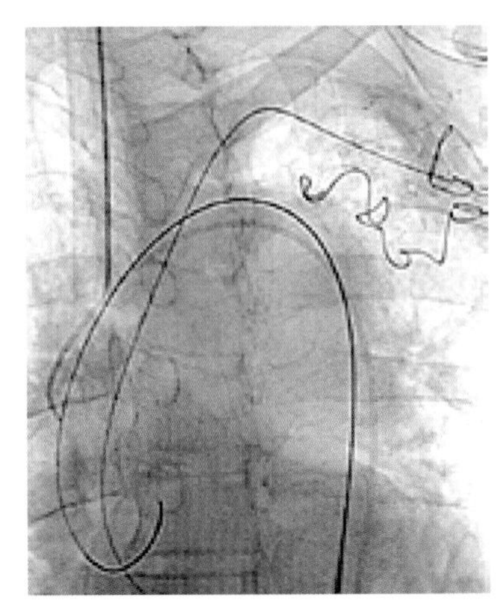

그림 21 대퇴동맥과 상완동맥으로부터 삽입된 와이어가 대동맥궁에 위치한 사진. 기도에 삽관된 관과 해부학적 복잡성을 관찰할 수 있다. TEVAR 케이스였다.

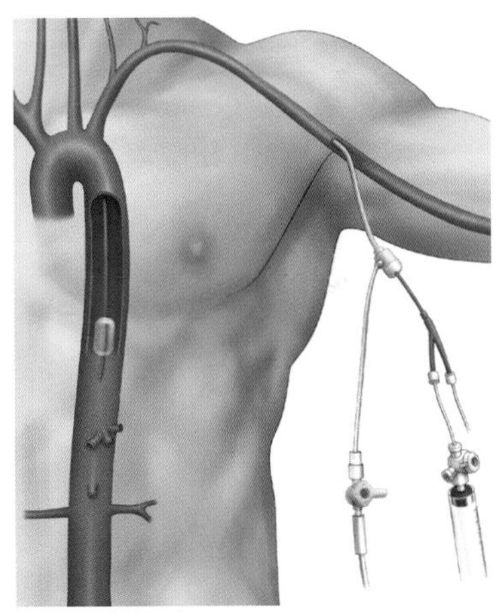

그림 22 겨드랑으로 접근하는 REBOA. 대부분은 외상환자에게 이 방식을 권하지 않지만 가끔 유용할 때도 있다.

하거나 빠르다면 시간을 낭비하지 말고 동료에게 부탁하는 것이 좋다.

REBOA에 대해 가르치거나 토론할 때 제일 먼저 대퇴동맥 카테터를 삽입해두거나 작은 카테터를 유치시켜두라고 한다(임상적 기준에 해당하면). 대퇴동맥과 정맥에 sheath를 삽입해두면 필요시 REBOA를 하기가 훨씬 수월할 것이다. 이것을 기억해야 한다. "모든 건 REBOA가 아니라 혈관 확보에 관한 것이다!"

Some summarizing tips

- 혈관 확보를 일찍 시행하도록 한다. 저자들 중 일부는 모든 중증외상 환자에서 일차평가 ABCDE를 시행할 때 동시에 이루어져야 한다고 생각한다.
- 대퇴정맥도 시간이 허락한다면 가능한 확보한다.
- 확보된 혈관을 봉합이나 고정 등으로 잘 관리하고 이에 대해 다른 의료진과 소통해야 한다.
- 사용 전에 내가 무엇을 할 것인지, 환자에게 가장 필요한 것은 무엇인지를 생각한다.
- 시술의 위험성(색전, 출혈, 박리)을 반드시 기억한다.

CHAPTER 2

출혈 환자와 처치도구. 무엇을 어떻게 사용할 것인가? 실용적인 팁과 요령

The bleeding patient and your tool kit. What and how to use?

Practical tips and tricks

Yosuke Matsumura, Mårten Falkenberg, Martin Delle, Mikkel Taudorf, Lars Lönn and Tal Hörer

응급실에서 연락이 온다. 자동차 사고로 환자가 큰 손상을 받아 이송 중으로 10분 후 도착 예정이다.

1. 응급실에서 어떻게 준비할 것인가?

How to prepare even in the Emergency Room?

우선 침착하게 이 상황에 대하여 생각해보고 필요한 인력을 구상한다. 만약 외상전담팀이 있다면 활성화시키고, 없으면 가능한 지원팀을 구성하고 누가 팀의 리더를 할 것인지 결정한다.

2. 동맥로 확보

Arterial access

앞에서 언급했듯이 EVTM의 첫 번째 단계는 총대퇴동맥에 sheath (common femoral arterial sheath)를 삽입하는 것이다. 이미 응급실에서 작은 크기(4-5Fr)의 총대퇴동맥 sheath를 삽입했을 수 있다. 5-7Fr의 큰 sheath 등 여러 카테터 옵션이 있고, 이들 중에서 5Fr 짧은 sheath와 J-tip 가이드와이어로 시작하는 것을 권장한다. 와이어에는 많은 종류가 있지만, 너무 딱딱하지도 너무 부드럽지도 않은 와이어가 좋다. Standard (예: Cook Medical), Schneider wire 또는 Bentson wire가 이에 해당된다. 필요시 영상의학과나 혈관외과에 도움을 요청하면 좋을 것이다.

앞에서 언급했듯이, 다음은 동맥로 확보 세트와 REBOA 세트를 준비한다. Sheath 세트 중 일부에는 짧은 와이어가 포함되어 있으며, 동맥로 확보 시 사용될 수 있다. 가장 많이 사용하는 sheath는 길이가 짧아(7-11 cm), 나중에 REBOA 사용에 영향을 줄 수 있지만, 혈관 확보를 위해서는 짧은 sheath가 좋고 장골혈관 박리의 위험도 최소화시킨다. 양측으로 혈관 확보를 시도하여 두번째 sheath를 유치시킬 수도 있는데 REBOA가 한쪽 sheath에 있는 동안 다른 쪽으로 혈관조영술을 시행할 수도 있다. 이 경우 양측 골반색전술을 더 짧은 시간 내에 마칠 수 있을 것이다.

따라서 짧은 5Fr sheath는 가장 먼저 고려할 수 있는 동맥로 확보용 카테터다. 그러나 경험에 의하면 REBOA가 필요할 것으로 생각되는 경우 더 큰 7Fr sheath로 시작하는 것을 권한다. 일부에서는 혈역학적으로 불안정하거나, 중증외상환자인 경우에는 7Fr sheath를 사용하기도 한다. 하지만 사용 여부가 애매하거나 확실치 않을 때에는 작은 sheath

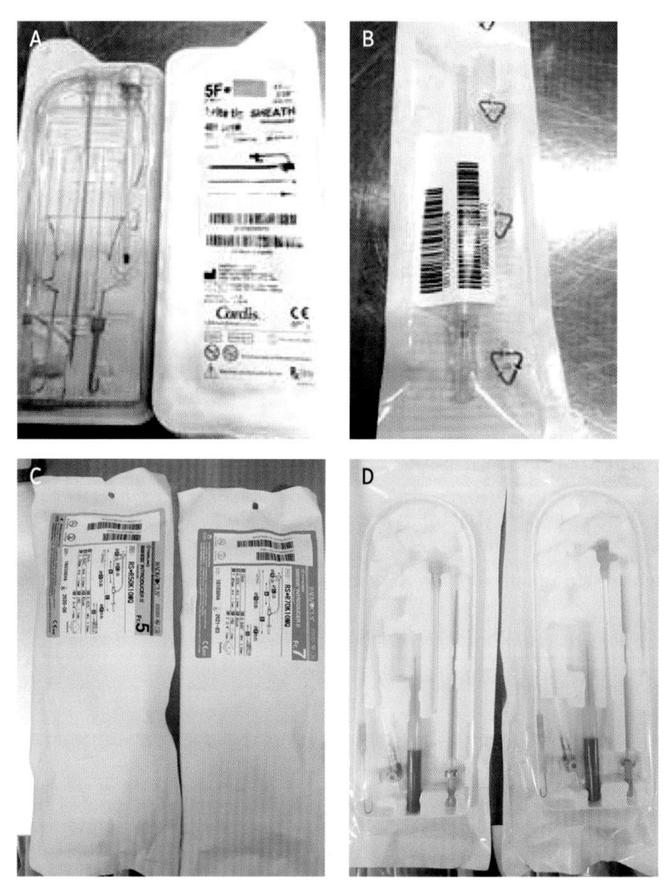

그림 1 A, B. Introducer kit, puncture needle (Cook Medical and Cordis).
많은 제품이 있으며 이 사진에서는 세트가 어떻게 생겼는지 보여주고 있다.
C, D. Sheath kit (Terumo)- 5Fr (회색), 7Fr (오렌지색)

(4-5Fr)를 사용하는 것이 안전하다. 4Fr sheath는 나중에 굵은 sheath로 변경(upsizing)하지 않을 경우, 혈압 모니터링에 사용할 수도 있다. 쇼크가 발생하기 전 대퇴동맥로를 확보한다면 추후 REBOA를 위한 안전한 루트가 될 수 있다. 대부분은 위에서 언급한 것처럼 5-7Fr로 시작한다.

5Fr를 통해 더 많은 도구(색전카테터 같은)를 사용할 수 있으면서 upsizing에 따른 추후 위험도를 최소화할 수 있기 때문이다.

Tips

- 필요한 모든 도구를 포함한 세트가 필요하며, 언제든 사용할 수 있어야 한다.
- 무엇이 들어 있는지, 어떻게 사용하는지 알고 있어야 한다.
- 모든 의료진들은 내용물, 보관 위치 및 사용법을 알고 있어야 한다.
- 응급실에서 팀 훈련이 필요할 수도 있다.

정맥이 천자되었다면? 비박동성의 검은 피가 천천히 흐른다면? 정맥에 천자되었다고 제거하지 말고 5-7Fr sheath를 삽입한다. 내경정맥(internal jugular vein) 또는 쇄골하정맥(subclavian vein)처럼 수액(수혈)용으로 사용할 수도 있다. 또한 5-7Fr의 혈관 확보로 수혈도 가능하며 9Fr 이상으로 upsizing함으로써 대량수혈용으로도 사용할 수 있다. 동맥로를 확보했어도 심폐소생술(CPR) 중이라면(또는 총대퇴동맥에 흐름이 없는 경우) 촉지되는 맥박이 없을 수도 있고, 혈액이 검붉은 색으로 보여 잘못 확보한 것으로 오해할 수 있다. 어쨌든 확보했다면 우선 유지하고, 어떻게 할지는 나중에 결정하라.

Tips

- 안정화될 때까지 sheath를 제거하지 않는다. 안전한 장소(중환자실/수술실)에서 제거해야 한다.
- 대퇴정맥(femoral vein)에서는 더 큰 sheath를 사용한다. 제거 후 출혈 위험은 상대적으로 낮으며 대량수혈도 가능하다.
- 혈관 확보를 하기 전에 동측 장골정맥(iliac vein) 손상 가능성이 있는지 다시 고려하도록 한다.

3. REBOA를 위한 sheath upsizing

General on upgrading to a REBOA sheath

REBOA를 하기로 결정했다면 준비가 필요하다. 물론 장소(병원 전, 응급실, 하이브리드실, 수술실)와 시간이 제한적일 수 있다. 5Fr에서 적절한 크기(7-14Fr)의 sheath로 upsizing 시에는 좀 더 단단한 가이드와이어를 통해 시행해야 하는데, 이는 더 큰 sheath를 수월하게 삽입하고 REBOA balloon을 안전하게 위치시키기 위해서이다. 따라서 이렇게 5Fr sheath를 삽입한 후 REBOA를 위해 더 큰 크기의 sheath로 upsizing 할 수도 있으며, low profile REBOA (RESCUE balloon™ 또는 ER-REBOA™, 크기가 작은 balloon 카테터)를 가지고 있다면 7Fr를 바로 삽입할 수도 있다.

Tips

- 5Fr sheath로 대퇴동맥(femoral artery)을 조기에 확보하고 필요하면 upsizing한다.
- REBOA는 단지 가교(bridge) 역할을 할 뿐, 최종치료가 아님을 기억해야 한다. 만약 혈관 확보가 되지 않는다면 치료를 지연시키지 말고 다른 방법으로 변경한다.

시술을 어디서 하느냐에 따라 혈관 확보와 REBOA를 위해 어떤 도구를 사용할지가 결정된다. 응급실에서는 REBOA를 위해 세트를 만들어야 하겠지만 하이브리드 룸에서는 이미 구비되어 있을 수도 있다(다른 물건들 사이에 놓여있어 빨리 찾아내야 할 것이다). 또한 필요한 경우 다른 장소로 가져갈 수 있도록(예: 정형외과 수술실에서의 의인성손상 또는 출산 후 출혈) 이동식 카트를 준비해야 할 수도 있다.

그림 2 스웨덴의 Örebro 외과의 Mobile vascular access/REBOA 키트.
수술실에서 의인성 손상 또는 산과적 출혈, 복부대동맥류 파열 환자에서 혈관 확보와 대동맥 풍선술(aortic balloon)을 위해 사용한다. 경피적 혈관 확보와 혈관절개술에 필요한 모든 기본적 도구를 포함해야 한다.

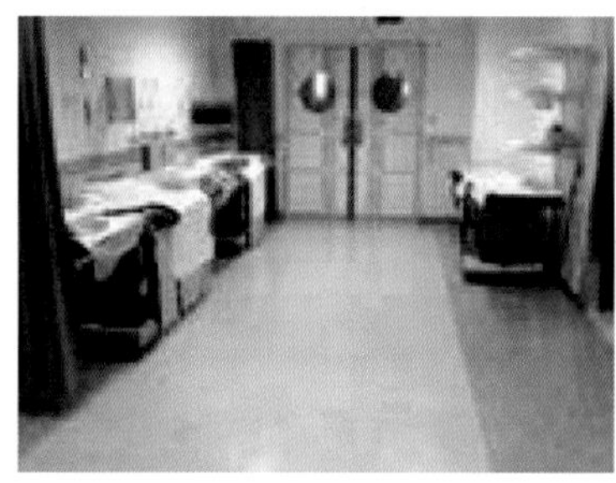

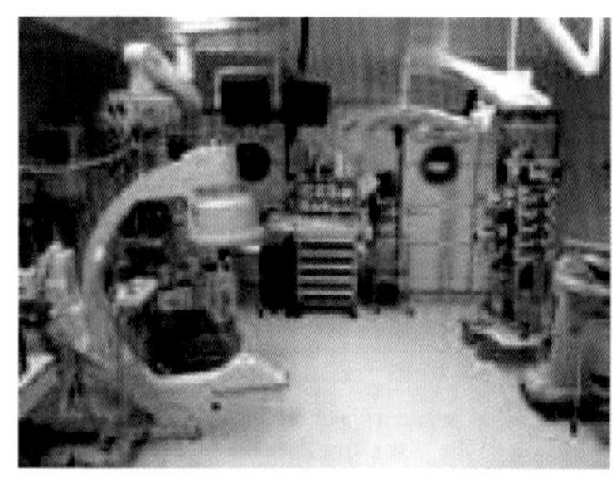

그림 3 Sweden의 Örebro 병원 수술실 입구.
세 개의 혈관조영술 침대가 준비되어 있다. 하이브리드 기능을 갖춘 수술실(우측). 몇 가지 장비만 갖추면 간단한 작은 하이브리드실을 만들 수 있다. 이를 “Semi-hybrid suite”라 부른다.

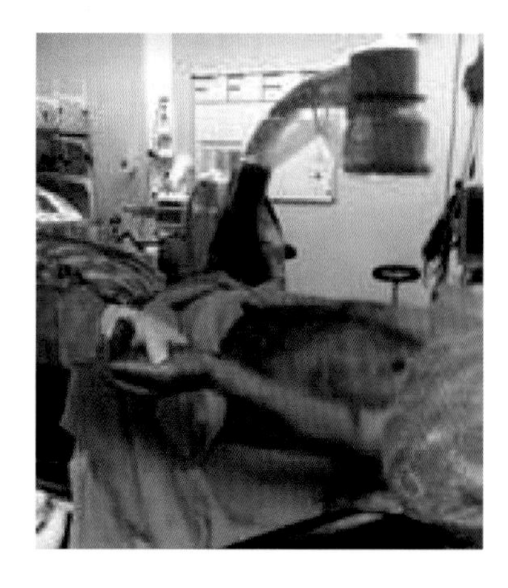

그림 4 수술실에서의 복부 관통상 환자.
필요시 사용하기 위해 C-arm이 준비되어 있다. 환자는 (항상) 움직이는 침대나 혈관조영술 침대에 눕힌다. C-arm은 사용하지 않을 때도 전원을 켜 둔 채로 침대 옆에 언제나 사용할 준비가 되어있어야 한다.

Tips

모든 것을 포함하여 하나의 REBOA 세트를 만들 것인지 정한다. 보통 혈관 확보용과 REBOA용, 두 개의 세트로 만들어 놓는 것이 일반적이다.

4. 초음파 그리고/또는 CT

Ultrasound and/or CT

초음파에 익숙한가? 물론 FAST를 시행할 때 초음파를 사용할 것이다. 만일 초음파 유도하 천자로 총대퇴동맥을 확보하려 한다면, 선형 탐촉자로 선명한 이미지를 획득할 수 있다. 초음파 기계가 켜져 있어야 하고 선형탐촉자가 준비되어야 한다. 초음파-유도 천자는 다른 챕터에서 다루지만, 초음파를 혈관 확보, REBOA 또는 동맥내 와이어 확인 등에 사용할 수 있다.

혈관 확보가 어려웠던 경험이 있는가? 초음파 경험이 많은 이에게는 문제가 되지 않겠지만, 만약 문제가 발생할 경우에는 주저하지 말고 혈관절개술(cut-down)을 시행하도록 한다. 수술용 칼, 가위, retractor 그리고 forcep 등이 포함된 수술적 혈관 확보세트가 항상 준비되어 있어야 한다. 혈관 확보세트(access kit)에도 이를 위한 기본적인 도구가 들어있어야 하며 사용법을 알아야 할 것이다.

CT를 촬영할지, 얼마나 빨리 필요한지 고려해야 한다. 신속하게 CT가 필요함을 CT실 영상의학기사에게 알려주는 것이 좋다. 일부 의료기관에서는 중증외상이라고 하면 CT를 즉시 촬영할 수 있지만 시간이 많이 걸리는 기관도 있다. 현대식 CT기계로는 검사시간 자체는 짧으나 (whole body CT의 경우 최대 1분) 보통 환자를 CT실로, CT실에서 다시 소생실로 옮기면서 시간이 많이 소모된다. 이런 환자들은 보통 각종 튜브와 모니터링을 위한 여러 개의 라인을 달고 있어 많은 인력을 필요로 한다. 촬영 전후로 라인을 정리하고 이동하는 데 시간이 얼마나 걸릴까? 모든 라인과 모니터를 어떻게 할지 알아야 하고, 이동식 침대로 이동하되 가능하다면 장비를 위한 공간이 있다면 좋다. 일부 기관에서는 FAST를 하지 않고 매우 빨리 CT를 시행한다. 심지어 응급실에서 즉시(door-to-door) 시행하는 경우도 있다. CT를 통해 환자 상태에 대한 더 많은 정보를 얻을 수 있고, 뇌출혈 등을 배제할 수 있지만 아직 합의된 부분은 아니다. 병원에서 가능한 범위 내에서 당신이 생각하는 것을 시행하도록 한다.

Remark

- 시간이 가고 있음을 기억해야 한다. 외상소생구역에 하이브리드 룸이 없다면, CT실에서 위급 상황이 발생하는 것을 원치 않을 것이다. CT는 치료가 아님을 기억하자.
- CT 촬영 중에도 다음으로 어디에 가서 어떤 처치를 할지 등을 계획해야 한다.

환자 이송에 대한 훈련은 이송 시간과 오류를 줄이기 위해 필요하다. CT 프로토콜 자체도 빠른 것이어야 한다. 각자 다른 프로토콜을 사용할 수 있지만 일반적으로 동맥기(arterial phase)와 정맥기(venous phase) 촬영이 필요하다(두 구간의 시간차는 1분 정도다). 일부 기관에서는 "외상 CT 프로토콜" 또는 "대량출혈프로토콜"을 사용하는데, 머리부터 무릎까지 조영제를 사용하여 한번 스캔하고 60초 후 다시 촬영하는 것이다. 대부

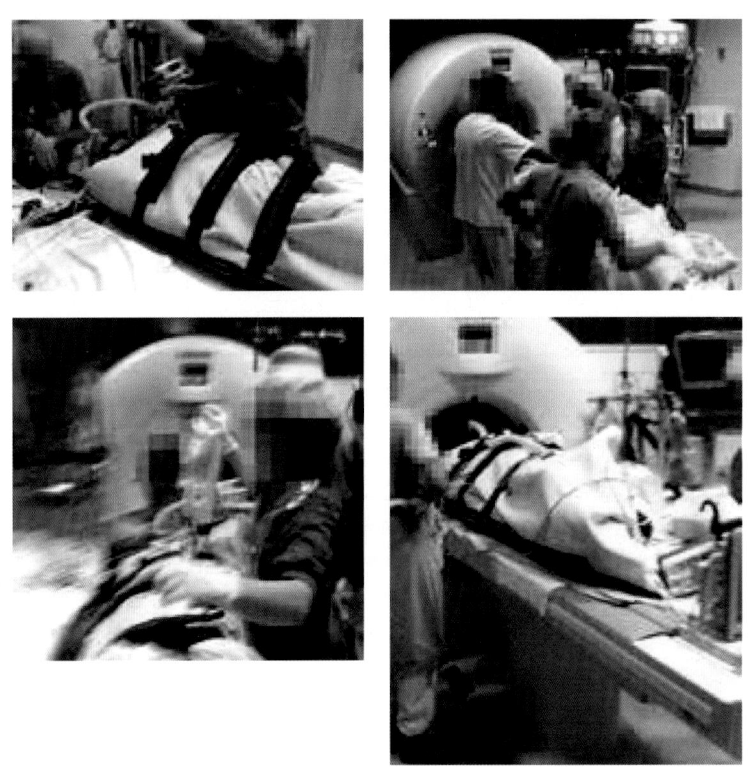

그림 5 CT실로 옮기기.
실제 이동은 복잡할 수 있다. 적절한 이동용 침대 및 장비, 활발한 의사소통과 더불어 충분한 연습이 많은 문제를 해결해 줄 것이다. 환자는 이동 및 검사 중에도 지속적으로 모니터링돼야 하는데, 이는 쉬운 문제는 아니다.

분은 고농도의 조영제(예: 370 mg/mL Visipaque, 100-150 mL total volume)를 사용한다. CT실 직원들과 협조하여 프로토콜을 조정하도록 한다. 동정맥기를 모두 포함한 CT를 찍는 데 소요되는 시간은 최근 3분 미만으로 단축되었지만, 그보다 환자를 준비시켜 CT실로 옮기는데 시간이 더 필요할 것이다.

Tips

- 보다 빠른 CT를 위해서는 빠르고 안전한 이송이 필요하다. 이송 훈련을 시행하고 환자 침대 위의 모든 물건들을 빠르게 정리할 수 있도록 한다. 각종 카테터와 튜브 관리에 신경써야 한다.
- 적절한 외상 CT 프로토콜(trauma CTA)을 만들고 CT실 직원들과 협력하며, 중증외상에서는 정규 CT 프로토콜을 사용하지 말아야 한다.
- 이송 중과 술기하는 동안에도 환자를 항상 모니터링해야 한다.

Word of caution

- 환자의 상태가 너무 불안정하다고 느껴진다면 CT를 시행해선 안 된다. 현재 병원에서 소생술이 가능한 최적의 장소로 옮겨 문제를 해결한다. CT는 적절한 환자에게 적절한 프로토콜과 함께 시행되어야 한다.
- 다음 계획은 무엇인가? CT 후 어디로 가야 하는가? 다음 단계를 준비하자.

5. 혈관조영실/하이브리드 수술실

In the Angiography Suite/Hybrid OR

1) 가이드와이어, 카테터, sheaths

위에서 언급했듯이 대퇴 부위 sheath는 응급실에서 시행할 수도 있지만 병원에 따라 세팅이 어떻게 되어 있는지에 따라 다를 수 있다. 혈관조영실에서 sheath를 삽입할 때는 투시검사(fluoroscopy)를 사용하여 와이어를 확인할 수 있다. 또, 긴 sheath (>11 cm)를 사용하기로 선택할 수도 있다. 긴 sheath는 특히 동맥경화와 굴곡이 심한 동맥을 흔히 보이는 고령 환자에서의 시술을 순조롭게 할 수 있도록 하고, 와이어나 카테터

교환을 용이하게 하므로 결과적으로 시간이 절약될 수 있다. 몇몇 기관에서는 상황에 따라 7Fr sheath를 우선 사용하고 추후 크고 긴 sheath로 교체하여 사용한다. 젊은 환자라도 혈역학적 쇼크인 경우 작은 sheath로도 혈류흐름이 차단될 수 있고(혈관 내부를 모두 차지하여), 긴 sheath는 대퇴혈관과 장골혈관 전체 길이에 해당될 수도 있다. Sheath를 선택할 때 이 부분을 명심해야 한다.

Sheath의 선택은 시술자에게 달려있다. 병원에 구비된 종류가 무엇이고 일반적으로 사용하는 것이 무엇이며, 어떤 제품으로 할 때 익숙한지에 대하여 알고 있어야 한다.

2) 가이드와이어

가이드와이어는 혈관내시술에 필요한 기본 도구로 와이어마다 길이가 차이난다는 것을 알고 있어야 한다. 혈관내 장비를 교체하거나 표적 장기까지 도달하는 데 사용된다. 예를 들어, REBOA에서는 짧은 와이어(약 150 cm)로 충분하지만, 흉부 쪽 시술 시에는 긴 와이어가 필요하다. 구부러지고 늘어난 대동맥에서는 REBOA balloon을 위해 45-60 cm sheath (12-14Fr)와 딱딱한 가이드와이어(Lunderquist, Back-up Meier 또는 Amplatzer, 약 260-300 cm)가 필요할 수 있다. 혈관의 굴곡은 젊은 환자에서는 문제가 되지 않지만 노인에서는 중요한 사항이다.

투시검사(fluoroscpoy)를 사용하여 목표한 동맥에 카테터를 위치시킬 때, 대부분의 환자에서 angled nitinol hydrophilic 가이드와이어(0.035")를 기본으로 사용한다. 복강내 장기를 목표로 할 때는 150 cm 정도면 충분하다. 와이어를 통해 카테터를 교환해야 하는 상황이 예상되면 적어도

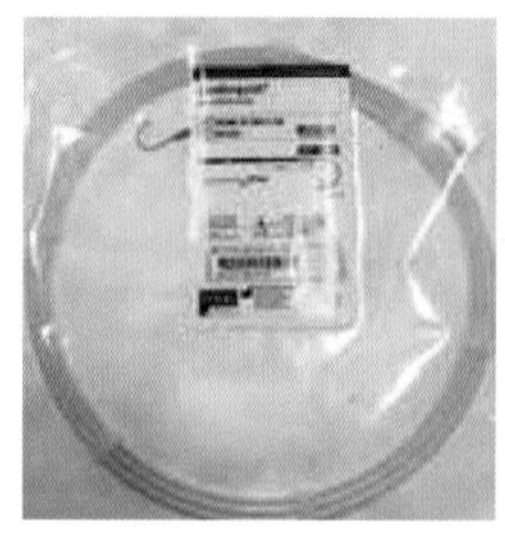

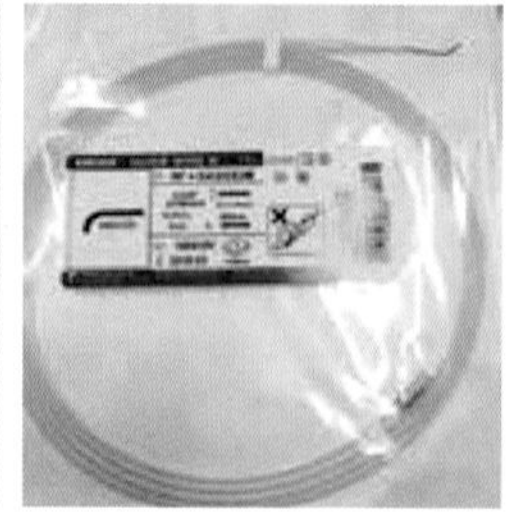

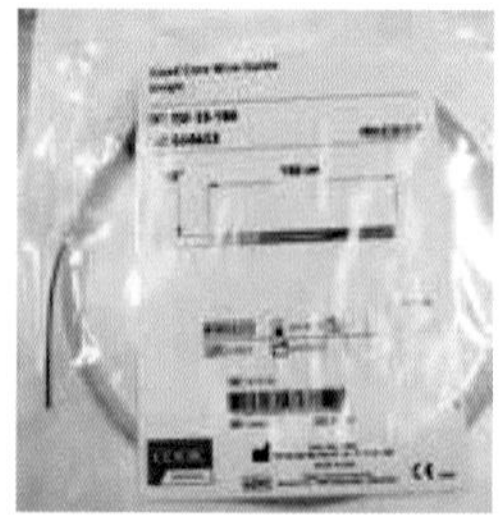

그림 6 0.035 inch 가이드와이어 예시.
특성과 가격이 다른 많은 제품들이 있다. 숙지해야 하고 연습해야 할 제품의 종류를 최소화하는 것이 유리하다.

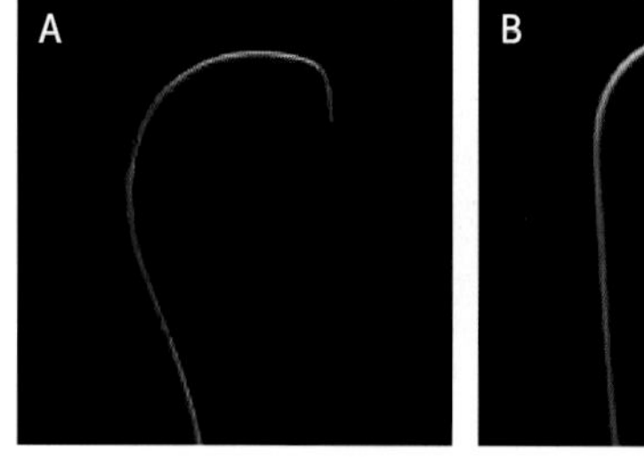

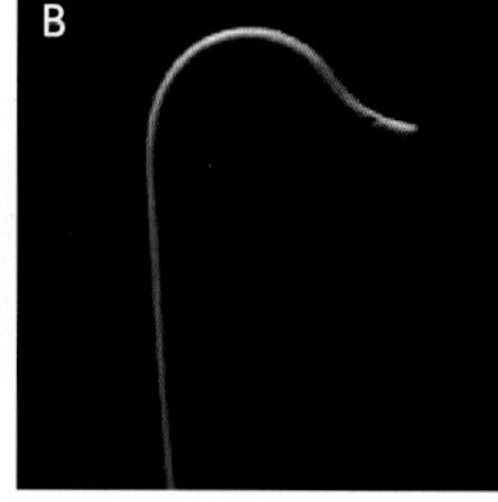

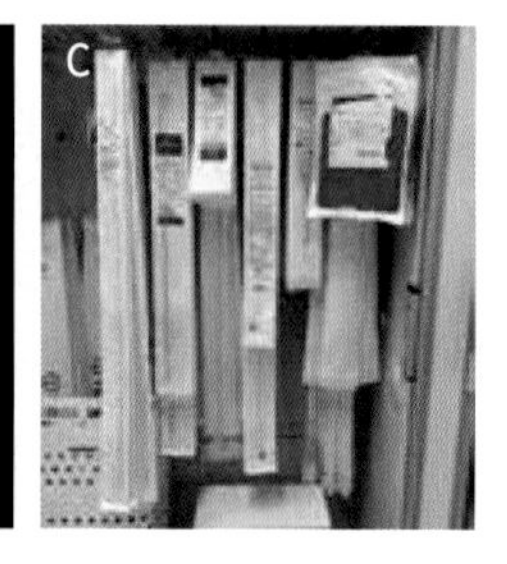

그림 7 A~C. Cobra와 Shepherd Hook catheter.
여러 종류의 회사 카탈로그에서 훨씬 많은 제품을 확인할 수 있을 것이다. 여기 나열된 것은 예시일 뿐이다. 조언을 구하고 선택하도록 한다. 쉽게 고를 수 있도록 잘 진열된 모습을 볼 수 있다.

180 cm 정도는 필요하다(사용 중인 제품에 따라 다를 것이다). 그러나 260 cm 이상의 긴 가이드와이어는 다루기가 불편하다. 문제가 생기지 않도록 하기 위해 처음부터 긴 가이드와이어를 사용하길 추천하는 이도 있지만, 여기서 명확한 결론을 내기는 어렵고, 경험이 필요한 부분이다.

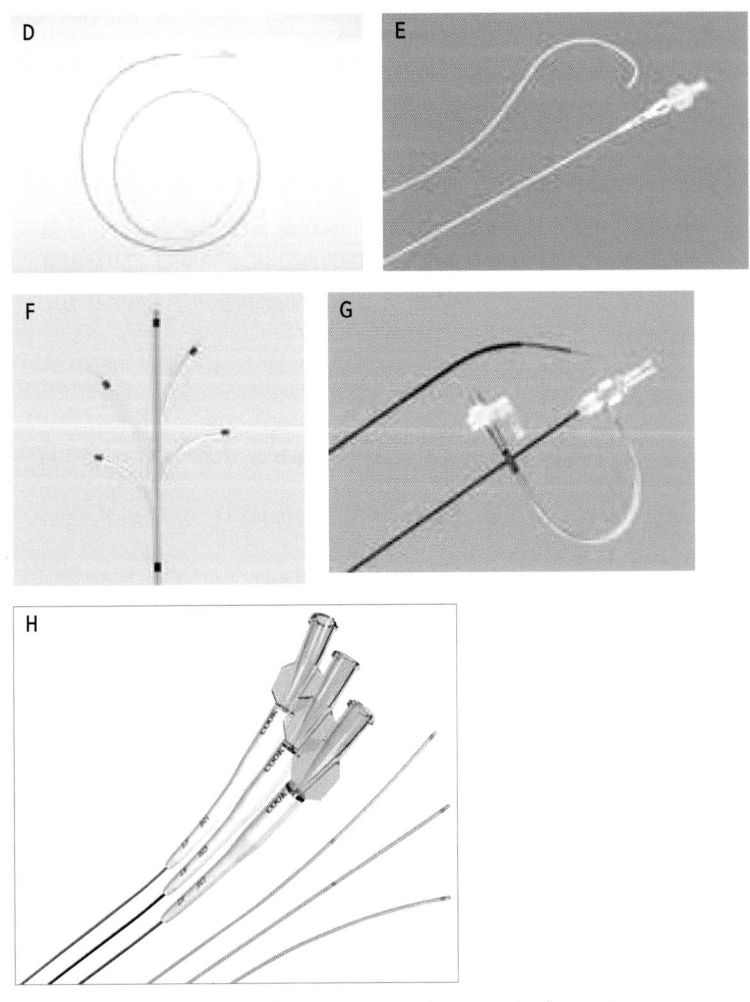

그림 7 D~H. Sheath 카테터 및 여러 종류의 카테터 예(Cook Medical).

Catheters

다음 단계로, 사용할 혈관조영 카테터를 결정해야 한다. 많은 종류가 있는데 전문가마다 가장 좋은 카테터 또는 선호하는 카테터에 대한 의견이 다르다. 그러나 Berenstein, Cobra, 그리고 Shepherd's hook과 같이 reversed tip을 가진 카테터 세 가지 타입에는 익숙해져야 한다. 이 세 가지 중 하나를 사용하여 대동맥궁 하방의 대부분 분지에 삽관술(cannulation)을 할 수 있다. 중요한 점은 혈관분지를 탐색할 때 반대쪽 대동맥벽의 지지가 필요하다는 것이다. 따라서 상대적으로 대동맥이 큰 노인환자에서는 더 넓은 고리(loop)를 가진 카테터가 필요하다.

기본적으로 Cobra는 대동맥으로부터 위쪽으로 가는 분지에 유용하고 Shepherd's hook는 아래로 향하는 분지에 편리하다. 물론 다른 종류의 카테터도 많다(예: Headhunter, Michaelson, Simmons, SOS Omni, VanSchie 등). 카테터는 대동맥의 변이와 다양한 형태에 따라 다른 방식으로 사용한다.

대부분 각자의 목적에 따라 기구를 변경할 것이다. Berenstein과 같은 직선 카테터(straight catheter)는 쉽게 교환이 가능하다. Cobra와 같은 곡선 카테터(angulated catheter)는 와이어를 원하는 동맥으로 진입시키는 데 용이하다. 몇몇 카테터 sheath는 길이가 길고, 색전술이나 혈관조영술에 도움이 된다(많은 회사에서 출시한 다양한 제품들이 있다). 인터벤션이나 혈관파트에서 수련한다면 이런 것들을 알게 될 것이다.

만일 대동맥궁의 분지 경동맥, 내흉동맥(internal thoracic artery), 쇄골하동맥 또는 액와동맥로 진입을 시도한다면 원칙적으로는 카테터의 혈전을 막기 위해 일정한 관류가 필요하다. 그러나 여기에는 시간이 소모되므로, 환자의 생명이 위태로운지에 따라 관류 여부가 결정될 것이다. 일부에서는 관류를 하지 않고 sheath를 식염수로 세정(flush)만 하기도 한다. 만일 혈관조영술에 대한 교육을 받은 것이 아니라면, 가능한 빠르고 안전하게 표적혈관에 도달해서 색전하는 데 목표를 둔다.

Tips

더 전문화된 혈관조영법을 시행하고 숙지해야 한다. 가능하면 연습을 해야 한다. 그러나 본인이 할 수 없는 일이 있다면, 경험이 있고 더 빠르고 안전하게 치료할 수 있는 동료에게 의뢰해야 한다. 출혈 환자를 상대로 연습하지 말아야 한다.

응급상황에서 사용할 수 있는 일반적 카테터와 와이어 목록

- 5-7-10Fr sheaths
- Standard Cook or Bentson wire (standard catheterization)
- Terumo 150 cm (or longer) floppy angled wire (selective catheterization)
- Terumo stiff wire, Lunderquist or Amplatser wire (support for ex occlusion balloons)
- Berenstein (short and long 45-110 cm) catheter (selective catheterization and exchange)
- Cobra (selective catheterization)
- Shepherd Hook, reversed tip (selective catheterization, angulated take-offs)
- kink resistant sheaths for catheter support (6-9Fr) 45-90 cm
- Sheaths for REBOA support 45-60 cm 12-14Fr (depends on your REBOA catheter)

3) 미세카테터(Micro-catheter)

말초로 더 진입시켜야 한다면 미세카테터와 미세 가이드와이어가 필요하다. 다양한 종류의 미세 제품들이 있다. 어떤 것이 가장 좋은지 말

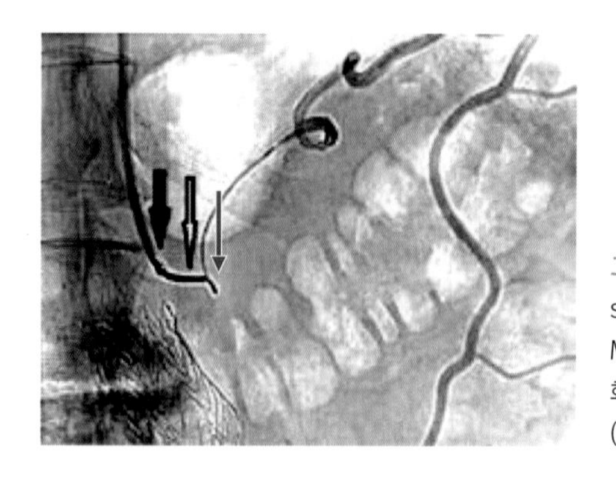

그림 8 정규 색전술에서 사용된 sheath (검정색 화살표), Macro-catheter (검정색 및 흰색 화살표), 안에 위치한 미세카테터 (붉은색 화살표).

하기는 어렵지만 코일(coil)을 사용할 계획이라면 적절한 조합이 필요하다. 만약 작은 직경의 혈관을 선택하려면(특히 위장관출혈이나 간 말단 부위), 미세카테터 중 선택이 가능한 형태(2.7 or 2.8Fr)를 사용해야 한다. 일반적으로, 미세카테터는 0.035 inch 카테터인데 이는 주요혈관(main branch)에서부터 원위부 출혈혈관(distal bleeding branch)까지 거치할 수 있고, 또한 새로운 작은 카테터들도 있어 경험적으로 선택할 수도 있다. 숙련된 사람들이 사용하는 전문적 방법(advanced method)은 여기서 자세히 설명하지 않을 것이다.

6. 색전술 – 무엇을 어디서 사용할 것인가?

Embolization – what can be used and where?

카테터가 목표혈관에 있다면 조영제를 투여하여 확인한다(수액 회석은 70/30비율). 어떤 색전제(embolic material)를 사용하는가? 많은 선택지가 있다. 외상환자에서는 시간, 응고장애, 제품의 난이도, 숙련도, 카테터 위치, 출혈 위치를 고려해야 한다. 또한 어떤 것을 가지고 있는지, 이 환자에게 가장 좋은 것이 무엇인지 알아야 한다. 무엇을 할 수 있는가? 일반적으로 출혈 부위로 관류압을 낮춰주는 안전한 근위부(more proximal) 색전술(plug, coil)과 더 작은 입자를 이용하여 더 효과적이지만 다소 위험한 원위부 색전술 사이의 균형이 무엇인지 알아야 한다. 이 색전술은 목표 부위(target area)에 허혈성 손상을 야기할 수도 있다. 일반적으로 색전술은 목표기관 허혈을 유발할 수 있어 가능하면 선택적 색전술(super selective embolization)이 바람직하다. 다른 제품과 사용방법, 가능성에 대해 논의할 것이다. 선택은 경험, 유용성 및 상황에 기초한다.

1) Gelatin sponge particle

Gelatin sponge (GS)는 세계적으로 가장 흔히 사용되는 색전제일 것이다. 특히 외상환자에게 신속하게 준비하여 색전을 할 수 있으며, 가격도 저렴하다. GS는 임시적 색전제로 코일보다 사용이 더 쉽고 빠르고, N-butyl-2-cyanoacrylate (NBCA)나 Onyx 같은 액상형 색전제보다 조절하기도 더 용이하다. GS는 골반골절과 간손상(arteriovenous shunt, AV shunt가 없다면)에 적절하다. 몇 가지 예로 Gelfoam, 20 × 60 × 7 mm 및 Spongel 2.5 × 5 × 1 cm 등이다. GS는 약 50:50으로 조영제와 식염수 혼합액으로 "용해"된다. 용해하여 사용하고, 용량은 사용한 GS의 양에 따라 다르다.

GS 준비에는 두 가지 방식이 있다: 절개 방법과 주입식 방법(cutting method and pumping method)이 있다. 절개 방법(cutting method)에서는 어

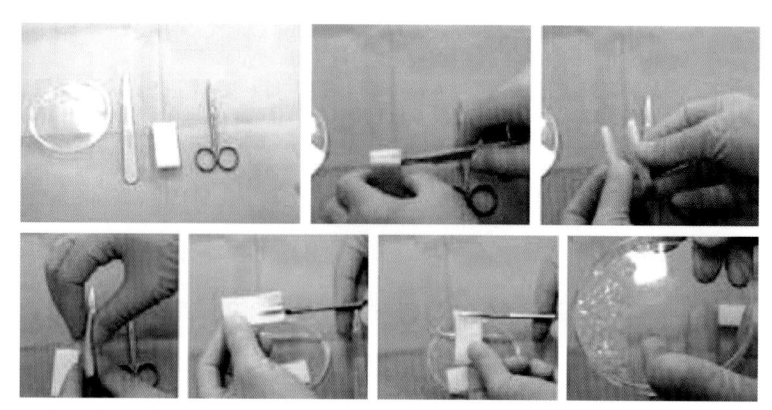

그림 9 절개방법(cutting method)에 사용하기 위해 Gelatin sponge를 준비한다. Gelatin sponge를 2-3겹으로 자른 다음 눌러서 편다. 가위를 사용해서 목표 크기로 자른다(보통 0.5-2 mm). GS 조각을 식염수와 조영제가 50:50으로 혼합된 용액에 담근다.

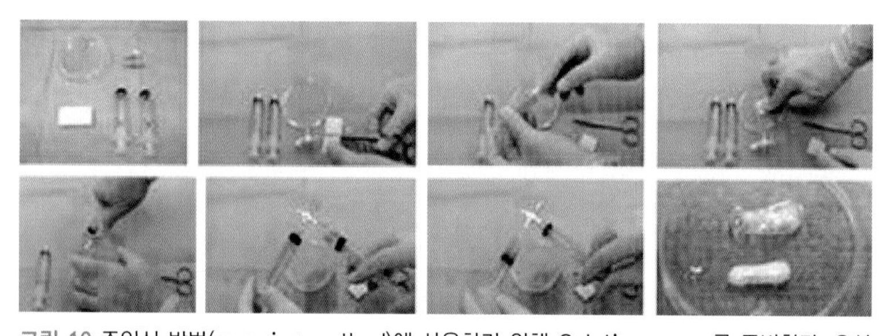

그림 10 주입식 방법(pumping method)에 사용하기 위해 Gelatin sponge를 준비한다. 우선 GS cube를 반으로 자른 다음 조영제에 담그고 공기를 제거하기 위해 약 20초 동안 누른다(가볍게 친다). GS cube가 부드러운 젤리처럼 될 것이다. 잠금장치가 있는 10 mL 주사기에서 손잡이(plunger)를 빼내고 뒷면으로 주사기에 젤리 같은 절반의 GS cube를 넣는다. 그런 다음 주사기를 최대 5 mL까지 조영제로 채운다(또는 50% 희석된 조영제). Three-way stop cock과 5 또는 10 mL 주사기를 이용하여 젤리를 펌핑하고 입자로 분쇄한다.

떤 크기로든 GS 조각을 만들 수 있지만 최대 5분 정도 소요된다. 일반적으로 2-3겹으로 GS cube를 자른 다음 0.5-2 mm 크기로 만든다.

너무 작은 크기를 사용하면 GS 주입량이 많아지고 또 작은 입자는 더 원위부로 이동하여, 둔부괴사(gluteal necrosis)와 같은 과도한 허혈을 유발할 수도 있으므로 주의한다. 주입식 방법(pumping method)은 1분 정도의 훨씬 짧은 시간에 작업을 수행할 수 있다. 5회 펌핑은 4-5Fr 카테터에 사용하고, 20회 펌핑은 마이크로 카테터에 사용한다(한번 왕복은 2회 펌프로 계산된다). 주입횟수에 대한 명확한 근거는 없다. 그러나 주입횟수를 일정하게 정해놓으면 좀 더 쉽게 적절한 주입량을 인지할 수 있을 것이다.

Remark

여기에 나오는 팁이 너무 전문적이라고 생각된다면, 그 느낌이 맞는 것이다. 이 방법 중 상당수는 숙련된 교육과 경험이 필요하다.

2) 코일(Coil)

일반적으로 코일색전술(coil embolization)은 액상제를 사용했을 때보다 시술시간이 오래 걸린다. 혈관에서 단단하게 모양을 형성하도록 코일을 사용한다. 코일은 응고장애가 있는 상황에서는 색전의 효과가 떨어질 수는 있지만, 정확한 혈관 위치에서 색전이 가능하다. 이 방법은 흔히 위장관출혈, 가성동맥류 및 미세 부위 색전술(pinpoint embolization)에 적합하다. 코일이 혈류를 막지 않는다면, 소량의 GS 또는 액상제를 추가할 수도 있다. 생명을 위협하는 상황에서는 가장 빠르고 효과적인 색전법을 선택하는 것이 필요하다. 밀거나(pushable) 분리가 가능한(detachable) 다양한 종류의 미세코일이 있다.

Tips

근무하는 병원에서 사용 가능한 제품을 확인하고 사용법을 알아야 한다.

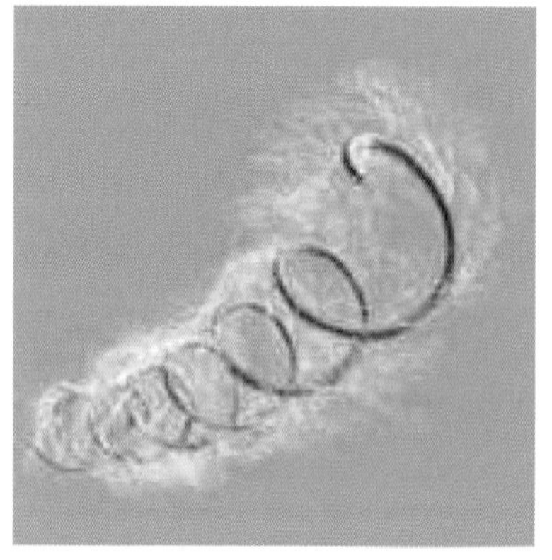

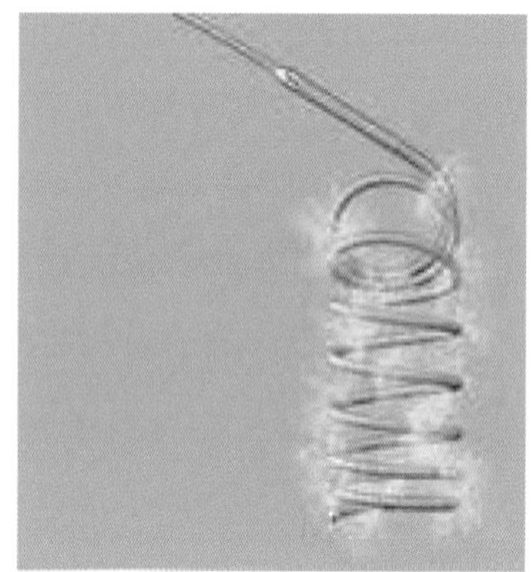

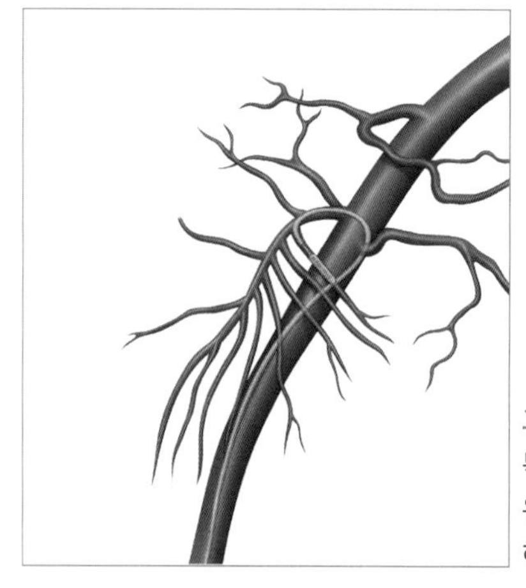

그림 11 코일(Cook Medical).
특성이 다른 여러 종류의 코일이 있다. 다른 유형의 코일에 대해서는 여기서 자세히 설명하지 않는다.

새로운 코일이 지속적으로 개발 및 판매되고 있다. 밀기 가능한 코일(pushable coil)이 표준인데, 저렴하며 기존에 사용하던 것이다. 그러나 카테터에 이 코일을 넣으면 앞으로만 밀 수 있다는 문제가 있다. 코일이 단단하게 형성되지 않거나 크기가 적당하지 않은 경우(혈관에 비해 너무 작거나 큰 경우) 또는 원치 않는 위치에 있어도 뒤로 당길 수 없다. 코일이 이동하거나 잘못 위치하게 되면 원치않는 색전술을 유발하여 심각한 상황이 될 수도 있다. 만약에 분리 가능한 코일(detachable coil)을 사용한다면 코일을 뒤로 당기거나 제거하고 다시 시작할 수 있다. 목표 혈관에 잘 맞는 최선의 코일을 선택하는 것은 매우 어려운 일이다. 너무 작은 코일은 원위부로 이탈될 수 있고 너무 큰 코일은 혈관에 단단하게 고정되지 않는다. 코일 크기를 결정하는 팁에는 “+3 법칙”이 있다. 카테터 크기를 조정한 투시검사(fluoroscopy)를 통한 DSA image 혈관 크기를 측정할 수 있는데(또는 이전에 시행한 CTA에서), 직경과 길이를 측정하고 3을 더하면 적절한 직경이 나온다는 것이다. 예를 들어, 비장동맥(splenic artery) 직경이 5.2 mm면 8 mm를 선택하면 된다. 잘못 선택하더라도 다시 집어넣을 수 있는 코일이라면 안전하고 안심할 수 있다. 빠르게 장비가 발전하므로 중재술 부서와 협력이 필요한 부분이다.

Tips

- 선택적 코일색전술에서는 미세카테터를 사용하도록 하고, Coil-pusher를 권장한다.
- 카테터뿐만 아니라 혈관 크기도 고려하여 코일의 크기를 선택해야 한다. 포장을 보고 어떤 크기의 카테터가 필요한지 알아본다(또는 아는 사람에게 문의한다). 혈관보다 다소 큰 코일을 선택하는 것이 좋다.
- 코일 위치가 정확해야 하거나 카테터가 불안정한 위치에 있다면, 분리가능한 코일(detachable coil)을 사용한다.

3) 혈관 플러그(Vascular plugs)

Vascular plug는 단단한 nitinol mesh로 구성되어 있고, 전달 방식이 조절 가능하다. plugs는 비장동맥이나 하복동맥(hypogastric artery) 같은 크고 혈류가 빠른 동맥에 적합하다. 혈역학적으로 불안정한 고위험 비장

손상 환자에서는 근위부 비장동맥 색전술이 적합하다. 만약에 응고장애를 동반한 골반골절에서 NBCA나 Onyx를 사용할 수 없다면 plug가 도움될 것이다(GS와 병용하여). Amplatzer vascular plug는 미세카테터를 통해 투여할 수 없다. 기술적 원인이든 해부학적 원인이든 목표하는 위치로 카테터 진입이 안된다면, 이 plug는 사용할 수 없다. Vascular plug는 카테터 또는 안내 카테터(guiding catheter)를 통해 투여된다. Delivery sheath는 plug 크기에 따라 크기가 다양하다. Vascular plug의 효과는 코일과 마찬가지로 환자의 응고장애 여부에 따라 달라진다. 외상에서는 시술시간을 고려해야 한다. New micro-plugs (3-5-7 mm, Medtronic)는 미세카테터를 통해 진입할 수 있고, 매우 작은 혈관에 삽입되어 빠르고 효과적으로 막을 수 있어 유용하다.

4) NBCA + lipiodol

N-butyl-2-cyanoacrylate (NBCA)는 액상의 영구적 색전제이다. 이것은 피부 상처와 식도 정맥류에 대해 승인된 최초의 "super glue"이다. Lipiodol (지질 조영제)과 함께 혈관에 주입하고, 색전 능력은 응고상태와 무관하기 때문에 응고장애가 있어도 색전술이 가능하다. 혼합물의 lipiodol 함유량을 증가시켜 반응시간을 연장할 수 있어, 더 천천히 원위부를 색전할 수 있다. 즉, 이것은 일종의 주사액이다. 혈류를 타고 흘러 출혈 부위를 막는다. 응고장애 환자에게 매우 좋은 도구로, 몇몇 센터에서 손상통제중재술(damage control interventional radiology)에 필수적이다. 그러나 색전 부위와 길이를 조절하는 것이 어렵다. 육안으로 확인하기 위해, 주입 중 투시검사(fluoroscopy)를 통한 DSA image로 주입을 중

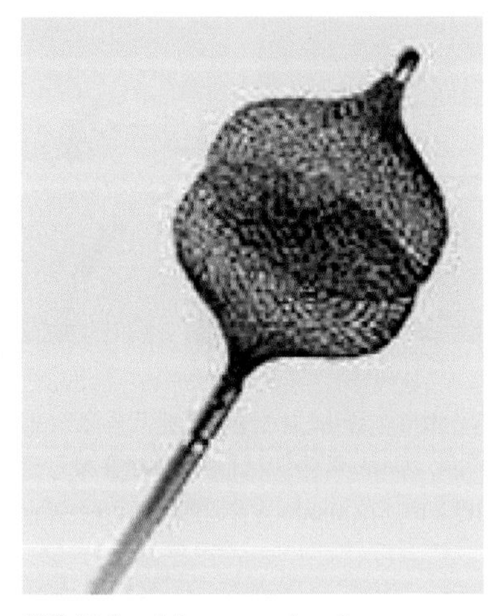

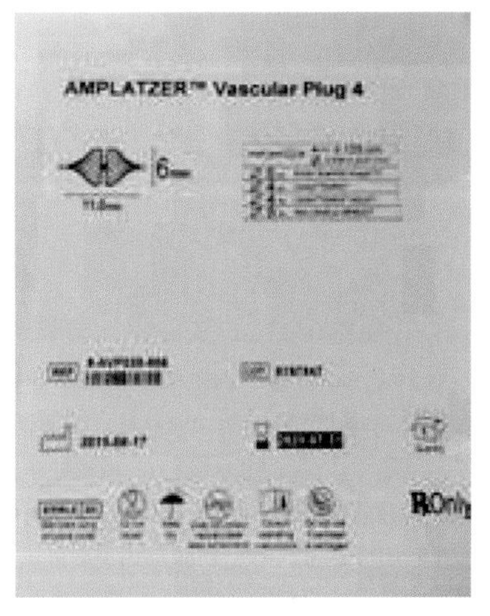

그림 12 Amplatser vascular plug.
목표 혈관과 sheath에 맞게 다양한 크기가 있다. 이런 정보는 제품설명서(delivery system information)를 포함하여 포장지(package)에서 확인할 수 있다.

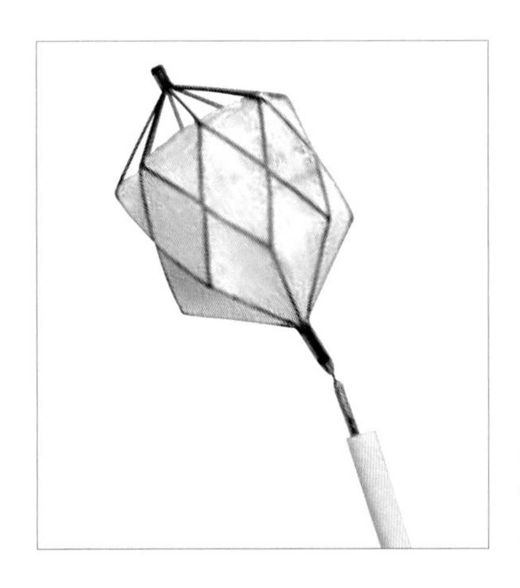

그림 13 Micro-vascular plug (Medtronic).
중간 정도 크기의 혈관을 완전하게 폐쇄하기에 유용하다.

단해야 하는 시점을 확인할 수 있다. NBCA package는 응급 상황에서 유용하다. 이 package에는 1 mL 잠금용 주사기(locked syringe; 마지막 주입용), 2.5 mL 잠금용 주사기(첫 번째 NBCA 흡입용과 포도당용액 주입용), 5 mL

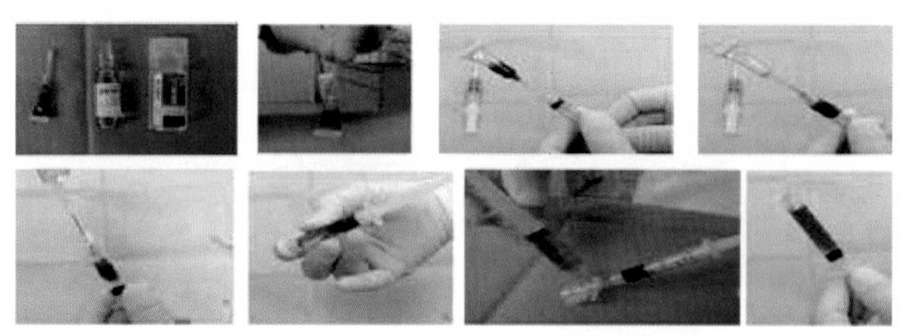

그림 14 N-butyl cyanoacrylate (NBCA) 준비.
NBCA, lipiodol, 5% glucose가 필요하다. NBCA bottle의 플라스틱 팁을 잘라낸 다음 2.5 mL 주사기에 넣고 blue glue (0.5 mL NBCA)를 흡인한다. 20 mL 주사기에 Lipiodol set를 넣고 필요한 양을 주입한다(1:4 NBCA/Lipiodol을 원한다면 2 mL의 Lipiodol을 주입한다). Three-way stopcock으로 펌핑(pumping)하여 혼합한다.

잠금용 주사기(lipiodol과 혼합용), 20 mL 잠금용 주사기(포도당용액용), 18G 바늘(포도당용액과 lipiodol용), 3-way stopcock (혼합 및 주입용) 등이 포함된다.

Tips

- 대부분은 이러한 전문 제품들을 안전하게 사용하기 위하여 잘 알아야 하고, 제품을 잘 알수록 효과적으로 사용할 수 있다.
- 응고장애 상태이거나 응급 상황에서 NBCA는 빠르고 신뢰할 수 있는 색전제이다. 그러나 NBCA는 다루기가 어렵다. 원위부 색전과 합병증에 주의하도록 한다.
- Onyx는 응고장애 환자에게 사용하기 좋다.
- 사용매뉴얼을 꼭 확인해야 한다.

5) Onyx

Onyx는 이온성 용액, 즉 혈액과 접촉하여 경화되는 중합체이다. 투시검사(fluoroscopy) 중 볼 수 있는 tantalum을 포함한다. 이 물질은 macro 또는 micro 카테터(2.7-2.8Fr; 예: Progreat, Terumo)를 통해 주입된다. 카테터는 Onyx와 호환되어야 한다(예: Bernstein catheter). 주입되는 동안(액체와 접촉할 때 발생하는) 카테터 안에서 Onyx 중합체가 굳는 것을 방지하기 위해 카테터가 목표 위치에 도달하면 카테터 내부를 DMSO 용액으로 채운다. Onyx를 20분 동안 흔들어 준 후 1 mL 주사기로 천천히 주입한다(약 0.3 mL/min 속도 권장). Onyx가 카테터 끝에서 방출되면서 혈액과 접촉하여 단단해질 것이고, 혈관 내부나 가성동맥류를 점차 채워서 막는다. 천천히 주입하는 것이 중요하다. 그렇지 않을 경우, Onyx가 혈류를 타고 더 멀리 원위부로 이동할 수 있다. Glue처럼 Onyx는 응고장애 환자에서도 사용 가능하지만, 심각한 저혈량성 쇼크환자에서 사용하기에는 GS나 coil과 비교했을 때 시간이 걸리는 단점이 있다. 한 가지 장점은 원위부의 혈관부터 점차적으로 채우므로 카테터가 도달하지 않는 부위 몇 cm 떨어진 곳까지도 주입될 수 있다는 점이다.

Tips

- 가지고 있는 카테터를 확인하라. 이것이 Onyx와 호환되는가?
- 의식있는 환자에서는 DMSO를 천천히 주입한다. 경련과 통증을 유발할 수 있기 때문이다.
- 카테터의 사강(dead space)을 지나면 Onyx를 천천히 주입한다. 위치가 바뀔 수 있기 때문이다.
- 카테터를 제거할 때 색전의 위험을 항상 고려해야 한다.
- 시술 중(Y connector가 필요!) macro 카테터를 이용해 혈관조영술을 시행할 수 있다.
- 액상 색전제품은 사용하기 쉽지 않으므로, 색전술에 대해 경험이 많지 않다면 사용하지 않는다.

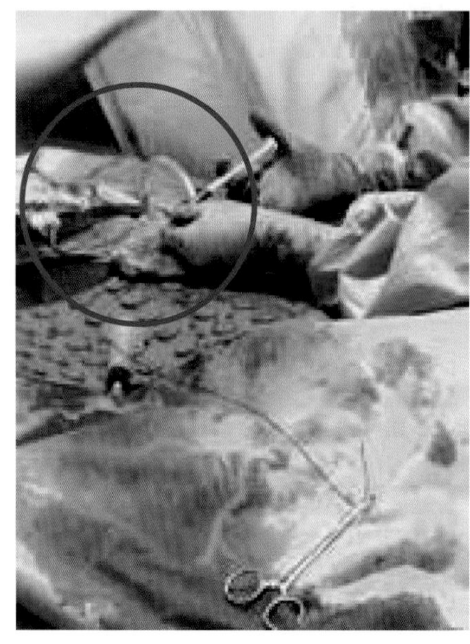

그림 15 Onyx 색전술 제품 (Medtronic).
정규 시술 중 주입된 Onyx.

6) PHIL

이것은 DMSO 다음에 바로 주입할 수 있는 새로운 액상 색전제이다. Onyx와 유사하지만 준비할 시간이 크게 없다. 지혈에 대한 효과는 현재 진행 중이므로 지금으로서는 더 많은 정보를 제공하기 어렵다.

7. 풍선 카테터와 미세 풍선 카테터

Balloon catheter and micro-balloon catheters

풍선 카테터는 지혈에 매우 유익한 도구다. 물론 난치의 출혈성 쇼크(refractory hemorrhagic shock) 환자에서 대동맥폐쇄 카테터[aortic balloon occlusion catheter를 이용한 대동맥 폐쇄(REBOA)]를 시행할 수 있다. 하지만 Zone I에서 오랜 시간 폐쇄(long occlusion)하는 것은 과도한 허혈 및 재관류 손상(ischemic-reperfusion injury) 등의 치명적 결과를 초래한다. 만약 출혈 부위를 알 수 있다면 선택적 풍선 카테터(또는 미세 풍선 카테터)로 변경해야 한다. 훨씬 더 안전하고 효과적이다. 혈역학적으로 안정된 고위험 비장손상 환자에서 vascular plug를 통한 근위부 색전술을 일부 기관에서 표준 치료로 시행하고 있다. 종종 원하는 만큼 원위부로 진입할 수 없을 때, 다른 해결책을 생각해야 하고, 이 중 비장동맥의 일시적 풍선폐쇄(balloon occlusion)가 하나의 선택지가 될 수 있다. 풍선을 통한 지혈로 개복술을 할 수 있는 시간을 벌어준다. REBOA나 풍선 카테터(balloon catheter)를 함께 사용하면 수술 중 출혈을 줄일 수도 있다. 혈역학적으로 위험한 복부 둔상 환자에서 REBOA로 출혈을 조절하면서 응급 개복술을 하면 실혈량과 수혈량을 줄일 수 있고, 수술 시야 확보도 더 수월하게 할 수 있다. 쇄골하동맥(subclavian artery) 손상을 입은 경우, 쇄골하동맥에 혈관시술이 익숙하다면 근위부를 풍선 카테터로 조절하는 것이 수술 중 유용할 수 있다. 그러나 추골동맥(vertebral artery)과 우측 경동맥(right carotid artery)이 쇄골하동맥과 연결되기 때문에 잠재적인 뇌허혈성에 주의해야 한다. 또한 풍선 카테터는 색전제가 주입되는 동안

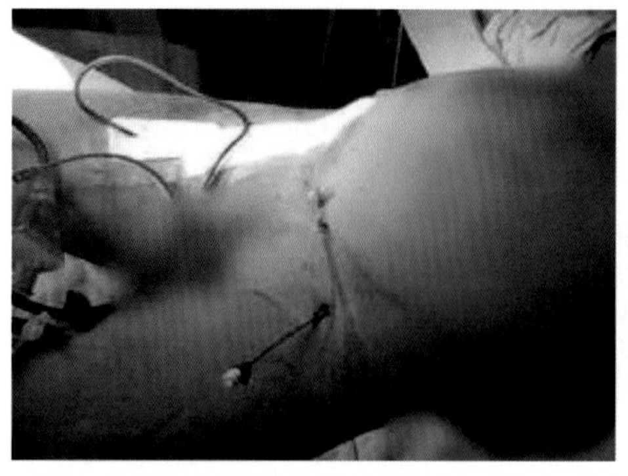
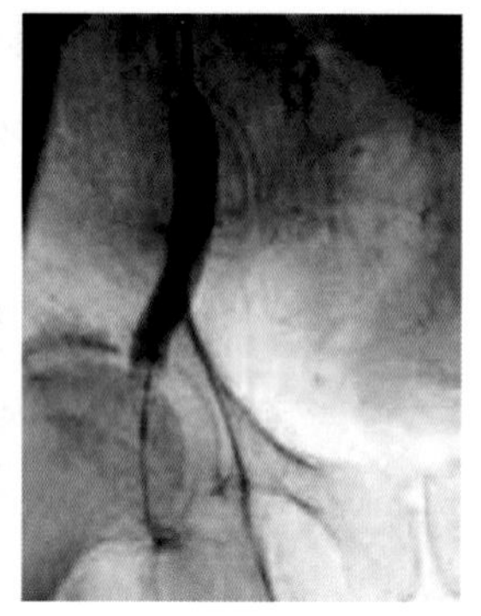

그림 16 대퇴동맥 출혈에서 근위부 출혈통제를 위한 장골혈관 풍선술.
PTA (Cordis 16 mm) balloon이 사용되었고, 8Fr sheath가 왼쪽에 삽입되어 있다. 지혈을 위해 풍선을 공기로 약간 부풀리고 개복술을 시행하였다(hybrid concept).

혈관을 막는 데 사용할 수 있으며 원위부로의 이탈(distal migration)을 줄일 수 있다. 이것은 이 책에서 논의하기에는 너무나 전문적인 분야이다. 다른 챕터에서 대동맥이 아닌 혈관의 풍선술에 대해 논의하겠다.

이번 챕터에서 무엇을 어떻게 사용할지에 대한 주제를 다뤘다. 충분한 경험과 인터벤션 전문의나 혈관외과의 협조 없이는 어떤 방법도 시행하지 않는 것을 권장한다. 또한 사용자 매뉴얼을 확인하는 것 역시 강조한다. 다른 방식으로 사용할 수 있는 더 많은 방법이 있을 것이다.

혈관내 장비나 하이브리드 장비를 사용하기 전에 생각하고, 항상 주의하도록 한다!

CHAPTER 3.1

외상외과의사로서 혈관내 하이브리드를 이용한 외상 및 출혈 관리 생각하기

How to think EVTM as a trauma surgeon

Some thoughts from trauma people with "blood on their hands" regarding EVTM

Lauri Handolin, Boris Kessel, Joe Love, Pantelis Vassiliu, George Oosthuizen

"하거나 하지 않거나! 해보겠다는 건 없다(Do or do not - there is no try)". 스타워즈 제국의 역습(the Empire Strikes Back) 편에 나오는 요다의 말이다.

외상수술, 가장 어려운 일 중 하나다. 왜일까? 때때로 기존의 사고에서 벗어나 빠르고 즉각적으로 생명을 구할 결정을 내려야 하기 때문이다. 침착하게 그 동안의 경험을 믿어야 좋은 결과를 얻을 수 있다.

중증외상은 우리 몸에 두가지 방식으로 영향을 미치는데, 장 천공이나 복합 골절 같은 해부학적 손상을 유발하기도 하고, 더 중요하게는 환자의 생리학적 상태에 심각한 장애(쓰나미에 비유할 수 있을 정도의)를 일으킨다는 것이다. "생리학적으로 안정적인" 상태의 환자들을 대상으로 한 정규 수술을 주로 하는 외과의사들은 저혈압, 저산소증 및 환기장애, 응고장애, 저관류, 두개내압 증가, 저체온증을 동반한 중증외상환자를 대할 때 매우 당황할 수 있다. 정강이뼈 근위부 관절내 골절 수술을 어떻게 해야 하는지, 또는 정규 수술에서 활용되는 복강경 수술에 얼마나 더 경험이 있는지를 생각할 겨를이 없다. 평소 익숙한 접근방법이 이러한 상황에 적용 가능한 경우도 있겠지만, 그러한 접근으로 환자가 살고 죽는 것에 영향을 미쳐서는 안 된다. 당신은 생존에 위협이 되는 즉각적인 문제에 초점을 맞춰야 한다. 생리학적 상태를 회복할 수 있도록 해부학적 손상을 통제해야 하며 되도록 빨리 할 수 있어야 한다. 중증외상과 출혈 환자에서 시간이란 굉장히 중요한 요인이다.

높은 레벨의 외상센터에서 지속적으로 중증외상환자를 진료한 경험 없이, 검사나 치료 계획을 정교하게 세우는 정규 진료(routine)에 익숙한 의료진에게 갑자기 얼굴이나 흉복부가 손상된 불안정한 골반 상태의 신원미상 환자를 마주한다는 것은 굉장히 어려운 일일 것이다. 그런데 환자가 수축기혈압이 80 mmHg이고 호흡곤란을 보이고 있다면? 이제 예정된 수술(elective surgery)에서 벗어나 외상외과의사가 되어야 한다.

당신의 최우선 과제는 환자 생존에 가장 위협적인 문제를 확인하는 것이다. 초기 외상평가의 기본인 ABC를 잊어서는 안 된다. 효과적인 기도확보(airway)가 안 되면 환자는 조기에 사망할 수 있다. 기관내삽관이 실패할 경우를 대비해 외과적 기도확보가 준비되어 있어야 한다. 호흡(breathing)은 기흉이나 혈흉에 의해 상당히 저해될 수 있으며, 응급으로 흉강삽관술이 필요할 수 있다. 순환(circulation)의 경우, 모든 주요 외부 출혈은 압박드레싱이나 토니켓으로 지혈되어야 한다. 응급실에서라도 출혈되는 넓은 범위를 거즈로 충전(packing)해야 할 수도 있다. 가능하다면 패드 위로 피부를 신속하게 닫아서 tamponade 효과를 유발하도록 한다. 비교적 작고 깊은 구멍이라면 요로 카테터를 삽입하고 팽창시킬 수 있다. 큰 구멍은 비뇨기과에서 방광세척을 위해 사용하는 32Fr의 큰 Foley 카테터를 사용할 수도 있다. 이 방법으로 목이나 엉덩이 부위에 있는 활동성 출혈로부터 생명을 구할 수 있는 것이다! 1년차 레지던트라도 이를 시행할 수 있도록 교육해야 한다. 골반고정대(pelvic binder)가 필요할 수 있으며, 장골골절(long bone fracture)은 신속한 스플린트를 한다면 좋을 것이다. 만약 환자가 초기 ABC에 빠르게 반응을 보이지 못한다면 신속하게 다른 조치를 취할 필요가 있다. 출혈이 순환장애를 일으킬 정도라면, 다른 상태로 판명되기 전까지는 환자는 출혈성 쇼크상태라고 간주해야 한다. 그러나 주요 출혈 부위를 찾는 중에도, 의사는 일차평가에서 중요하게 다루고 있는 A와 B가 확실히 확인되었는지를 늘 기억하고 있어야 한다. 심막삼출은 없는지? FAST 검사에서 음성이었지만 복강내 출혈은 아닐까? 골반 X-ray가 의사결정과정에 얼마나 도움이 될까? 만약 골반 X-ray에서 불안정 골반골절로 확인된다면? 그렇다면 다른 상태로 판명될 때까지 대량 복막외 출혈(extraperitoneal bleeding)을 고려해야 한다. 수혈을 포함한 소생술에 일시적으로 반응을 보인다면, 무언가 조치를 취해야 한다. 지금 바로!!

출혈 부위가 확인되었다면, 신속히 출혈을 통제해야 한다. 뭔가 한다는 것은 주요 출혈을 통제한다는 의미이다. 환자가 여전히 비교적 안정적이라면 첫 번째 옵션은 색전술을 위한 혈관조영술일 수 있다. 하지만 대부분은 환자를 수술실로 옮겨서 복부를 열어 출혈을 잡고 거즈 충전(packing) 후 복부를 열어 두는 방식을 취할 것이다. 불안정 골반골절의 경우라면, 탐색적 복강수술(explorative laparotomy) 전, 전복막 골반 거즈충전술(preperitoneal pelvic packing, PPP)을 고려하도록 한다. 응급실에서 시행한 REBOA를 Zone III에 위치시키고, 풍선 확장 후에도 혈역학적

반응이 나타나지 않는다면 Zone I으로 올릴 준비를 하고 있는가? 소생술이 진행되는 동안, REBOA를 삽입하는 데 몇 분밖에 걸리지 않는다. 환자는 이제 확실히 추가적인 골반 거즈충전술과 개복술이 필요하지만, 근위부 지혈이 가능할 때 수술을 시작하는 것이 훨씬 더 편리하다. 풍선을 부분적으로 감압하고 무슨 일이 발생하는지 지켜봐야 한다(REBOA 챕터 참조). 환자가 잘 버티는가? 현저한 출혈이 다시 발생한다면, 풍선을 다시 확장시키고 손상통제수술을 시행하도록 한다. 환자가 부분 감압에도 비교적 유지된다면, 풍선을 완전히 감압한 후 어떻게 되는지 확인한다. 생리적 반응을 확인하고 이후를 생각하는 것이 좋다. 최종적인 목표, 생리학적 상태의 신속한 안정화 등으로 결정을 해야 한다. 단순히 해부학적 손상을 바로잡는 것에만 집중해서는 안 된다.

Comment

REBOA는 단지 하나의 수단일 뿐 어떤 환자에게 가장 도움이 될지 아직 분명하지 않다는 점을 잊지 말기를 바란다. 외상 수술에서의 다른 선택지들을 항상 염두에 두도록 한고, 항상 Plan B가 마련되어 있어야 한다.

빠른 whole body CT가 가능한 경우, 풍선을 삽입하고 환자의 생리학적 상태가 허용되는 내에서 즉시 CT를 촬영하도록 한다. 이 결정이 급박한 상황에서 내려지면 CT실에 환자가 혼자 남아있게 될 수도 있으므로 유의한다. 이때 개복술을 시행하는 절대적 적응증은 없으며, 복강내 출혈이 경미하거나 혈관내기법으로 조절되는 경우 개복술은 전혀 필요하지 않을 수도 있다. 불필요한 개복술(신체 내부를 여는 것)을 방지하면 저체온증을 막고, 추가적인 수액 필요량을 줄여 응고장애가 악화되는 것을 피할 수도 있다. CT 결과 환자가 왼쪽 쇄골하동맥에 심각한 손상을 입었고 간에도 손상이 보인다면? 소생술을 지속하면서 환자를 이송시킬 장소를 고민해야 한다. 중재술에 앞서 응급실 또는 중환자실에서의 추가 소생이 더 적절한가? 수술과 혈관내시술을 동시에 원활하게 수행할 수 있는 하이브리드실(hybrid suite)에 갈 수 있는가? 만약 그렇지 않다면, 환자는 우선 혈관조영실로 가야 하고, 그 다음에 수술실로 가는 방식을 (또는 반대로) 따라야 한다. 환자마다 서로 다를 것이기 때문에 유동적인 사고가 필수적이다. 환자를 아무리 잘 갖춰진 하이브리드실로 보내기로 결정하였더라도, 계속해서 외상외과의사로서 생각을 해야 한다. 개흉술이나 개복술을 마친 후 어떤 혈관내시술을 한다면, 단순히 그동안의 이전 케이스를 반복하는 것에 불과하다. 반드시 기억해야 한다. 환자의 생리학적 상태가 최우선이라는 것을! 사실, 혈관내시술은 외과수술보다 훨씬 더 오래 걸릴 수도 있다.

Comment

다른 모든 영상처럼 CT는 신중하게 고려해야 한다. 내가 찾고 있는 것은 무엇이며 CT 후 다음 단계는 무엇인가? 계획이 있어야 한다.

혈관내시술(EVTM의 일부로서)이 눈 앞에 있는 환자 치료에 도움이 될 것이라 생각하는가? 대부분의 경우 대답은 "그렇다"일 가능성이 높지만, 이 술기를 언제, 어디서, 어떻게 선택할지 고민할 필요가 있다. 혈관내 도구의 가능성과 한계점을 이해해야 한다. 출혈에 관해서는, 일반적으로 "근위부와 원위부 조절-그리고 나서 가운데 있는 것을 고친다"라는 원칙을 따르거나, 만약 가능하다면 불안정한 환자에서 조절되지 않는 출혈 부위의 원위부를 절단할 수도 있다. 이런 결정들을 내리는 데 있어서는 전반적인 해부학적 그리고 생리학적 이해뿐만 아니라 필요시에 환자를 살릴 수 있는 도구들에 대한 이해까지도 필요로 한다. EVTM 사고방식은 "병소" 외의 것들에 대해서 생각하는 것 또한 필요하다. 정규 혈관내술기 사고과정(thought process)은 중요하지만 잘못된 방향을 유도할 수도 있다. 철사로 병변을 가로지르는 것으로 하루를 버틸지는 몰라도 불안정한 환자에게는 너무 오래 걸리는 시술일지도 모른다. 특정한 상황에서는 색전술이 너 나은 해납일까? 손상된 혈관에 성공적으로 커버(covered) 스텐트를 거치했다 해도, 이것은 "최종치료"인가, 아니면 "손상통제술"인가? 20세 환자에게 장기적 사용을 목적으로 정맥이식(conduit) 대신 스텐트 이식을 하는 것이 더 현명한가? 추가 조치를 취하는 동안 임시로 혈관 우회술(temporary vascular shunt)을 해서 재관류가 되도록 해야 할까? 항응고제는? 간손상을 당했음에도 불구하고 시술 중 항응고제를 주어야 하는가? 눈 앞의 환자에게 간출혈과 동맥손상 혈전 중 어떤 것이 더 위험한가?

Comment

EVTM 개념은 이러한 사항들을 고려하여 혈관내 기구들이 지금 도움이 될 수 있는지 여부를 판단하는 데 유용하다. EVTM은 수술(open surgery)을 배제하는 것이 아니다! 수술도 항상 선택지로 고려되어야 한다.

이런 결정들은 쉽지 않다. 결정이 종종 급하게 내려지기도 하고 그간 해오던 일반적 정규(elective) 방식에 역행할 수도 있다. 이런 상황에서 최선의 선택은 그동안 평소 익숙하게 알던 것과 전혀 다른 것일 수도 있다.

Final tip

눈 앞의 환자의 생명이 매우 위태로운 상황이라면 일반적으로 예정된 수술의 원칙은 잊어야 한다. 기다릴 시간도, 천천히 충분한 소독을 할 시간도, 엄격한 해부학적 절개를 위한 시간도 없다. 환자에게 모든 노력을 기울여야 한다.
상황을 해결하기 위해 항상 수술(개두술, 개복술, 개흉술)을 고려해야 한다. 혈관내술기에 갇혀 있으면 안 된다.
환자가 나아질 기미를 보이기 전까지는 끝난 것이 아니다. 중환자실 입실은 수술의 끝이 아니라 매우 중요한 치료 과정의 시작이므로, 환자와 함께 있어야 한다!
방금 REBOA와 거즈충전을 시행하고 환자가 안정되었는가? 몇 시간 또는 며칠 후, 그는 다발성장기부전을 일으킬 수 있다. 이를 예방하기 위해 적극적으로 임하라.

CHAPTER 3.2

응급실에서의 혈관내 소생술. REBOA와 EVTM에 대해 아는 응급의학과의사의 생각

Endovascular Resuscitation in the Emergency Department.

Thoughts of emergency medicine doctors with REBOA and EVTM interest

Lisa Hile, James Daley

응급실 내 외상구역뿐만 아니라 병원 전 환경에서 응급의학과의사는 외상팀의 중요한 구성원이다. 전통적으로 응급의학과의사의 역할은 환자를 소생 및 안정화시키는 동시에 외과팀과 함께 환자 손상 부위에 대해 수술적 치료가 필요한지 여부를 결정하는 것이다. 또한 환자가 최종 치료를 위해 어디로 가야 하는지를 외과의사와 협력하여 관리하는 것 역시 응급의학과의사의 역할 중 일부이다. 여기에는 환자를 더 높은 레벨의 의료기관으로 전원시키는 경우도 포함되는데, 어떤 상황에서는 환자와 EMS 인력 모두에게 위험한 일일 수도 있다. 외상팀을 갖춘 외상센터라면 응급의학과의사와 외상외과의사들이 함께 팀으로 협력하는 것이 가장 효율적이다. 외상 치료의 새로운 시대에서는 전통적 개복술을 위해 수술실로 직접 가는 환자가 줄어들고 있다. 이런 새로운 방식은 더 나은 영상기술의 발전, 외상 치료 연구, 인터벤션의 급증, EVTM의 새로운 역할의 결과물이다. 응급의학과의사의 술기는 끊임없이 진화하며 확장하고 있다. 응급의학과의사가 외상성 출혈 환자의 최신 치료의 일환으로 응급실에서의 EVTM을 이해하는 것 뿐만 아니라, 이를 사용하는 데 있어 매우 중요한 역할을 할 것이다. 부분폐쇄 REBOA (partial occlusion, pREBOA) 카테터의 새로운 연구와 발전으로, 이제 REBOA 카테터를 삽입한 후 더 긴 시간 동안 이송이 가능해졌다.

예를 들어, 고속의 자동차 충돌로 인한 둔상 환자의 초기치료가 레벨 II, III 또는 IV 외상센터에서 끝날 가능성이 더 높다(상주하는 외상외과의사, 중재 영상의학과 전문의 또는 혈관외과의사가 없는 경우에는 호출해야 한다). 그러나, 불안정 골반골절 환자라면 최종 치료를 위해 더 높은 레벨의 외상센터로 전원되어야 할 필요가 있는데, 응급의학과의사는 수혈을 포함한 소생술을 시행하면서 동시에 일시적 출혈 조절을 위해 초음파 유도하에 카테터 삽입과 REBOA를 능숙하게 시행한 다음 환자를 전원시킬 수도 있다. 이는 어떤 응급의학과의사에 의해서도 시행될 수 있고, 이송시간이 긴 시외지역 응급실에 온 출혈 환자들에게 생명을 살릴 수 있는 하나의 해결책이기도 하다.

EVTM을 출혈 처치의 한 가지 또는 임시조치로서 고려한다면, 응급의학과의사는 팀의 필수 구성원으로 간주되어야 하고, 기본적인 EVTM을 교육받아야 한다. 현재 응급의학과의사들은 미국 식품의약국(FDA)이 승인한 새로운 ER-REBOA™ (Prytime)를 압박이 불가능한 몸통출혈(noncompressible torso hemorrhage, NCTH) 환자에게 출혈 통제를 목적으로 사용하는 데 앞장서고 있다. 가장 최근에 ER-REBOA™ 카테터는 중동지역의 전쟁에서 미국의 응급의학과의사와 외과의사에 의해 성공적으로 사용되었다. 부분적 폐쇄 정도를 측정할 수 있는 카테터의 사용과 함께

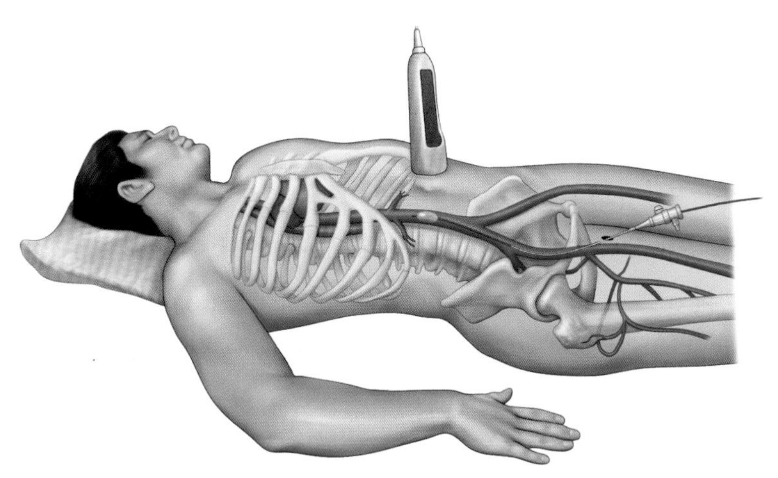

그림 1 초음파 유도하에 시행하는 Zone III REBOA.

새로운 기술이 적용됨에 따라, REBOA 카테터는 출혈 환자가 지역병원에서 레벨 I 외상센터로 이송될 때까지의 임시방편적 치료로서 중요한 역할을 할 수 있다. 사용 편의성 때문에 병원 전 환경에서도 중요한 역할을 할 수 있을 것으로 생각되고 있다. 외과적 백업이 없는 소규모 의료기관과 병원 전 현장일수록 응급의학과의사의 능력이 중요한 부분을 차지한다.

병상에서의 초음파 사용이 미국 내 응급의학 수련 프로그램에 빠르게 통합됨에 따라, 현재 모든 전공의들에게 숙련도가 요구되고 있다. 초음파의 중요성은 FAST 수준을 훨씬 능가한다. 초음파는 외상환자에서 EVTM을 필요로 하거나 또는 필요로 하지 않는지 판단하고, EVTM을 위한 혈관로를 확보하며, EVTM 기구의 위치를 확인하는 데 도움이 된다. 초음파의 휴대성이 좋아지면서 의사가 초음파를 가지고 현장으로 갈 수 있게 되어 병원 전 환경과 전쟁지역 등에서도 매우 유용하게 쓰일 수 있다.

중증환자는 때로 외상구역에서 영상촬영실까지 옮기기 어렵기 때문에, 병상에서 사용할 수 있는 진단법은 매우 중요하다. 쇼크 환자에서 FAST 검사로 EVTM을 통해 조절가능한 비압박성 출혈(non-compressible hemorrhage)을 효과적으로 식별할 수 있다. 복부에서의 사용은 대중화되었지만, 응급의학과의사들은 초음파를 사용하여 REBOA와 같은 EVTM 기법이 필요한 흉부 및 혈관 손상 여부를 확인할 수 있다. 초음파로 심막삼출, 혈흉, 폐좌상 또는 출혈을 쉽게 확인할 수 있으며, 흉부와 복부 대동맥에 손상의 징후가 있는지 확인할 수 있다. 환자침대 옆에서 시행가능한 초음파는 응급의학과의사들이 쉽게 혈관을 확보할 수 있게 해주었으며, 정맥 및 동맥로 확보 시 초음파 사용이 맹목접근법(blind access)보다 우월하다는 것이 입증되었다. 초음파는 대퇴정맥, 쇄골하정맥(쇄골상부접근과 하부접근 모두), 내경정맥 등을 통한 중심정맥 확보에 사용되며, 대퇴동맥과 요골동맥의 삽관 시에도 초음파가 사용되면 성공률을 높일 수 있다. 대퇴동맥 확보에 관해서는 성공시간을 단축시킬 뿐 아니라, 최초 시도 성공률을 향상시키고 우발적 정맥삽관률을 감소시킨다. 이런 방법은 허탈된(collapsed) 혈관을 가진 쇼크 환자나 심정지 환자에게 훨씬 더 유용하다.

과거에는 REBOA가 적절하게 위치했는지 확인하기 위해 투시검사(fluoroscopy)가 필요했지만, 이제는 초음파로도 이를 확인할 수 있어 중요한 수단으로 사용되고 있다. 조영제로 카테터 풍선을 부풀림으로써 초음파로 대동맥내 위치를 쉽게 확인할 수 있다. 병원 전 환경과 전쟁지역에서 REBOA 및 기타 EVTM 기법을 사용함에 있어, 초음파는 장비의 체내 위치를 확인하는 가장 실용적인 영상 기법이 되었다.

이러한 응급의학과의사의 EVTM 테크닉을 비수술 영역의 다른 환자, 특히 심정지 환자에게도 적용할 수 있다. 원위부 혈류 중지를 통해 심장과 뇌로 선택적 관류를 효과적으로 유발할 수 있어 심정지와 같은 낮은 혈류상태에서는 대동맥의 풍선폐쇄가 심박출량을 재분배하고 중요 장기로의 흐름을 증가시킬 수 있다. 관상동맥으로 혈류가 증가하면 자발순환회복(return of spontaneous circulation, ROSC)의 가능성이 높아지고, 뇌혈류의 증가는 소생술 중 신경학적 보존을 유지하는 데 도움이 된다. 비외상성 심정지의 심폐소생술 중 대동맥내 풍선폐쇄의 사용에 대해서는 수많은 동물 연구와 일부 증례보고가 있으며, 현재 사람을 대상으로 한 전향적 연구가 진행되고 있다.

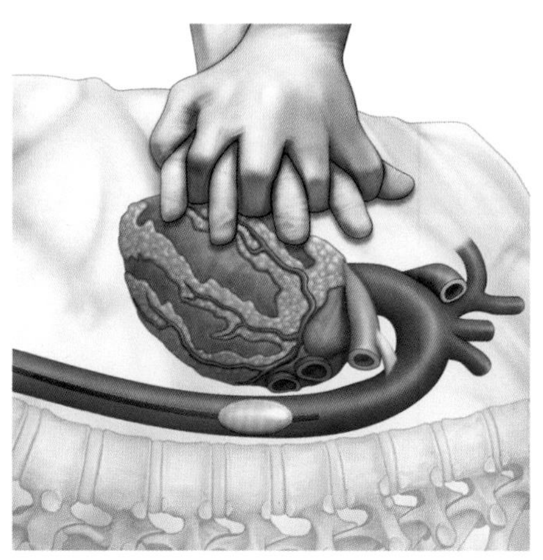

그림 2 Zone I에 REBOA를 삽입하고 심폐소생술(cardiopulmonary resuscitation, CPR)을 하는 모습

CHAPTER 4

대동맥내 풍선폐쇄 소생술

Resuscitative Endovascular Balloon Occlusion of the Aorta, REBOA

Jonny Morrison, Viktor Reva, Lars Lönn, Junichi Matsumoto, Yosouke Matsumara, John Holcomb, Koji Idoguchi, Tal Hörer, Joe DuBose

만약 당신이 당직 중인 외상외과의사라면? 차량에 치인 보행자가 병원에 곧 도착할 것이라는 연락을 받았다고 가정해보자. 환자는 혈압이 매우 낮고 의식이 없으며 골반 변형이 관찰된다고 하면 어떤 생각이 드는가?

환자가 사망에 이를 정도의 출혈이 있음이 거의 확실히 예상되나 그 외에 어떤 손상을 입었을까? 외상성 뇌손상 또는 장골골절(long bone fracture)일까? 출혈 부위는 어디일까? 골반, 복부 고형장기, 흉부 아니면 모두? 당신은 어떤 의학적 역량을 갖추고 있는가? 또한 이를 바로 보고할 필요가 있는가?

도착한 환자는 창백하고 피부는 축축하며, 매우 위중해 보이는 상태이다. 팀원들은 고유량(high flow) 산소마스크, 골반고정대(pelvic binder), 굵은 정맥로 확보, 외부 출혈 지혈, O형 적혈구수혈을 시작했다. 일차 평가에서 신체검진과 X-ray 상 흉부의 큰 손상은 없었고, FAST는 양성

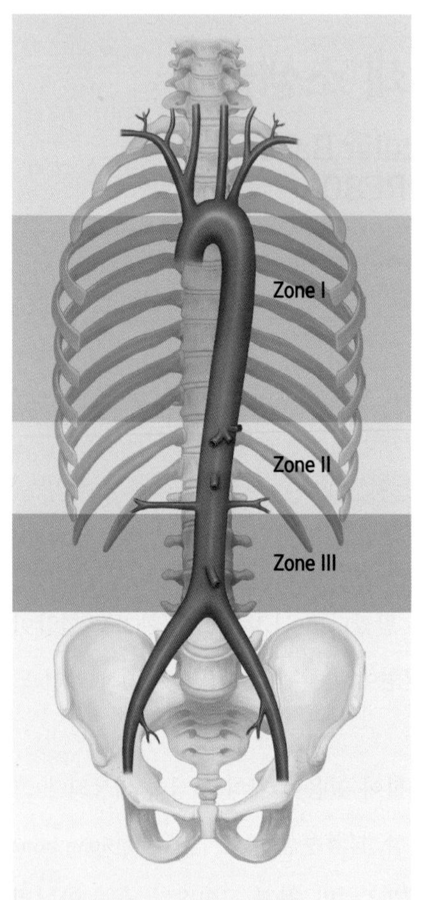

그림 1 REBOA 삽입 시 풍선 거치 위치. Zone I 복강동맥 상부(하행대동맥), Zone II 내장혈관 근처, Zone III 신장동맥 하부.

이었으며, 골반 X-ray 상에서 좌측 천장관절(sacro-iliac joint) 손상과 치골지(pubic ramus)의 전방전위가 관찰된다. 첫 번째 수혈이 시작되었고 골반고정대를 적합한 위치에 잘 착용했음에도 마지막으로 측정된 혈압은 60/40 mmHg이다. 팀원들이 당신에게 다음 계획을 묻는다. 잠깐 여기서 선택지를 생각해보자. 환자는 사망에 이를만큼의 복부 그리고/또

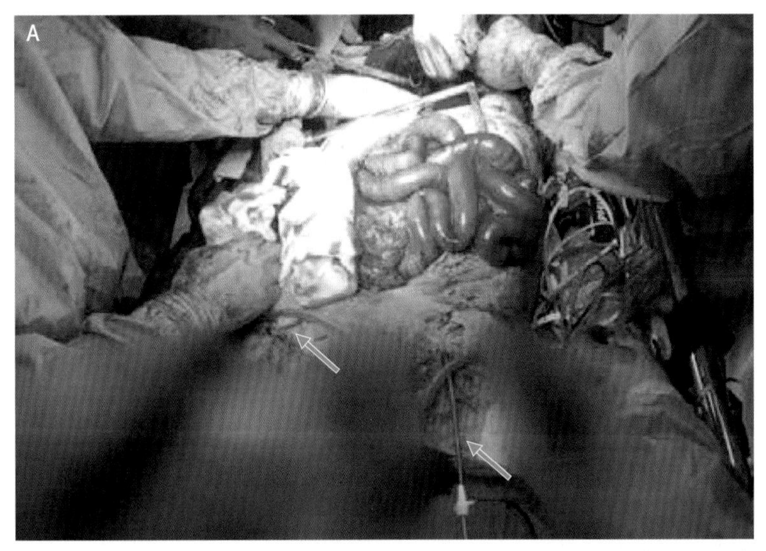

그림 2 A. 외상 환자에서 양측 전측흉부절개술(clamshell thoracotomy), 개복술(laparotomy), 좌측 서혜부의 REBOA 삽입 사진. 오른쪽에 5Fr sheath가 삽입되어 있는 것을 주목하자. Zone I에 간헐적 폐쇄 REBOA (iREBOA)와 부분폐쇄 REBOA (pREBOA)가 시행되었다. 5Fr sheath는 pREBOA의 모니터링에 사용될 수 있다.

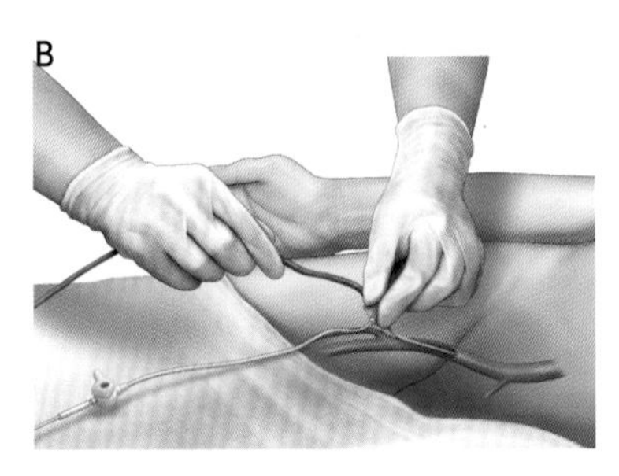

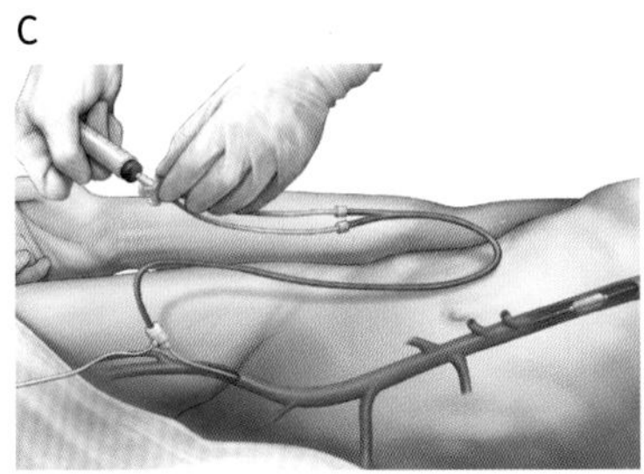

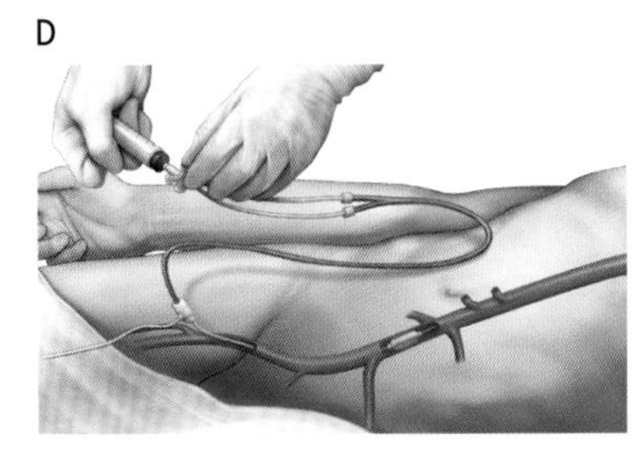

B. 삽입되어 있는 sheath를 통하여 풍선카테터를 삽입.
C. Zone I 대동맥폐쇄.
D. Zone III 대동맥폐쇄.

는 골반의 출혈을 보이고 있다. 당신은 이를 최대한 빨리 멈추어야 한다. “이상적”인 해결책은 손상통제소생술의 일환인 즉각적인 손상통제수술[예: 손상 개복술(trauma laparotomy) 또는 전복막 골반 거즈충전술(preperitoneal pelvic packing, PPP)과 골반고정술(pelvic fixation)]이다. 이는 혈관내 색전술이 가능한 하이브리드 수술방에서 시행되는 것이 좋을 것이다. 이러한 시설을 사용할 수 있다면 좋겠지만 현실은 그렇지 못할 때가 많다. 수술방은 10분 거리에 엘리베이터를 두 번 타고 가야할 수도 있고, 수술방에 다른 응급수술이 진행되고 있어 두 번째 팀을 불러야 할 수도 있다. 환자의 기도확보가 어려워 마취과의사가 특수한 기구를 필요로 할수도 있고 환자가 얼마나 버틸 수 있는지 알 수 없다. 이럴 때는 출혈을 통제할 수 있는 곳에 도착할 때까지 환자를 버티게 해줄 가교(bridge)가 필요할 것이다.

이러한 상황에서 대동맥내 풍선폐쇄 소생술(Resuscitative Endovascular Balloon Occlusion of the Aorta, REBOA) 또는 대동맥 풍선폐쇄술(Aorta Balloon Occlusion, ABO)이 해답이 될 수 있다. 적절한 크기의 풍선으로 동맥을 차단함으로써 여러 효과를 얻을 수 있다. 후부하를 늘려 중심압을 올리면 뇌혈류와 심혈류를 증가시킬 수 있고 풍선 원위부의 혈류를 줄여 출혈 부위의 관류를 감소시킬 수 있다. 흉부대동맥 폐쇄(Zone I)는 복부의 출혈을 통제하는 데 효과적인 반면 신동맥 이하 대동맥 폐쇄(Zone III)는 골반의 출혈을 조절할 수 있다. Zone II는 Zone I과 III 사이로 장, 간, 신장에 혈류를 공급하는 복강동맥이 분지하여 REBOA를 시행하는 중에 주의를 기울여야 한다.

REBOA는 상황에 적합하게 사용된다면 훌륭한 도구이지만, 잠재적인 위험도 크다는 것을 염두에 두어야 한다. REBOA는 횡격막 이하 또는 골반의 혈류를 효과적으로 차단한다. 시간이 흐를수록 허혈로 인한 변화가 축적되어 풍선을 감압시켰을 때 환자에게 영향을 미치게 된다. 복강동맥(Zone I 또는 II) 위치 또는 그 상부에 풍선을 위치시킨 경우 내장 허혈의 가능성이 존재한다. 이론적으로, Zone I에 풍선을 위치시키는 경우에는 복부 동맥으로 우회 또는 역행 혈류가 존재하나 Zone II는 직접적으로 폐쇄를 일으킬 수 있으므로 권고되지 않는다. 이러한 부담을 줄이기 위한 다른 방법은 주기적인 풍선폐쇄(간헐적 폐쇄 REBOA)로 이 장의 후반부에서 논의할 것이다.

Remark

- REBOA는 개흉술보다 덜 침습적이며 임상적 상황에 따라 각기 다른 레벨과 방법으로 대동맥 폐쇄를 가능하게 한다.
- REBOA는 최종치료까지의 가교이지 근본적 해결책은 아니다.

풍선폐쇄술을 한다면 가능한 짧은 시간 동안만 하고 싶을 것이다. Zone I 폐쇄술은 30분 이내가 이상적이며 60분 이상 하게 될 경우 허혈과 재관류에 의한 손상으로 인하여 위험할 수 있다. Zone III 폐쇄술은 2-3시간까지 괜찮다고 되어 있으나(5-6시간까지 유지한 경우가 있었으나 이는 추천되지 않는다), 일반적으로 2시간 이내가 선호된다. 한번 풍선의 위치를 올린 경우 다시 위치를 내리기까지 시간을 단축시켜야 하며, Zone II 폐쇄를 한다면 매우 짧은 시간 동안만 유지해야 한다.

Advanced tips

- 대동맥 Zone에 대한 해부학에 익숙해졌다면 간헐적 대동맥 폐쇄와 부분 대동맥 폐쇄 술기를 고려해볼 수 있다.
- REBOA는 풍선을 팽창시킨 후 잊어버리는 술기가 아니다. 팽창된 풍선은 환자를 살려둘 수 있지만 필요 이상으로 유지하는 것은 심각한 장기 손상을 유발할 수 있다. 또한 풍선의 위치가 이동할 수도 있다.
- 팀원 중 누군가를 지정하여 풍선 상태를 모니터링하고 제한 시간 동안만 사용하도록 해야 한다. 풍선 확장 시간을 기록하도록 한다.

1. REBOA의 단계

1) 동맥로 확보

REBOA는 동맥로 확보에 대한 것이 전부라고 할 수 있다(1-2장 참조). 침습적 혈압 측정이나 동맥혈 혈액가스분석을 위한 동맥확보 sheath는 팔이나 반대편 총대퇴동맥(common femoral artery)을 사용할 수 있다. 초반에 작은 직경의 sheath를 확보해두면 모니터링과 REBOA와 같은 중재적 시술을 위한 더 큰 크기의 sheath로 upsizing하는 데 이용할 수 있다. 어떤 것을 거치할 것인지에 따라 적절한 sheath의 사이즈(최소한 5Fr)를 선택하는 것이 중요하다. 위에서 언급한 바와 같이 동맥로 확보는 REBOA를 성공할 수 있는지를 구분짓는 단계이며 저혈압 상태의 환자에서 동맥로를 확보하는 것은 쉽지 않을 수 있다.

Advanced tips

- 혈관질환을 가진 고령환자에서는 동맥이 석회화되어 있다는 것을 기억해야 한다. 가능하면 초음파를 사용하고, 미세천자세트(micro-set)를 사용할 수도 있다.
- REBOA를 시행하기 위하여 다른 동료에게 협조를 구하는 것은 부끄러운 것이 아니며, 까다로운 케이스에서 올바른 판단인 경우가 많다. 환자 옆에서 EVTM의 자세를 갖고 팀으로서 임해야 한다.
- 가능하다면 양측 대퇴동맥(femoral artery)을 모두 확보하도록 한다. 반대편은 동맥압 측정에 사용할 수 있고, 부분폐쇄(partial) REBOA 시 원위부 혈압측정에도 사용될 수 있다. 풍선을 팽창시키기 전에 sheath를 넣는 것이 쉽기 때문에 신속하게 해야 한다.
- REBOA를 염두에 두고 대퇴동맥을 확보할 때 총대퇴정맥(common femoral vein)을 중심정맥로나 수액소생술 루트로 사용할 수 있음을 고려한다.

카테터는 sheath의 사이즈에 따라 구분된다. 예를 들면, 14Fr의 Cook Coda balloon은 14Fr sheath에 맞는다. 물론 더 작은 직경의 Coda balloon과 같은 예외도 존재한다(직경 30 mm, 9Fr sheath 필요). Medtronic의 Reliant balloon catheter는 11Fr의 sheath를 통하여 거치하는데, Boston Scientific Equalizer도 사용할 수 있지만 이러한 조합은 “off-label” 또는 “매뉴얼”에서 벗어나는 것이다. 추가적으로, 더 작은 직경의 sheath를 사용할수록 카테터를 위한 공간이 작아지므로 조작하기 어려워진다. 경우에 따라 큰 직경의 sheath를 선택하여 세정을 쉽게 할 수 있다(특히 이는 혈전 예방을 하지 않고 있는 환자에서 좋은 습관이다). 다양한 사이즈의 Fogarty balloon과 같이 10Fr의 REBOA 카테터도 존재한다. 7Fr introducer를 사용하는 RESCUE balloon™ (Tokai, Japan)과 ER-REBOA™ (Prytime, USA)를 임상에서 사용하기 시작하였는데 이에 대해서는 추후 자세히 설명할 것이다.

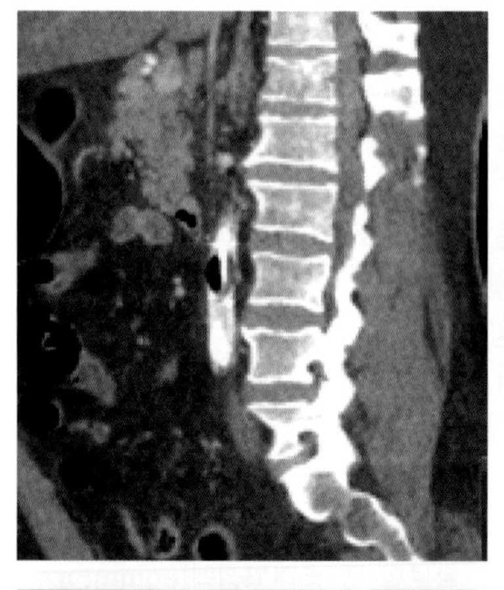

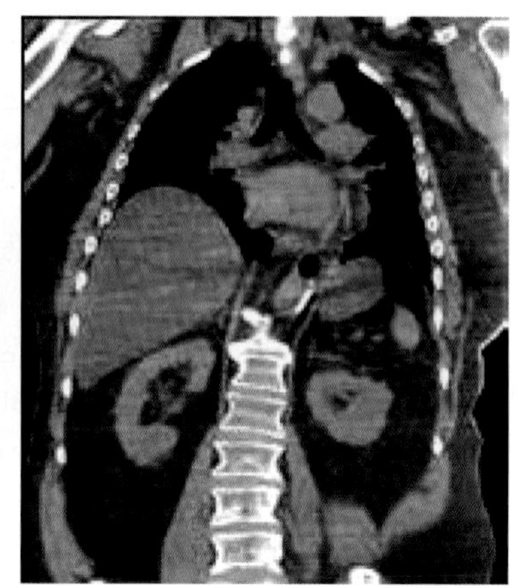

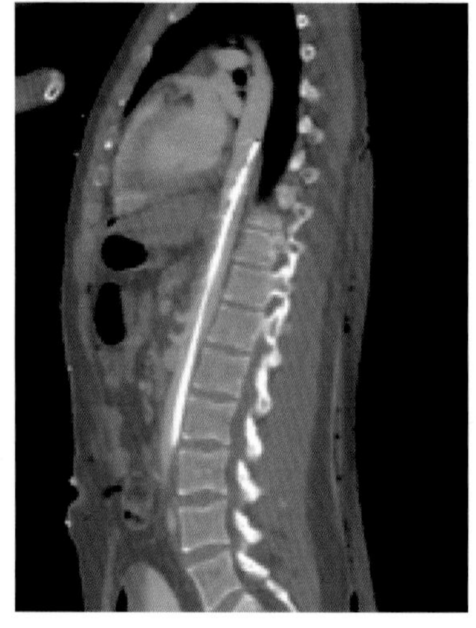

그림 3 REBOA의 CT 소견 예시.

Sheath와 풍선 카테터, 와이어, 조영제로 구성된 "REBOA 세트"를 준비해 놓는 것이 이상적이다. 이전에 언급하였던 대로 두 개의 세트(Access kit와 REBOA kit 또는 둘을 조합한 세트)를 준비해 놓을 수도 있다. 세트가 준비되지 않았다면 이 술기를 다음으로 미루는 것이 좋다. 또한 세트의 일부가 긴박한 소생술 중에 무균 필드 바깥으로 떨어져 사용할 수 없게 될 수도 있고, 풍선을 삽입하는 과정에서 풍선이 터지거나 오염될 수도 있으므로 최소한 2-3개의 세트를 준비해 놓아야 한다. 동맥로 확보가 전부라고 언급한 문단에 접근로에 대한 필수 요소들이 더 자세히 언급되어 있다.

2) 풍선 선택과 위치 선정

풍선을 어떤 것으로 선택하느냐는 무엇을 가지고 있는가에 따라 결정될 것이다. 가장 흔한 풍선 종류는 "over-the-wire" 타입으로 Cook Coda (14Fr), Medtronic Reliant (12Fr), Equalizer balloon (14Fr) 등이 있는데 원래는 대동맥 스텐트 이식을 위해 디자인되었던 것들이다. 이 풍선들은 큰 직경(40-46 mm)까지 팽창될 수 있고, 이상이 없는 흉부와 복부 대동맥이라면 사용할 수 있다. 이 카테터들은 투시 하에 거치될 수 있도록 만들어졌기 때문에 카테터 위치를 나타내는 표지자가 없어서 영상을 얻을 수 없다면 시술하기에 불안할 수 있다. 또한 풍선의 테두리가 명료하게 보이지 않을 수 있어 희석한 조영제를 사용하는 것이 선호된다. 스텐트 이식이 정기적으로 시행되지 않는 작은 센터에서는 혈관성형술에 사용하는 직경이 큰 풍선을 사용할 수 있는데, Cordis Maxi LD (12Fr)는 직경 25 mm까지 팽창될 수 있다. CODA LP balloon은 9Fr (30 mm)로 이 또한 REBOA에 사용될 수 있다. 건강하고 젊은 환자에서는 이 직경도 사용하기에 충분하다. 또한, 혈관성형술에 사용하는 풍선은 팽창을 위해 제작된 장비를 사용하여 높은 압력을 주어야만 팽창시킬 수 있다는 것을 기억해야 한다. 이 장비는 풍선을 높은 압력까지 올려 죽상경화판을 파열시키기 위해 고안된 것으로 정상 혈관에서는 혈관내막 파열이나 박리를

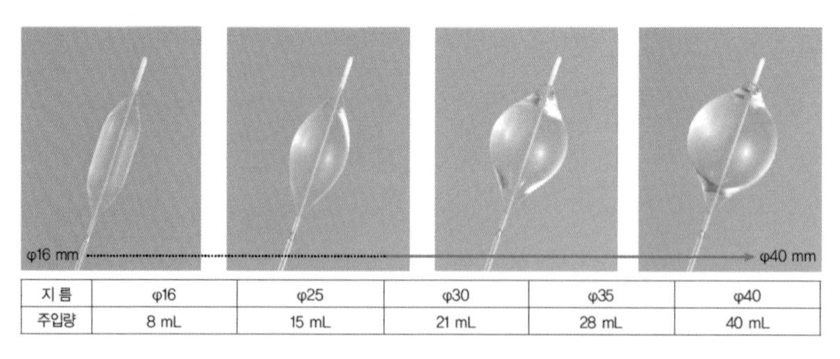

지 름	φ16	φ25	φ30	φ35	φ40
주입량	8 mL	15 mL	21 mL	28 mL	40 mL

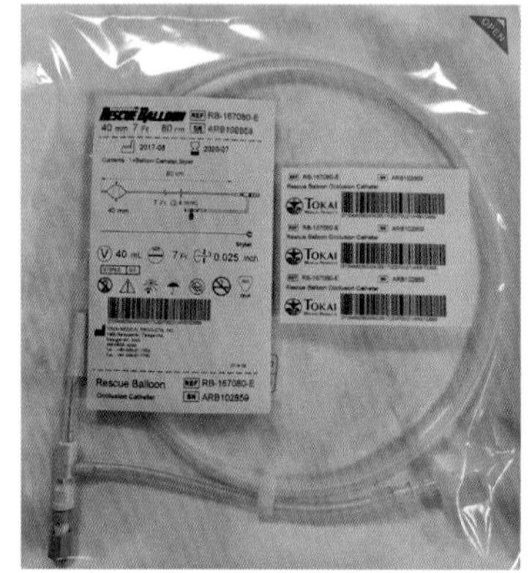

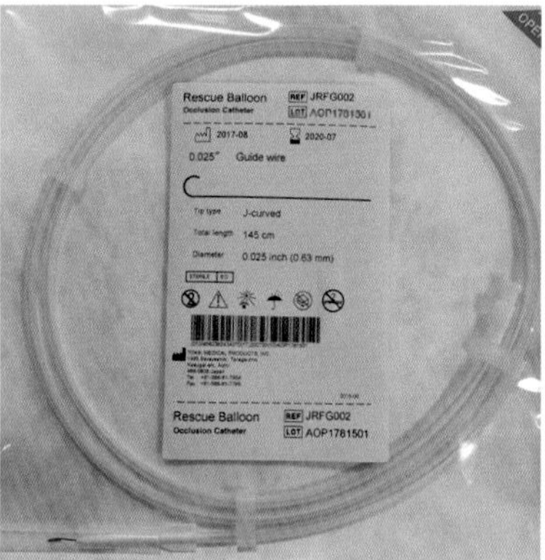

그림 4 RESCUE balloon^{TM} by Tokai (With permission).

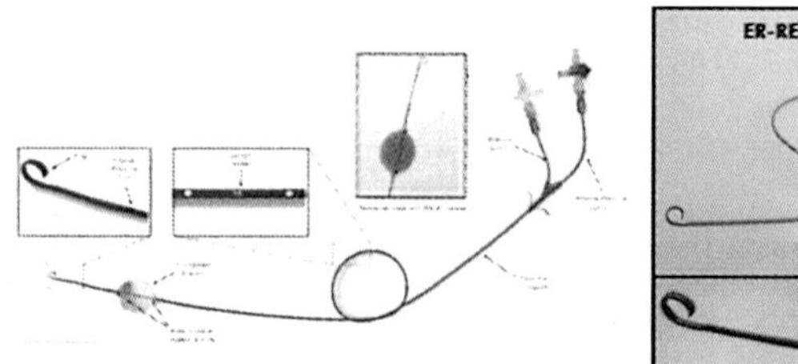

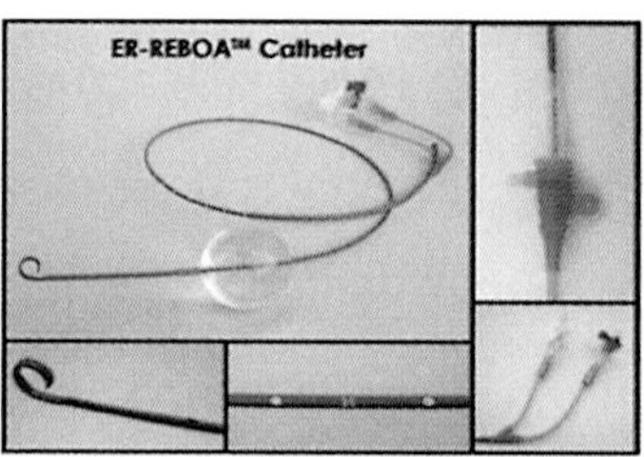

그림 5 ER-REBOA^{TM} by Prytime (With permission).

초래할 위험이 있다. 이러한 결과는 분명 피해야 하므로 이러한 고압력 풍선 밖에 없다면 손으로(8기압까지만 늘릴 수 있다) 풍선을 팽창시켜야 한다. 위에 언급한 풍선들을 외상으로 인한 출혈에 사용하는 것은 원래 계획되었던 용도를 넘어서는 것인 반면, 주목을 받지 못했던 풍선(7Fr), 특히 외상을 위해 디자인된 풍선의 용도는 넓어지고 있는 추세이다. 이러한 풍선들은 몇 가지 장점을 지니는데 큰 sheath를 삽입할 필요성이 줄어서 이와 연관된 합병증을 줄일 수 있고, 제거 부위 봉합도 더 쉽다. 이러한 풍선의 종류로는 이전에 언급한 Tokai RESCUE balloon™(RB)와 Prytime ER-REBOA™ catheter가 있다. 특히 Prytime ER-REBOA™ catheter는 와이어를 필요로 하지 않는(wireless) 새로운 시스템으로 내부에 와이어를 포함하고 있어서 시술 중 와이어를 삽입하지 않아도 된다. RB는 일본에서 최근 사용되고 있는 풍선으로 이 또한 와이어 없이 사용되고 있다(하지만 이러한 방식은 사용지침에서 벗어난 것이다). RB는 경부 혈관이나 대동맥 이외에도 사용될 수 있는 가능성이 있다는 장점을 가지고 있다.

첫 번째 단계는 풍선 안에 거치할 올바른 와이어를 선택하는 것이다. 와이어는 REBOA 카테터를 지탱할 정도의 힘을 지녀야 하나 동시에 대동맥 벽을 손상시키지 않을 정도이어야 할 것이다. 이러한 위험을 줄이기 위하여 와이어는 Rosen wire와 같이 단단한 비외상성(atraumatic) J-tip이 권장된다. Floppy-tip을 지닌 Amplatz 또는 Lunderquist도 일부 센터에서 사용되기도 한다. 와이어는 또한 환자에게 거치하기 충분할 정도의 길이인 동시에 체외에서 REBOA catheter를 삽입하는 데 이용할 수 있을 만큼 충분히 길어야 한다. 마지막으로, REBOA 카테터의 내경과 맞아야 한다. 예를 들어, Coda balloon은 0.035 inch, Reliant balloon은 0.038 inch 와이어를 사용하는 반면에, RESCUE balloon™은 0.025 inch 와이어를 사용한다. 권고되는 와이어보다 작은 것은 사용할 수 있지만, 더 굵은 것은 사용할 수 없다는 점을 기억하도록 하자.

General tip

사용 전 보유한 장비에 대해서 파악하도록 한다.

와이어를 sheath에 삽입한 후 천천히 전진시켜야 한다. 저항이 없다면 속도를 좀 더 낼 수 있다. 이상적으로는 투시영상을 보면서 와이어가 대동맥 안에 위치하고 대동맥의 분지까지 들어가지 않는 것을 확인하도록 한다. 다른 방법으로는 일반영상(X-ray)을 촬영하거나 초음파를 사용하여 와이어의 위치를 확인할 수도 있다.

와이어를 환자의 몸과 비교하여 어느 정도의 길이가 필요한지 측정하는 것도 도움이 된다. 응급실에서 초음파를 사용할 수 있다면, 초음파 탐촉자를 배에 갖다 대고 대동맥의 음영을 확인해보자. 흰 선(와이어)이 보이는가? 장의 공기나 환자의 체형에 따라 쉽지 않을 수 있다. 영상이 명확하지 않다고 완벽한 이미지를 얻기 위해 시간을 오래 끌지는 말아야 한다.

와이어의 이상적인 위치는 하행대동맥의 근위부로 와이어를 따라 풍선 카테터를 흉부대동맥이나 신동맥 아래 복부대동맥에 거치시킬 수 있다. 와이어가 지나치게 근위부까지 가지 않도록 하는 것이 중요한데, 와이어가 대동맥판막이나 좌심실을 뚫을 수도 있고, 경동맥이나 척추동맥으로 들어갈 수도 있다. 와이어를 동맥에 넣는 것은 단순한 시술이 아

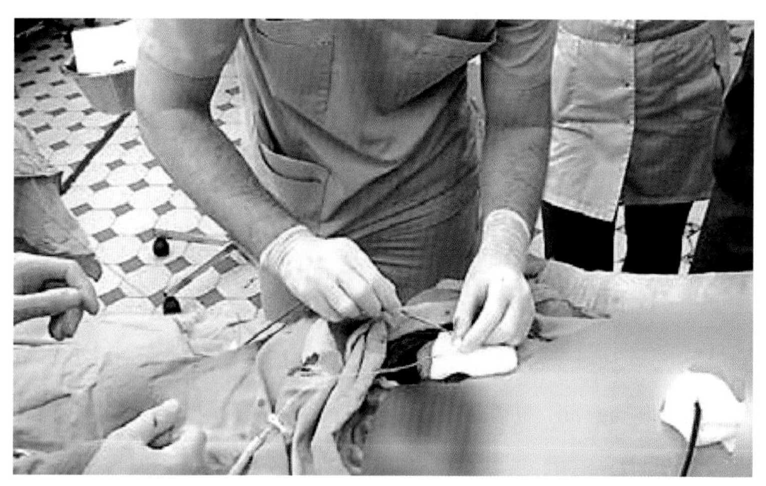

그림 6 진단적 복강내 세척술(diagnostic peritoneal lavage) 양성인 외상 환자에서의 REBOA 삽입.

니다. 언급한 바와 같이 와이어가 혈관을 파열시키거나 경동맥에 들어갈 수 있으므로 항상 와이어의 부드러운 팁을 먼저 삽입해야 한다. 와이어를 삽입하고 나면, 이를 이용하여 풍선 카테터를 거치시킬 수 있는데, 와이어의 끝부분을 잡아(이는 보통 시술을 보조하는 사람의 역할이다) 카테터와 함께 밀려 들어가지 않도록 해야 하며, 카테터도 와이어와 마찬가지 방법으로 전진시킬 수 있다. 이는 앞서 동맥로 확보 단락에서 언급한 것과 같은 와이어를 이용한 Seldinger 방식을 또 활용하는 것이다. ER-REBOA™ 카테터를 사용한다면 와이어는 필요 없이 카테터를 sheath에 삽입하여 목표로 하는 위치까지 전진시키면 된다.

REBOA 풍선을 Zone I에 올바르게 거치하는 다양하고 유용한 방법이 있다. 영상을 얻을 수 없는 경우에는, sheath부터 환자의 검상돌기(xyphoid process)까지의 거리를 측정하여 카테터에 표시(손가락이나 steristrip) 해둘 수 있다. Zone III에 풍선을 거치해야 하는 경우에는 "5×6 법칙"이 제안되었던 바 있는데, 풍선을 sheath 안으로 5 cm씩 6번 전진시키면 된다는 것이다. 이렇게 하면 대동맥 분기(aortic bifurcation) 바로 상방에 풍선을 위치시킬 수 있다. Zone III에 풍선을 위치시킬 수 있는 다른 방법은 체외에서 배꼽까지의 대략적인 길이를 측정하는 것이다. 대동맥 분기는 배꼽의 위치에 있는 경우가 가장 흔하기 때문에 배꼽 바로 위까지의 길이를 재면 대다수의 환자에서 안전하고 유용하게 풍선을 위치시킬 수 있다. "Ovcr-the-wire" 방법을 사용할 때는 와이어가 항상 카테터 안에서 적절한 위치를 유지하도록 하는 것이 중요하다는 것을 잊어서는 안 된다.

Warning

와이어나 풍선을 전진시키면서 저항이 느껴진다면 시술이 제대로 되지 않고 있는 것일 수 있다. 젊은 환자에서는 REBOA가 부드럽게 들어가야 한다. 확신이 서지 않는가? 멈추고 다른 방법을 시도해본다.

풍선을 완전히 팽창시키기 전에 최소한 한번은 FAST나 이동식 X-ray를 사용하여 풍선의 위치를 확인해야 한다. Zone II는 Zone I이나 III보다 훨씬 짧을지라도 복강동맥과 최하단의 신동맥 사이인 Zone II에 풍선 카테터가 쉽게 위치할 수가 있다. 특정 환자에서 피하고 싶은 부위가 어디인지 정확히 알 수 없기 때문에 Zone II를 피하기 위해서는 일반적으로 흉추 12번과 요추 2번 사이를 피하여 풍선을 거치시키는 것이 바람직하다.

Advanced tips

- 혈관내시술에서 와이어의 사용은 기본적 원칙이나 환자가 심정지를 일으키는 급박한 상황에서는 더 빠르게 거치하는 방법을 선택할 수 있다. 와이어를 카테터보다 15-20 cm 가량 앞으로 튀어나오게 한 후, 와이어와 카테터를 함께 삽입할 수 있다. 이는 REBOA 경험을 가진 시술자에 의해서 시행될 수 있는 기술이다. 다른 종류의 카테터에서 다른 방법을 사용할 수도 있다.
- 맹목삽입(blind insertion)하기 전에 마네킹, 사체, 시뮬레이터를 이용하여 미리 연습하는 것이 좋다. 저항감이 어떤 것인지 익히도록 한다.
- 혈압이 측정되지 않거나 CPR과 같은 초긴급 상황에서는 와이어를 삽입하고 확인하는 중간 절차를 생략하여 카테터를 삽입할 수 있으나 그 위험성에 대해서는 인지하고 있어야 한다. 이 시술은 sheath를 제대로 넣었는가에 의해 크게 좌우될 것이다.
- 일부 경험자들은 환자가 안정적으로 보이지만 다시 저혈압에 빠질 위험이 크다고 판단되는 경우 REBOA 카테터를 팽창시키지 않은 채로 환자에게 미리 거치해두기도 한다. 이는 대동맥 안에 모니터링을 위한 동맥 카테터를 삽입해 둔 것과 비슷하다고 생각할 수 있는데, 필요할 경우 신속하게 REBOA로 전환할 수 있다. 이러한 테크닉은 특정 케이스에 유용할 수 있지만 잠재적인 위험도 동반된다(이에 대해서는 아래에서 설명할 것이다).

3) 풍선 팽창

풍선을 팽창하는 것은 액체로 하는 것이 좋은데, 공기로 했을 경우 풍선이 터졌을 때 공기색전증을 일으킬 수 있기 때문이다(실제로 풍선이 터지는 일이 발생한다). 0.9% 식염수와 조영제를 50:50으로 섞는 것이 이상적이다. 이러한 조성은 풍선을 팽창시켰을 때 영상학적 위치 확인이 가능하도록 해준다. 그러나 긴급한 상황에서는 이러한 조성을 사용하는 게 어려울 수 있어(준비에 시간이 소요되므로) 식염수를 사용하여 응급실에서 시술을 하게 되는데, 이런 경우 풍선의 표지자를 확인하거나, 저항감을

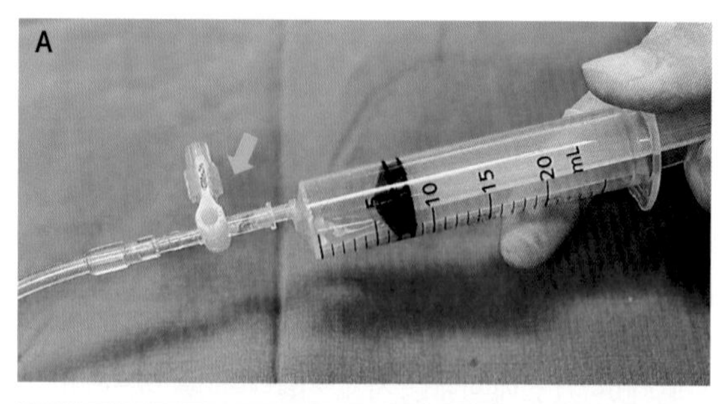

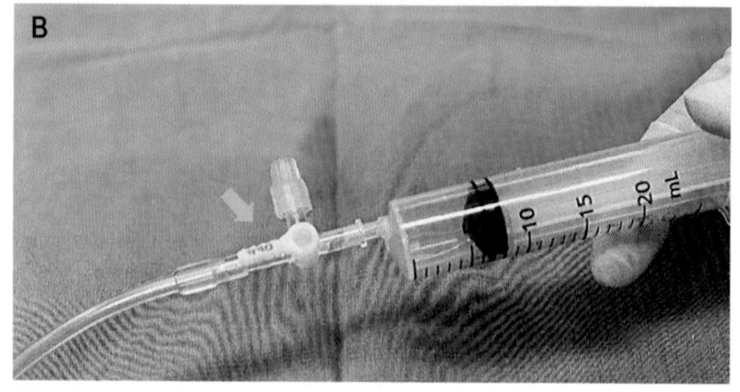

그림 7
A. 풍선팽창/감압을 위한 3 way stopcock의 방향
B. 풍선팽창/감압을 막기 위한 3 way stopcock의 방향

확인하거나, 혈압이 오르는지 확인하는 방법 등을 사용하게 된다.

팽창에 사용하는 매개체는 20-30 mL 주사기를 사용하여 stop-cock을 통해 주입하게 된다. 이 stop-cock은 풍선이 팽창되면 스위치를 닫아 풍선의 팽창된 상태를 유지할 수 있기 때문에 중요하다. 이러한 3 way stop-cock의 사용방법을 잘 모르거나 잊어버렸을 경우, 45°로 회전시켜 놓으면 흐름을 완벽하게 차단할 수 있다. 일부에서는 항상 stop-cock에 두 개의 20 mL 주사기를 장착해 놓기도 한다. 젊은 환자에서는 10-15 mL로도 충분할 수 있다.

General tip

Stop-cock에 대해 잊지 말 것! 그렇지 않으면 풍선이 감압될 것이기 때문에 REBOA 주사기를 들고 있는 것 외에 다른 어떤 것도 할 수 없을 것이다.

풍선의 팽창은 점진적으로 시행되어야 하는데, 투시검사(fluoroscopy) 하에 침습적 혈압모니터링이 가능한 상황에서 하는 것이 이상적이다. 풍선 팽창은 주사기의 저항이 느껴지면 중단되어야 하는데, 이를 감지하기 위해서는 훈련이 필요하다. 투시 하에 풍선이 "버섯 모양"으로 변화하는지 여부를 관찰해야 하며, 투시가 불가능할 경우 혈압모니터링과 임상소견을 보조적으로 사용할 수 있다.

대퇴동맥을 사용하여 혈압모니터링을 한다면 이상성파형(biphasic waveform)이 풍선의 완전 팽창에 따라 소실되어야 하며, 풍선 상방의 혈압은 상승해야 한다. 침습적 모니터링이 불가능하다면 대퇴동맥 맥박의 소실이 유용한 임상 지표가 될 수 있다. 좌측 상완 맥박이 소실된다면 풍선이 지나치게 상방에 위치하는 것으로 생각할 수 있다(예: 풍선이 좌측 쇄골하동맥보다 근위부에 위치하는 경우).

Zone III에 풍선을 거치하고자 하는 경우, sheath에 카테터를 최소한 30 cm 이상 삽입한 후 대동맥 안에서 저항을 느끼기 전까지 풍선을 팽창시키고, 몇 cm를 후퇴시켜 풍선이 자유롭게 위아래로 움직일 수 있게 만든 후, 풍선 카테터를 천천히 잡아당겨 총장골동맥(common iliac artery)의 기시부를 누를 수 있도록 해보자. 여기서 다시 2 cm 정도 카테터를 전진시켜 풍선을 완전히 팽창시키고 고정한다.

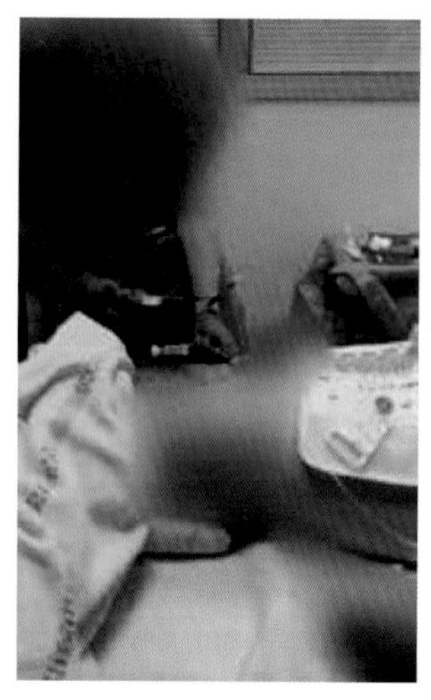

그림 8 pREBOA 시 stop-cock 없이 카테터를 잡고 있는 모습.
한 손은 카테터와 sheath를 함께 잡고, 다른 손은 수축기혈압을 유지하기 위해 주사기를 잡고 있는 것을 볼 수 있다.

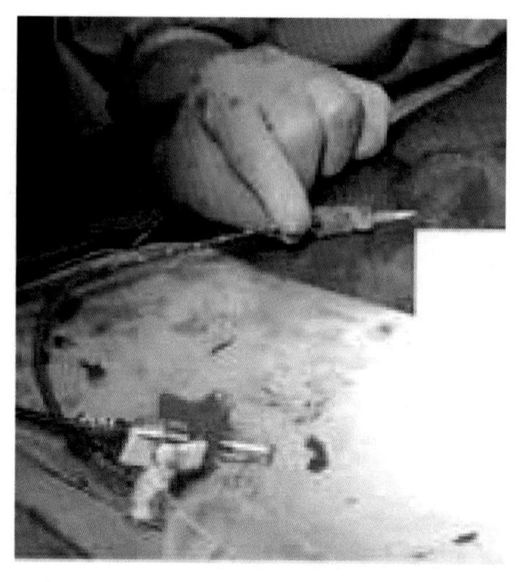

그림 9 시술 중인 REBOA를 잡고 있는 모습.
Stop-cock과 주사기가 카테터에 달려있다. 일부 경험자들은 항상 손에 카테터를 잡고 있어야 한다고 강하게 주장한다.

Advanced tips

- 환자의 체형이나 장내 가스에 의해 다소 제한적일 수는 있으나 초음파를 사용하면 도움이 될 수 있다. Zone I에 풍선을 거치하려는 경우, 검상돌기 아래(sub-xyphoid)에 탐촉자를 대면 간의 좌엽을 통하여 횡격막 위치의 흉부대동맥 내의 와이어와 카테터 위치를 확인할 수 있다. Zone III에 거치하고자 하는 경우 배꼽 바로 위에서 횡방향으로 탐촉자를 대면 신동맥하(infra-renal) 대동맥 내의 풍선 음영을 찾을 수 있다.
- 이러한 방법은 시술자 의존도가 높아 적절한 교육을 받았거나 숙련되지 않았다면 사용해서는 안 된다. 좀 더 좋은 초음파 영상을 얻기 위하여 팽창 매개체에 미세방울(micro-bubble)이나 이산화탄소 가스를 포함시킬 수 있으나 이는 임상 상황에 좌우될 것이다.

풍선을 팽창시키고 나면(특히 풍선을 Zone I에 거치시킨 경우) 카테터가 밀려나오지 않는지 고정한 부위에 주의를 계속 기울여야 한다. 풍선 상부의 수축기혈압이 50 mmHg 또는 그 이상으로 급격히 상승하게 되면 짧은 sheath와 부드러운 와이어를 사용한 경우 특히 풍선이 하방으로 지속적으로 밀려나올 수 있다. 풍선을 잘 고정하지 않은 경우 몇 초 만에 풍선이 대동맥 분지까지 내려올 수 있다. 풍선이 휘거나 팁 부분이 아예 아래 방향을 향하게 되는 경우도 적지 않다. 따라서 팀원 중 한 명을 지정하여 항상 REBOA 카테터와 sheath를 잡아 고정하는 역할을 맡기는 것을 추천한다. 풍선을 모두 팽창시켰거나 팽창시키고 있는 중이라면 풍선 상부의 수축기혈압을 기준으로 하여 가능한 빨리 부분폐쇄 REBOA (pREBOA)로 전환하는 것이 좋다. 목표 수축기혈압은 80-90 mmHg 정도로 하는 것이 권고된다(뇌손상이 의심되는 환자에서는 목표를 좀 더 높게 할 수 있겠지만 그 근거는 미흡하다).

General tip

- 중환자실 근무자, 마취과의사, 치료에 관여하는 모든 팀원과 REBOA 사용에 관해 소통을 해야 한다. 모든 사람이 풍선의 팽창, 감압 상태 등에 대하여 알게 한다.
- REBOA와 sheath를 왼손으로 잡고 stop-cock/주사기를 오른손에 잡아 효과적으로 조작할 수 있도록 한다.

환자를 이동시키는 중에는 환자에게 연결된 선이나 장비가 실수로 제거될 수 있음을 기억해야 한다. REBOA 풍선의 위치가 바뀌거나 카테터가 빠질 수 있다는 것을 고려하여 sheath를 고정하고 카테터를 잡고 있을 것인지 결정해야 한다. 사고를 예방하기 위해서는 REBOA 카테터 “세트 전체”를 올바르게 고정해야 한다(실크를 사용하여 sheath와 카테터를 고정하는 것이 가장 효과적이다). 가능하다면 한 명을 지정하여 이동 중에 pREBOA가 가능하도록 카테터를 잡고 있도록 하자. 이렇게 하면 허혈 시간을 최소화할 수 있다.

4) 풍선 감압

풍선의 감압은 풍선의 위치 변경, 수술 중 출혈 지점 확인, 일시적 재관류를 허용, 또는 최종적으로 풍선을 제거하기 위해서 등 여러가지 이유로 필요하다. 여기서 중요한 원칙은 매우 천천히 감압해야 한다는 것이다. 출혈을 멈추게 하였고 환자가 살아있다 해도 풍선을 빠르게 감압한다면 환자가 순환허탈(circulatory collapse)에 빠질 위험이 높다. 매 30초마다 1-2 mL씩 감압하는 것이 적절한 감압 속도이다. 그러나 풍선의 탄성(compliance)으로 인하여 마지막 2-4 mL가 풍선의 직경에 가장 큰 효과를 가진다는 것을 기억해야 하고, 마지막에 서두르지 않아야 한다. 어떠한 감압 방법을 선택하더라도, 마취팀은 환자의 재관류 손상에 대비해야 한다. 이는 환자가 혈액제제로 충분히 소생되어 적절한 혈압을 유지할 수 있다는 것을 포함한다. 간혹 혈압을 유지하기 위하여 혈압상승제가 필요할 수도 있으나 순환혈액량이 충분하고 출혈이 조절되었다는 조건이 선행되어야 한다. 외과팀과 마취과 사이의 의사소통은 매우 중요한데, 특히 갑작스러운 심혈관계 허탈에 대하여 풍선의 재팽창이 필요할 수도 있기 때문이다. 마취팀은 또한 재관류와 연관되어 발생하는 고칼륨혈증과 같은 전해질 불균형에도 대비해야 한다. 재관류 손상은 REBOA 후 1시간 내에 발생할 것임을 기억하고 대비하도록 한다.

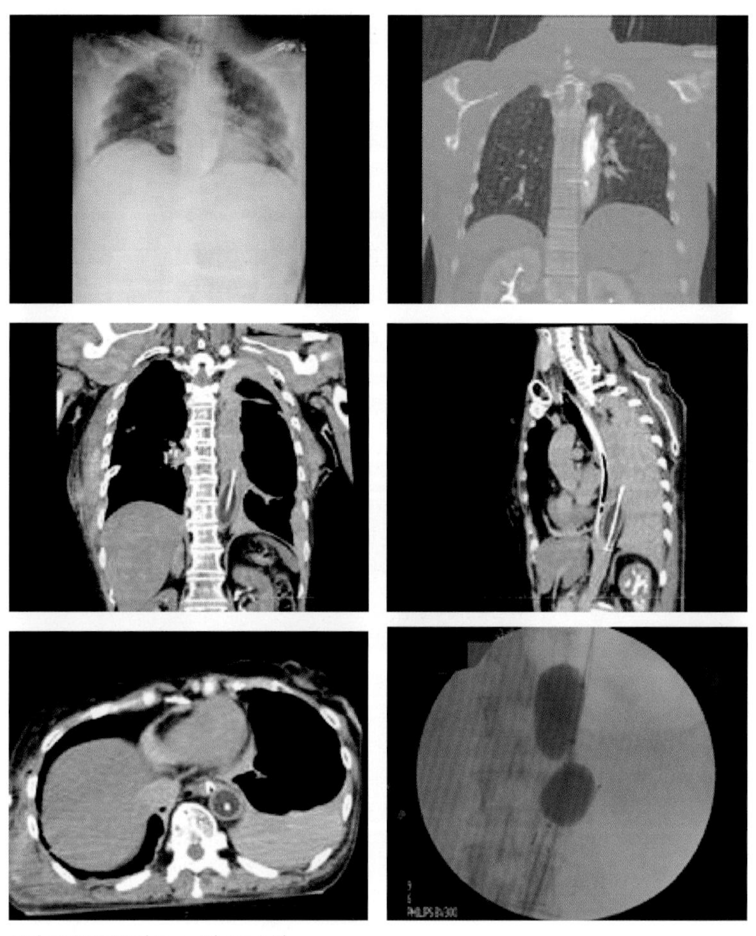

그림 10 REBOA의 X-ray와 CT 소견.
복부대동맥류 파열 환자에서 이중 REBOA (double REBOA) 시술 사진.

풍선을 모두 감압한 후 더 이상 다시 팽창시킬 계획이 없다면 가능한 빨리 풍선 카테터를 제거해야 한다. 풍선을 지나치게 오래 거치하여 다리를 절단하게 된 사례도 있었다. 따라서 풍선을 제거할 것인지, sheath

를 남겨둘 것인지 결정해야 한다. sheath를 남겨둘 것이라면 10-20 mL의 증류수로 매분마다 관류할 것을 추천한다. 환자의 원위부 상태를 1시간 간격으로 점검하도록 한다.

Advanced tips

완전폐쇄 REBOA (total REBOA, tREBOA)는 풍선을 지혈이 모두 끝난 후에 감압하는 것이다. pREBOA나 iREBOA와 같은 술식들은 심혈관계의 불안정성을 초래할 수 있으나 동시에 허혈로 인한 손상을 줄일 수 있다.

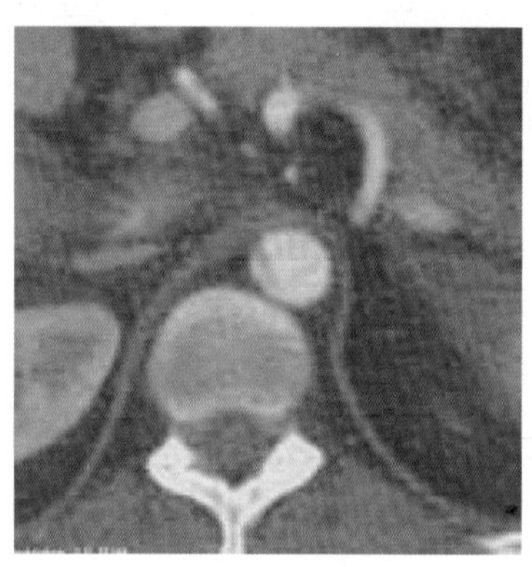

그림 11 외상 환자에서 REBOA 시술 후 대동맥 박리 소견. 성공적으로 치료되었다.

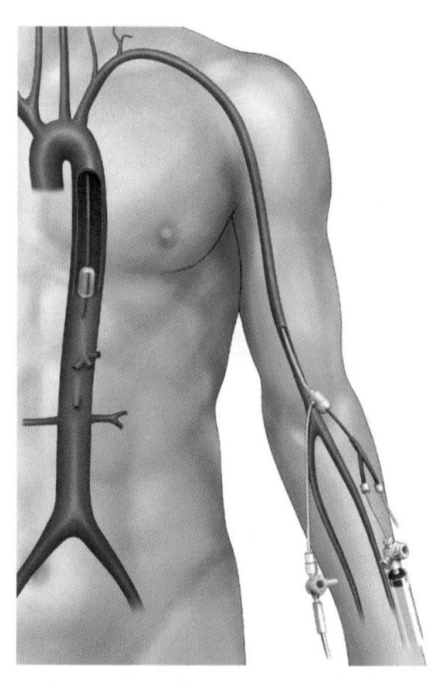

그림 12 상완동맥(brachial artery)을 사용한 REBOA. 선호되지는 않지만 가능한 시술이다. 해부학적인 구조와 맹목삽입(blind insertion)에 따르는 위험으로 인하여 외상환자에서 상완동맥을 사용하는 것은 쉽지 않을 수 있다. 상완동맥을 사용하는 방법에 대해서는 이 책의 다른 장을 참고한다.

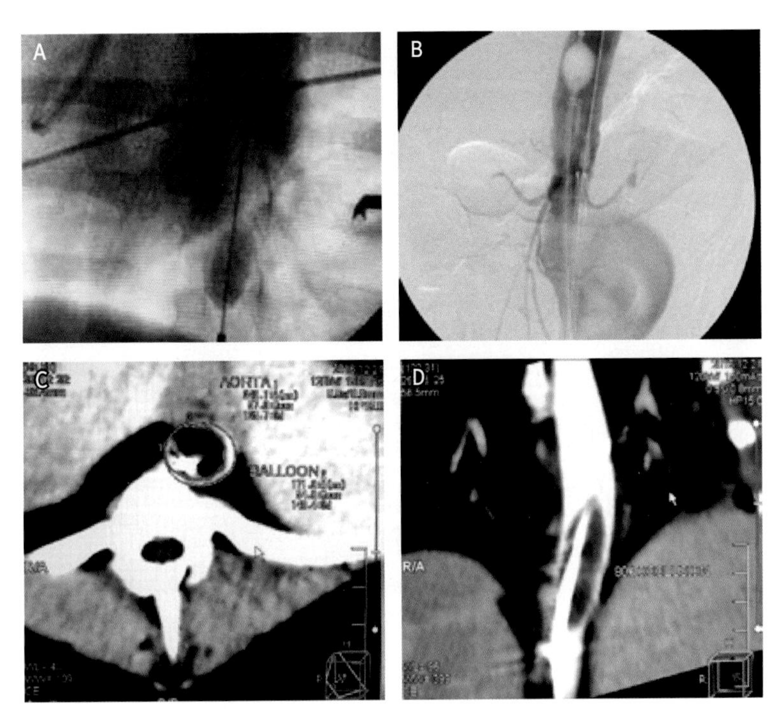

그림 13

A~B. pREBOA (동물 CPR REBOA 모델), 복부대동맥류 파열 환자에서 pREBOA.

C~D. 동물 모델 CT에서 pREBOA (80%).

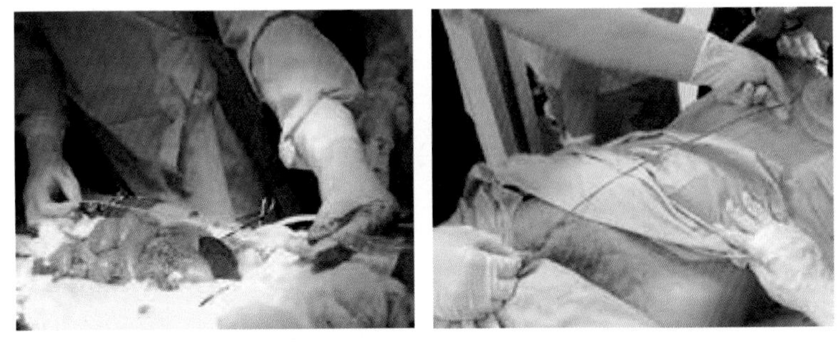

그림 14 교육(좌)과 CPR 중인 환자(우)에서 REBOA 길이의 체외 측정 모습.

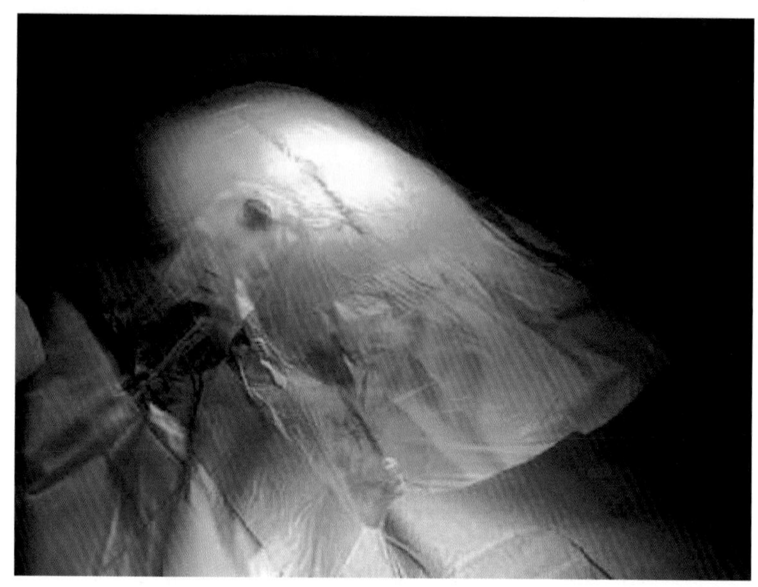

그림 15 (비외상) 수술 후 감압된 상태(dREBOA)의 REBOA 사진.

5) 간헐적 폐쇄(intermittent occlusion, iREBOA)

이 술식은 풍선을 감압시켜 어느 정도의 재관류를 허용하고 외과의사나 영상의학과의사가 출혈 병소를 찾을 수 있도록 돕기 위한 것이다. 시술자가 지혈을 위한 준비를 마친 상황에서 출혈 병소를 찾기 위해 풍선의 조작이 잘 "조절"되어야 한다. 또는 환자가 안정적이어서 REBOA를 감압하였는데, 환자의 상태가 다시 불안정하게 변하여 풍선을 재팽창시켜야만 하는 상황이 있을 수 있다.

6) 부분적 폐쇄(partial occlusion, pREBOA)

팽창시키려는 풍선의 크기를 환자의 혈압에 따라 조절하는 술식을 의

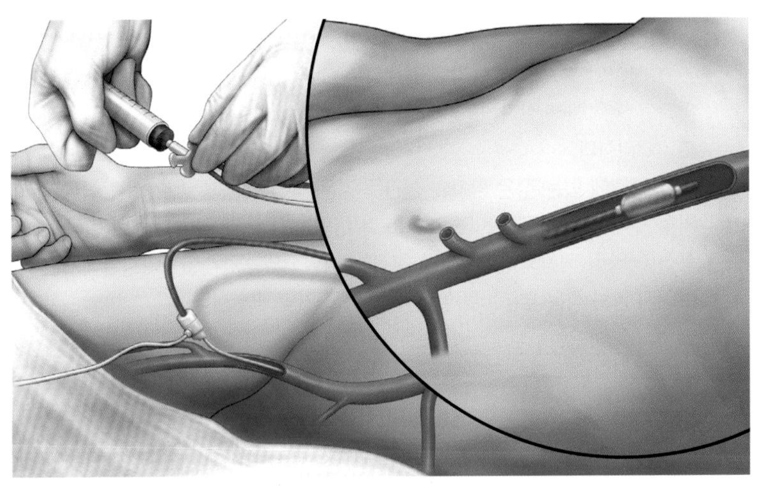

그림 16 tREBOA와 pREBOA. 영상은 www.jevtm.com을 참고할 것.

미한다. 이는 풍선을 부분적으로 감압시켜서 일부의 혈류가 풍선 옆으로 통과하도록 하여 부분적으로 원위부 관류를 허용하는 것인데, 손상부위에서 일부 혈액의 손실이 발생하는 것을 용인하게 된다. 환자가 점점 안정화되는 것을 확인하며 서서히 pREBOA를 시행하는 방법으로 일부 환자에서 대동맥의 완전 폐쇄를 피할 수 있다. 지혈에 성공할 때까지 수축기혈압을 80-90 mmHg 정도로 유지하는 것을 목표로 하면 된다. 반대측에 5Fr sheath를 가지고 있다면 혈압의 파형을 관찰하여 pREBOA가 되었는지 확인할 수 있다. 가능하다면 이러한 방법으로 REBOA를 시행하자.

감압된 REBOA (deflated REBOA, dREBOA)는 환자가 혈역학적으로 안정적이거나 재악화되지 않을 때 풍선의 팽창 없이 카테터만 유지하고 있는 것이다.

Remark

- 쇼크 상태의 환자에서 혈관을 확보하는 것은 정규 혈관조영술 때와 같지 않음을 기억해야 한다. Sheath를 제거한 후에 환자의 상태를 주의 깊게 모니터링한다.
- 쇼크 상태에 있는 젊은 환자의 혈관 직경은 작기 때문에 sheath가 혈류를 막을 것이다. 성공적으로 REBOA를 한 이후 이에 대해 잊어서는 안 된다.
- 풍선이 아직 팽창되어 있는가? 완전히 감압되었는가? 혈관내시술에서는 보이지 않는 작은 부분들을 놓칠 수 있음을 기억해야 한다.

7) Sheath 제거

큰 직경의 sheath는 혈전을 만들거나 하지의 혈류를 감소시킬 수 있으므로 시술 후 반드시 제거해야 한다. 규모가 큰 외상센터에서는 풍선을 팽창시키고 나서 혈관외과의사의 도움을 요청할 수 있을 것이다. 큰 직경(8Fr 이상)의 sheath를 제거하는 경우에는 수술적 탐색을 통하여 대퇴동맥을 측면 또는 원형 봉합하는 것이 최선이다. 압박 지혈은 응고장애 상태에 있는 환자에게 적절하지 않으나 시행된 적은 있다.

더 작은 직경(7Fr 이하)의 sheath는 혈관 봉합용 기구를 사용할 수 있다(예: Abbott Perclose Proglide). 시술의 마지막에는 초음파나 직접 촉지하여 발의 맥박을 확인하여야 한다. 초음파 검사는 일부 정보를 제공할 수는 있으나 전체 혈류를 확인할 수 있는 것은 아니다. 따라서 원위부의 혈류가 정상이라는 확신이 없다면 혈관조영술을 하거나 혈전제거술을 시행해야 한다. 일부 경험자들은 REBOA 후에 항상 혈관조영술을 해야 한다고 주장한다.

8) 금기

마지막은 금기사항에 대한 것이다. 풍선이 상황을 극적으로 악화시킬 수 있다는 것을 알고 있어야 한다. 흉부 손상에서 REBOA를 사용하면 이론적으로 흉부, 목, 상지, 두부의 출혈을 가중시킬 수 있다. 출혈 부위가 REBOA보다 더 근위부에 위치하는 경우 풍선을 팽창시키는 것은 혈압을 올려 출혈의 속도를 높일 것이다. 이러한 이유로 심장, 대동맥궁(aortic arch), 목이나 폐의 동맥에 손상이 있는 경우는 tREBOA의 금기에 해당할 수 있다. 그럼에도 당장 다른 방법이 없는, 선택적인 상황에서는 pREBOA가 환자의 생명을 살리는 수단이 될 수도 있다.

Caution

REBOA가 손상을 악화시킬 수 있다는 것을 명심하자.

REBOA가 외상성뇌손상 환자의 뇌압을 증가시킬 수 있다는 이론 또한 중요한 논란거리이다. 그러나 이러한 임상 상황에서 REBOA가 미치는 영향에 대해서는 현재까지 알려진 것이 없으며 연구가 필요한 부분이다.

다발성 늑골골절(특히 1, 2번 늑골), 견갑골 골절, 또는 종격동(mediastinum) 확장을 보이는 심각한 흉부 손상에서 임상적으로 파국(catastrophe)을 맞을 수 있다는 것을 염두에 두고 있어야 한다. REBOA는 안정적인 상태의 대동맥 거짓동맥류(pseudoaneurysm)를 대동맥 파열로 만들 수 있다. 이러한 이유로 팀 리더는 환자 관련 모든 정보가 중요하다는 것을 명심해야 한다. REBOA와 같은 중요한 시술을 하기 전에 환자의 손상에 대해서 가능한 많은 정보를 얻어야 한다.

대퇴동맥이나 장골동맥 박리(dissection), 혈전 형성과 허혈, 혈관 천공, 삽입 부위 출혈과 같은 합병증의 위험에 대해서 잊어서는 안 된다.

REBOA는 "살아있는 실체"이고 절대 최종적인 해답이 될 수 없음을 기억하라. REBOA를 하기 전 반드시 심사숙고하자.

외상술기교육연구학회 홈페이지
http://traumaimpro.org/journal/view.php?number=41
에서 [저널 Trauma Image Proced 2017; 2(2): 92-93.] 실제 임상에서 적용된 REBOA 동영상을 참고할 수 있다.

외상환자에게 적용된 REBOA

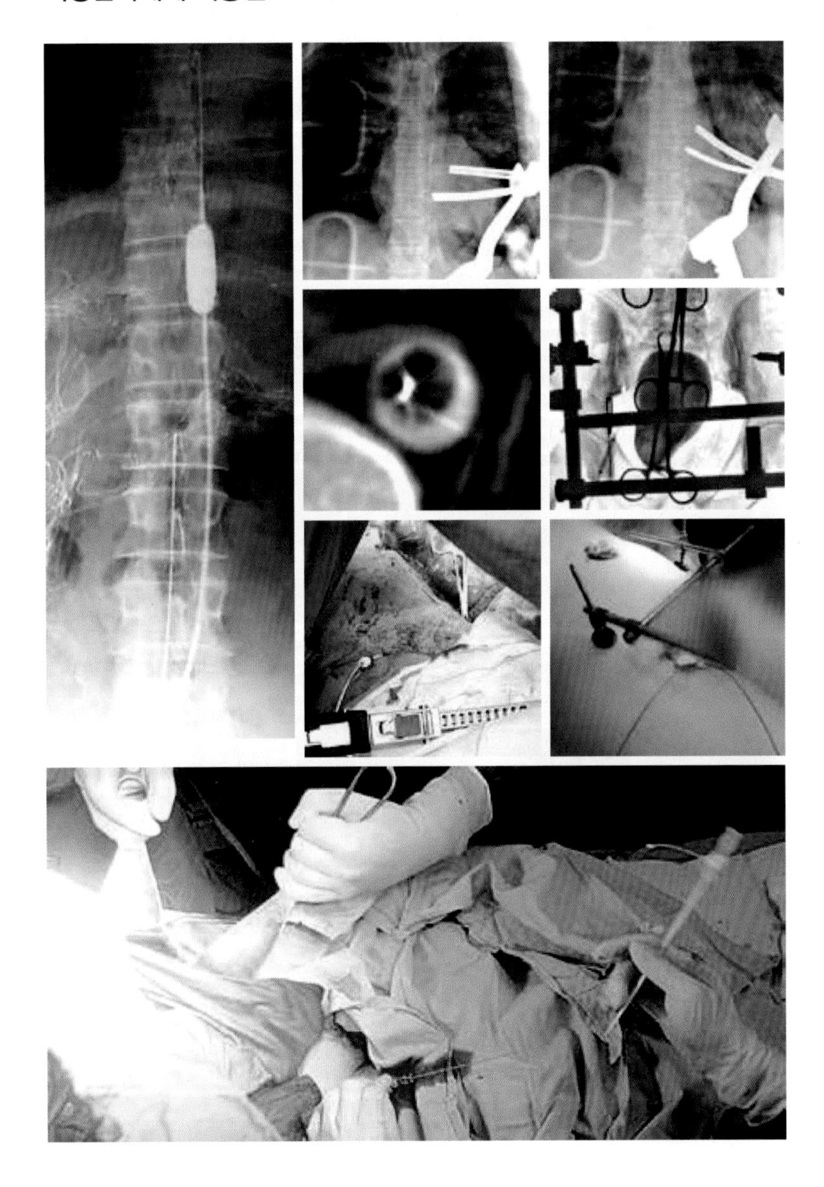

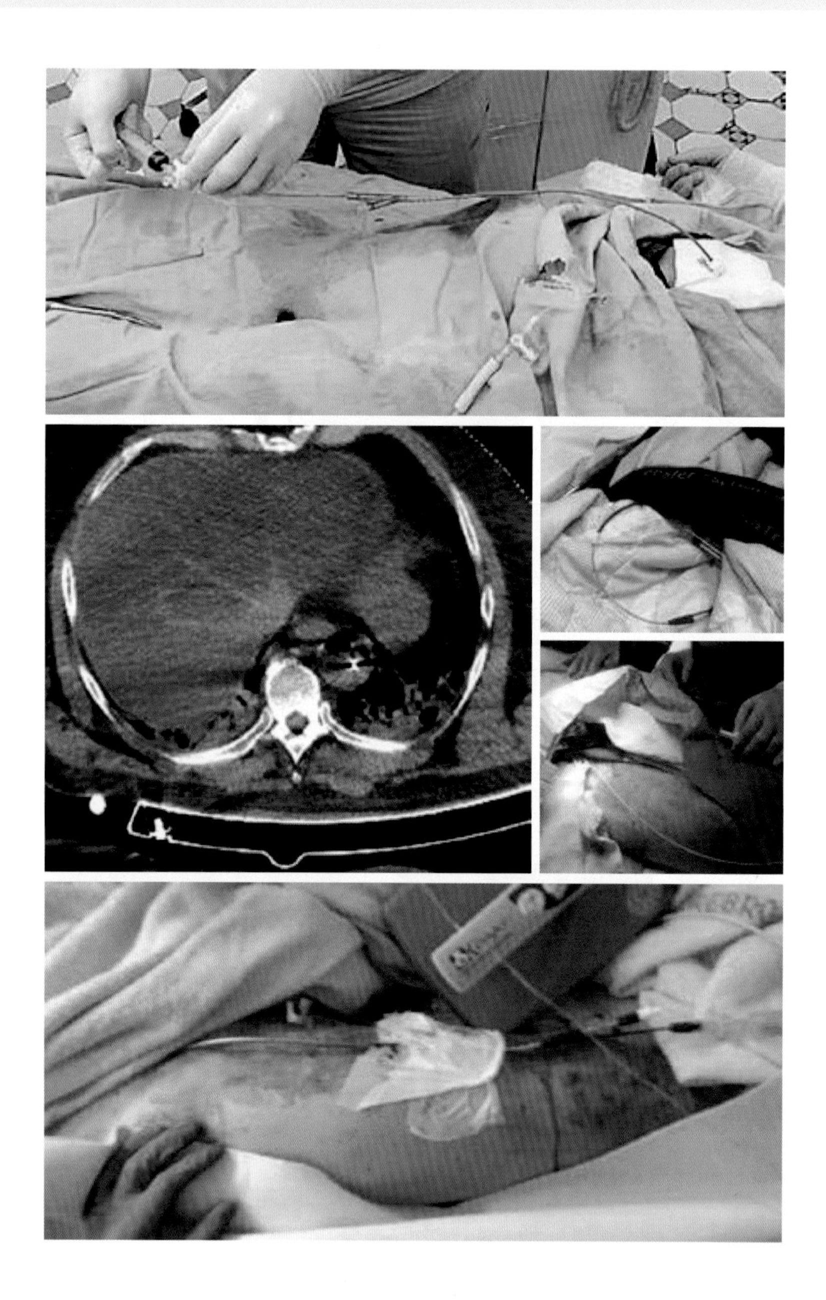

CHAPTER 5

병원 전, 병원 간 전원, 군사적 상황에서의 EVTM과 REBOA. 고려사항, 가능성과 제한점

EVTM and REBOA in pre-hospital, transfer and military settings.

Thoughts, possibilities and limitations

Tal Hörer, Viktor Reva, John Holcomb, Joe DuBose

생명을 살리는 기술이 새롭게 개발되면 적용될 수 있거나 적용되어야 하는 범위를 탐색하게 되는 경향이 있다. 혈관내술기, 특히 REBOA도 예외는 아니다. 외상환자 사망의 상당 부분이 비압박성(non-compressible) 부위에서의 상당한 출혈에 의한 경우(즉, 지혈대로 효과적으로 압박하여 출혈을 막을 수 없는 곳), 이러한 출혈 부위를 제어할 수 있는 실현가능하고 적절한 기술을 고려해야 한다. 이런 맥락에서 "적절한" 것은 무엇인가? 여전히 여러 연구를 통해 입증되어야 할 것이다. 그러나 외과적 지혈(대부분의 경우 응급 개흉술 또는 개복술에 의한 지혈)로 비압박성 출혈을 처치할 수 있는 환경에 도착하기 전, 병원 전 환경에서 심한 출혈로 사망가능성이 있는 환자에게는 REBOA가 잠재적으로 이득이 있다는 것은 분명하다. 병원 전 환경에서 REBOA의 역할에 대한 명확한 답을 하기 전에 해야 할 몇 가지 핵심 질문들이 있다. 수술실로 옮기기 전에 REBOA가 필요한 환자는 어떤 환자인가? 어떻게 그런 환자를 식별할 수 있는가? 이런 환경에서 REBOA를 사용하기로 결정한다면, 예상 이송시간에는 어떤 영향을 미치는가? 병원 전 환경에서 누가 REBOA를 해야 하는가? 이들에게는 어떤 교육이 필요한가? 아직 이러한 질문에 대한 해답은 없지만, 경험이 축적됨에 따라 REBOA를 포함한 EVTM 접근방식이 유용하다고 확인되고 있는 몇 가지 상황에 대해 확인하고 논의할 수 있다.

1. 이송 중 REBOA

Transfer REBOA

수술이 필요한 출혈환자가 수술실에 도달할 수 있을 때까지 환자를 생존시키는 것을 목적으로 응급실에서 사용되는 REBOA의 잠재적 이득에 대해서는 이 책의 다른 부분에서 논의하기로 한다. 만약 환자가 수술실이 없는 작은 의료기관의 응급실에 이송되었다면 어떻게 해야 하는가? 만약, 환자를 준비된 수술실로 데려가는 대신, 구급차에 태워 다른 의료기관으로 가야 한다면? 외상시스템이 발달한 국가라 해도, 현실은 외과의사가 모두 배치된 높은 레벨의 외상센터가 모든 지역마다 있는 것은 아니라는 점이다. 좋은 시스템이란 현장에서 즉각적으로 수술이 가능한 센터로 중증외상환자를 바로 이송할 가능성이 최적화된 것을 의미하지만, 실제로 항상 그렇지는 않다. 편리한 이송방식과 발달된 외상시스템에도 불구하고, 모든 국가에서 매년 환자들이 작은 의료기관에서 즉각적인 수술적 치료 없이 수술실이 준비되어 있는 더 큰 의료기관으로 빠르게 이송되는 동안 사망한다. 시외 지역의 작은 의료기관 응급실의사가 REBOA를 할 수 있도록 훈련받을 수 있을까? 그렇다. REBOA가 즉시 수술이 가능한 병원으로 옮기는 동안 환자를 생존시킬 수 있을까? 일부 환자에게는 분명히 가능한 일이다. 부적절한 REBOA 풍선 팽창(inflation)으로 환자를 더 악화시킬 수 있는가? 역시 그렇다! 이송시간을 포함해서 고려해야 할 요소들이 무수히 많지만 시외 지역에서 REBOA를 사용하는 것은 충분히 고려해 볼 만 하다.

우리는 이 책의 다른 파트에서 REBOA와 pREBOA의 특정 술기에 대해 잘 설명하고 있고, 이러한 접근방식은 비압박성 활동성 출혈을 동반한 중증외상환자의 이송을 용이하게 하는 근간이 될 수 있다. 기존 외상시스템에서 이를 적용하고 최적화하기 위해서는 응집력을 발휘할 수 있는 이송 정책 및 전원 병원 간의 의사소통이 필요하다. 또한, 모든 의료진이 힘을 합쳐야 외상시스템이 효과적으로 작용할 것이다.

어느 정도 상식도 필요할 것이다. Zone I에 REBOA를 위치시키고 장기간 완전한 폐쇄 상태로 놔둔다면 환자는 어떤 조치를 취하더라도 살아남을 수 없을 것이다. 아직까지 대동맥 완전 폐쇄 이후 원위부에 손상이 발생하지 않는 "마법의 시간"이 어느 정도인지 정확히 알려지지 않았지만, 결과를 최적화하기 위해서는 이송 시간이 너무 길지 않아야 할 필요(30-45분)가 있다고 생각한다. pREBOA가 여기서 중요한 역할을 할 것이라고 짐작해볼 수 있다.

이송 중 REBOA가 외상시스템에서 실제로 구현되기 위해서 다뤄져야 할 많은 문제들이 있는데, 이제부터 중요한 논의를 시작해보려고 한다. EVTM 및 REBOA가 적용 가능다고 입증된(제한적으로 성공한) 수술 전 또는 병원 전 시나리오가 있다. 이 시나리오를 검토해보자.

2. 병원 전 REBOA

Pre-Hospital REBOA

EVTM, 특히 REBOA는 일부 병원 전 환경에서 사용되는 것에 대하여 오랫동안 논의되어 왔다. 런던 항공 이송팀(London air ambulance) 경험에 의하면 잘 훈련된 의료진이 현장에서 효과적이고 신속하게 REBOA를 삽입할 수 있다는 것을 입증했다. 이 경험은 유익하긴 했지만, 최적의 병원 전 사용에 대한 의문을 유발했다. 병원 전 환경에서는 REBOA 없이 병원까지 생존해서 도착하기 어려울 것으로 간주되는 환자들이 아닌 경우에는 사용이 보류되어야 한다. 그러나 이러한 환자들을 어떻게 잘 식별할 수 있을까? 현장에서 초음파(FAST)를 사용한 복강내출혈을 식별해서? 불안정한 활력징후와 사고기전으로? 흉부에 상당한 출혈이 없는지 어떻게 확인할 수 있을까? 의료진이 이러한 결정을 내리고 REBOA를 삽입하기 위해 받아야 하는 훈련 수준은 무엇인가? 런던의 경험은 능력 있는 의료진들이 이 목표를 달성할 수 있다는 것을 암시하지만, 그 경험이 다른 치료 환경에서도 적용된다고 판단할 수 있을까?

또한 외상 현장에서 REBOA의 사용은 비압박성 출혈이 동반된 중증 외상환자에게 확실한 출혈 통제를 위해 외과적 개입이 필요하다는 맥락에서 고려되어야 한다. 통상적으로 REBOA를 위해 현장 시간이 얼마나 연장되어야 하는가? EVTM은 적절한 의료진에 의한 현장 술기에서 이송 중인 헬리콥터나 구급차 내에서 동맥확보 및 REBOA 등 “이송 중 술기”로 발전할 가능성이 있다.

Remark

동맥확보 시도는 병원 전 환경에서는 생각보다 많은 시간이 걸릴 수 있으므로, 동맥확보를 위해 현장에 오래 머무르지 않도록 해야 한다. 만약 당신이 동맥확보에 성공하지 못했다면 병원으로 즉시 이송하는 것을 지체하지 말도록 하고, REBOA 삽입을 위해 구조를 멈춰서는 안된다. 이송 중 혈관 확보를 할 수 있도록 많은 연습이 필요하다.

3. 전쟁터/군사적 상황에서의 적용

Battlefield / Military applications

전장에서 EVTM과 REBOA를 사용하는 것은 몇 가지 독특한 고려사항이 있지만 대부분 민간 의료분야와 유사하다. 두 경우 모두 REBOA를 시행하는 의료진은 충분히 훈련되어야 한다. REBOA가 이로운지, 또는 REBOA의 사용으로 이송 시간이 지연되거나 환자를 더 악화시킬 수 있는지 등에 대해 고려해야 한다.

그러나 두 가지 환경의 차이는 극적이다. 군사적 상황에서는 종종 "거리대란(tyranny of distance)"과 연관된다. 즉, 수술 가능한 병원으로의 이송시간이 더 길어진다는 의미이다. 군사적 환경이라는 독특한 상황으로 인해 현장 시간은 다른 요인들에 의해 영향을 받을 수 있다. 현지 상황이 부상자를 즉각적으로 구출할 수 있는가? 여전히 활발한 전투가 진행중이라면 의료진은 부상자 구조가 안전하게 이루어질 때까지 장시간의 현장 진료가 필요할 수 있다. 또한 현대 전투손상과 관련하여, 대부분의 예방 가능한 사망이 압박할 수 없는 위치에서 발생한 출혈에 기인함을 시사하는 자료들도 있다. 이 시나리오라면 REBOA 활용이 이상적일 수 있다. 비압박성 출혈로 인한 사망 및 부상자 구조의 어려움과 같은 사항들은 REBOA를 군사적 상황에서 잠재적으로 중요한 도구로 만든다. 병원 전 REBOA가 군사적 환경에서 어떻게 사용될 수 있는가? 이 환경에서 중요한 고려사항을 개략적으로 살펴볼 수 있는 시나리오는 다음과 같다.

여기 가상의 상황이 있다. 당신은 최전방에서 의무부대원으로 군임무를 수행 중이다. 큰 폭발로 부상을 입은 병사를 돌보기 위해 갑자기 호출되었다. 당신이 부상병에 다가갔을 때, 그는 여전히 의식이 있는 상태다. 중상을 입은 양쪽 하지에 지혈대를 착용시켜 눈에 띄는 출혈은 조절했다. 임상적으로 환자의 혈압이 낮아지고 있다는 것을 확인할 수 있다. 맥박이 약해지고, 환자가 창백해지며, 혼란스러워 하고(confused) 졸려한다. 폐음이 양측에서 잘 들리고 있고 긴장성 기흉이 발생하지 않도록 양쪽 바늘감압술을 시행했지만, 그의 몸통에 박힌 수많은 작은 상처들은 환자가 아마도 복부나 흉부 내에 지속적 출혈이 되고 있을 것이라는 점을 암시한다. 부상병을 후송해야 하지만, 그 주변 지역에 적군들이 있으며, 지금 부상자들을 이동시키는 것은 안전하지 않다고 판단된다. 현장에서 당신은 할 수 있는 최선을 다한다. 수액을 투여하며 어느 정도 허용성 저혈압(permissive hypotension)에 기초하여 저혈압 소생술(hypotensive resuscitation)을 시행하지만 환자는 계속해서 쇼크가 진행되고 있다.

REBOA로 시간을 조금 더 벌 수 있는 상황 같지 않은가? REBOA를 시행함으로써 출혈을 해결할 수 있는 장소로 도착하기 전까지 환자의 상

그림 1 군대에서의 REBOA 훈련모습. Sheath와 풍선이 화살표로 표시되어 있다.

태를 유지하기 위한 시간을 벌어줄지도 모른다. 그러나 이 환경에서 REBOA의 원칙은 병원 내 환경과 유사하지만 상황은 완전히 다르다. 적절한 멸균(sterility)은 힘들 것은 물론, 시야 확보도 어려울 것이다. 근처에서 박격포 탄환이나 총성이 들릴 수도 있다.

이런 상황에서 해결할 과제 중 하나는(민간의 병원 전 상황과 유사한) 이 환경에서 REBOA를 시행해야 하는지를 정의하는 것이다. 또한, 준비 가능한 의료장비의 무게가 관건이다. 당신은 이미 가장 많이 챙겨올 수 있는 모든 의료용품을 등에 짊어지고 왔을 것이다. 그러나, 투시검사기를 챙겨오고 싶진 않을 것이다. 초음파는 확실히 점점 더 작고 가볍고 휴대성이 좋아지고 있다. 군용 야전병원과 여러 나라의 선진 의료부대에서 내구성이 뛰어난 소형 초음파가 이미 사용되고 있다. 해부학적 기준점을 이용하든, 대퇴 부위 정맥절개를 이용하든 초음파를 사용한 접근방식은 본 책의 앞에서 설명했듯이 이를 성공하기 위해서 적절한 연습이 필요하다. 여기에서 말하고자 하는 핵심은 적절한 훈련, 장비 및 시스템 등이 허락한다면 열악한 환경에서도 REBOA 사용이 가능하다는 것이다. 그리고 한 가지 긍정적인 점은, 잘 훈련된 젊은 병사들에서는, 혈관이 석회화되고 배가 나온 75세의 남자에 비해, 해부학적 기준점을 찾기가 더 수월하다는 점이다.

실제로 REBOA는 이미 다양한 군의료부대에서 사용 가능하고 이에 대한 경험이 축적되고 있다. 병원 환경보다 훨씬 앞선 진보된 외과팀에 의해 사용될 수 있고, 심지어는 군 부상자 구조 및 후송 중에도 사용될 수 있는데, 의료진이 이송 중 처치를 위한 전문화된 임상수련과 장비를 보유한 영국 의료긴급대응팀(Medical Emergency Response Team, MERT)과 같은 항공 플랫폼이 그 예이다. CH-47 치누크 같은 현대식 대형 헬리콥터는 환자에 대한 접근성을 높이고 이러한 처치가 가능한 충분한 내부 공간을 가지고 있다.

EVTM과 REBOA를 활용하는 것은 부상 현장이나 초기 부상자 구조 및 후송하는 상황에서 가장 극단적인 것일 수 있지만, 동시에 역할 2(Role 2) 또는 역할 3(Role 3)으로도 알려진 전투지 지원 병원의 핵심적인 부분이 되고 있다. 부상자가 더 멀리 이동함에 따라 EVTM 사용의 증가는 손상 합병증을 최소화하는 데 효과적인 역할을 할 수 있다. 미군 의료시스템의 최근 경험에 따르면 투시검사(fluoroscopy)가 가능한 역할 3 시설에서 혈관조영술, 색전술 및 심지어 손상 부위 endograft 적용 등 다양한 외상의 혈관내치료를 할 수 있다는 것이 입증되었다.

시간과 경험이 축적됨에 따라, 기술은 더 손쉽고 장비의 휴대가 간편해질 것이다. 이런 발전은 민간과 군사 환경 모두에 해당되는 중증외상치료 분야에 있어 EVTM 기능을 더욱 발전시킬 것이다. 이를 위해서는 이러한 환경에서 EVTM의 효과를 볼 수 있는 환자를 효과적으로 식별하고, 민간 및 군사 외상센터 전반에 걸친 EVTM 프로토콜, 현장 적용에 필요한 적절한 교육과 훈련 내용을 결정하는 등 여러 과제를 극복해야 할 것이다. 증가하는 경험과 연구를 통해 EVTM 적용은 향후 몇 년 동안 이론적 영역에서 일상화된 실용적 영역으로 전환될 것이다.

Warning

우리는 REBOA에 대한 강한 신념이 있지만 계속 발전하는 이슈인 만큼, 우리는 잠시 멈춰서 생각해볼 필요가 있다. REBOA가 이러한 환경에서 생명을 구할 수 있을까? 언제 사용하지 말아야 하는가? 현장에서 REBOA의 사용을 권고하기 전에 더 많은 임상 데이터가 필요하다.

TOP STENT

The art of EndoVascular hybrid Trauma
and bleeding Management

CHAPTER 6

외상환자 및 출혈환자를 위한 하이브리드 수술실과 치료 옵션들

The hybrid OR and hybrid options for trauma and bleeding patients

Tal Hörer, Melenie Hoehn, Megan Brenner, Artai Pirouzram, Thomas Scalea

하이브리드 수술실은 출혈 환자의 치료를 위한 최적의 장소가 될 수 있다. 단순히 투시검사(fluoroscopy)를 할 수 있는 시설이 아니라, 출혈 환자의 치료를 위해 수술과 혈관내(endovascular) 치료방법을 통합하여 더 발전된 기술을 활용할 수 있는 공간이다. 이 장에서는 하이브리드 수술실 치료의 옵션과 예시를 살펴보도록 하겠다.

하이브리드 수술실은 외상팀이 개복술, 혈관조영술 및 색전술과 같은 다양한 치료를 장소 이동이나 시간 지연 없이 동시에 시행할 수 있게 해준다. 하이브리드 시설은 최신식 의료장비를 갖추고 있어야 될 뿐만 아니라, 24시간 진료 가능한 경험 많은 의료진이 필요하며, 외상소생실(trauma bay)이나 응급실과 근접해 있는 것이 좋다. 최근까지 이런 시설은 거의 없었으나 혈관외과의사들의 혈관내중재술이 발전하면서 이러한 하이브리드 시설들이 늘어나고 있다.

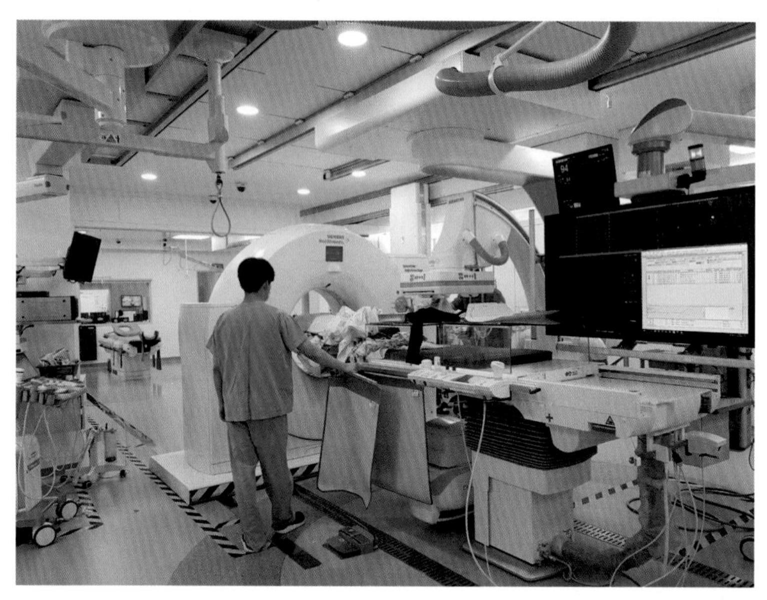

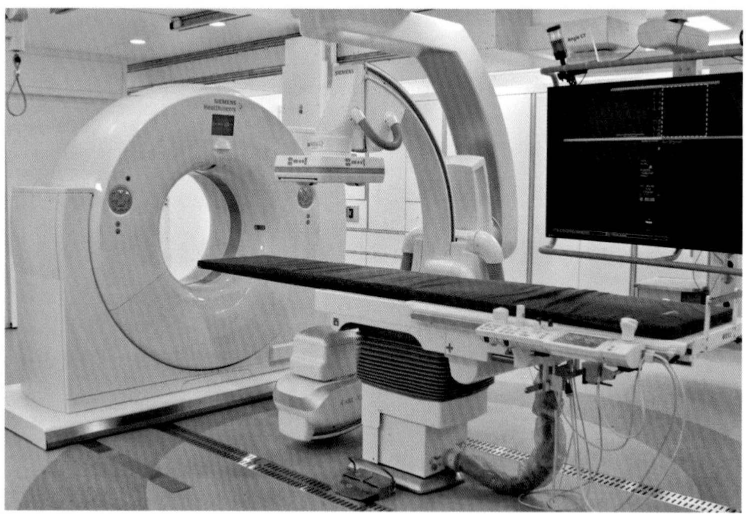

그림 1 원광대학교병원 하이브리드 소생실(CT, 혈관조영실 및 수술실의 기능을 가지고 있다).

Remark

인터벤션영상의학(interventional radiology), 하이브리드 시설 그리고 다른 의료자원들의 가용성은 각 기관마다 매우 상이하다. 여러분의 환경에서 가장 적절한 것은 무엇인가? 어떤 센터에서는 혈관외과의사가 우선 호출될 수도 있고, 다른 곳에서는 영상의학과의사가, 아니면 외상외과 또는 외과의사가 혼자 있을 수도 있다. 이처럼 조건은 매우 다양하므로 이 장에서 언급되는 의견과 정보들을 여러분의 센터의 환경과 요구에 맞게 적용하여야 한다.

하이브리드 수술실에서는 다양하고 수준 높은 영상 장비가 사용되고 있다. 스웨덴의 외레브로(Örebro)에 있는 하이브리드 수술실에는 필립스(Philips)사의 하이브리드 전용 장비가 설치되어 있지만 현재 외상 환자에게는 시설, 위치 등의 문제로 사용되고 있지 않다. 도시바(Toshiba)사도 다른 회사와 비슷한 시스템을 보유하고 있다. 지멘스사의 Artis Zeego는 고해상도의 혈관조영술과 실시간 CT 촬영이 가능하다. 이 장비로는 환자를 옮기지 않고 한 자리에서 실시간 CT 촬영을 할 수 있다. 이 CT는 64채널 CT보다는 예민하지 않지만 꽤 훌륭한 수준의 3차원 이미지를 제공한다. 이는 외상환자에게 큰 이점을 제공하는데, 검사를 위해 다른 곳으로 옮기지 않아도 되고, 시간 지연이 없으며 추가적인 조영제 사용이 필요 없다는 장점들이 있다. 여기에 더해 치료 방향을 바꿀 수 있는 뇌출혈과 같은 연관 손상을 보다 빨리 발견할 수도 있다. 그 외에 C-arm과 같은 단순한 장비들도 유용할 수 있고 추가적으로 이중초음파(duplex sonography)나 혈관내 초음파, 식도초음파, 체외막산소화장치(ECMO), 지속적신대체 투석기(continuous renal replacement therapy, CRRT) 등이 유용하게 사용될 수 있다. 이 외에 어떤 장비들이 더 필요할지는 아직까지는 분명치 않아 더 많은 운영 경험이 축적되어야 하겠다.

하이브리드 수술실을 설치하기 위해서는 몇 가지 사항을 고려하여야 한다. 우선 수술실 설치 비용 약 300-900만 달러와 투시검사기 비용 약 150-500만 달러의 비용이 들어간다고 알려져 있다(2016년 미국 기준). 또 다른 고려사항은 하이브리드 수술실의 디자인이다. 혈관조영기의 암(arm)의 위치 그리고 모니터와 마취기의 위치 및 연계를 신중하게 고려해야 하고, 효과적으로 사용하기 위해서는 수술실 안에 있으면서도 외상소생실이나 응급실과 가까이에 위치시켜야 할 것이다. 또한 이용방법에 대해서도 고려하여야 한다. 응급 상황만을 위해 대기시켜 놓아야 할지? 아니면 정규(elective) 수술을 위해서도 사용할지? 야간이나 휴일에 누가 업무를 담당할지? 하이브리드 전담 수술실(scrub) 간호사나 영상기사가 필요한지? 이런 많은 사항들이 각 기관의 상황에 맞게 조율되어야 한다.

Tips

하이브리드 수술실 설치를 계획할 때, 응급상황을 위한 시설임을 확실히 하여 디자인하는 것이 중요하다. 출입문, 인공호흡기, 각종 암(arms), 초음파와 모니터의 위치 및 크기부터 각종 수술과 혈관내시술 도구들을 수납할 공간까지 충분히 고려되어야 하고, 모든 관계자들이 각종 장비들의 위치를 숙지하고 있어야 한다. 이는 급박한 외상환자를 치료하는 상황에서 매우 중요하다. 또한 주말 및 야간에 이 시설을 담당할 사람 역시 미리 결정되어야 한다.

적절한 인력 확보는 필수적이다. 기존의 수술실 간호사들에게는 혈관조영 장비와 도구들이 매우 낯설기 때문에, 이들을 위한 교육이 꼭 필요하다. 수술실 간호사들이 혈관조영 도구들을 준비, 처방하고 청구하는 것에 익숙해져야 한다. 치료방향을 결정하기 위해서는 정확한 이미지가 필수적이고 이를 위해 능력 있는 영상의학 기사도 반드시 필요하며, 방사능에 대한 안전도 확보하여야 한다. 이런 인력들은 언제든지 가용되어야 한다. 만일 팀을 활성화하여 시술하는 데 한두 시간 이상을 기다려야 한다면 이는 중증환자들을 위해서는 결코 바람직하지 않을 것이다.

추가적으로, 외상팀의 리더가 외상환자의 치료에 많은 경험이 있으면서 외과적인 지혈에 대한 능력이 충분해야 한다. 기관에 따라 다르기는 하지만 대부분의 상황에서 인터벤션영상의학과의사가 병원 내에 상주하고 있지는 않다. 영상의학과의사는 중재 시술에 필요한 지식은 충분하지만 다발성 외상 환자, 특히 출혈 환자에 대한 혈역학적, 병태생리학적 이해는 부족할 수 있다. 외상외과의사도 치료방향 결정에 도움을 주기 위해 혈관색전술에 대해 지식을 충분히 가지고 있어야 한다. 미국에서는 외상외과의사가 직접 색전술과 대동맥내 풍선폐쇄 소생술(REBOA)을 시행하는 경우가 늘어나고 있다. 하지만, 외상외과의사가 어떤 종류의 시술들을 안전하고 효과적으로 시행할 수 있는지에 대해서는 아직까지 알려진 바는 없다.

CT혈관조영술은 중증외상환자에게 유용한 수단이다. REBOA가 환자를 일시적으로 안정시킬 수는 있지만, 경험 많은 의사가 하이브리드 시설을 이용하더라도 출혈 부위를 정확히 파악하여 선택적 혈관조영술을 시행할 때는 많은 시간이 소요된다. Whole body CT는 이런 과정에 큰 도움이 되며 EVTM 개념의 핵심적인 역할을 한다. 적절한 프로토콜(두부 CT 촬영 후 조영제 주입하고 골반 부위까지 촬영 후 정맥기 촬영을 위한 100초 지연)을 가지고 있다면 CT 촬영은 단 3분 정도 소요된다(다양한 많은 프로

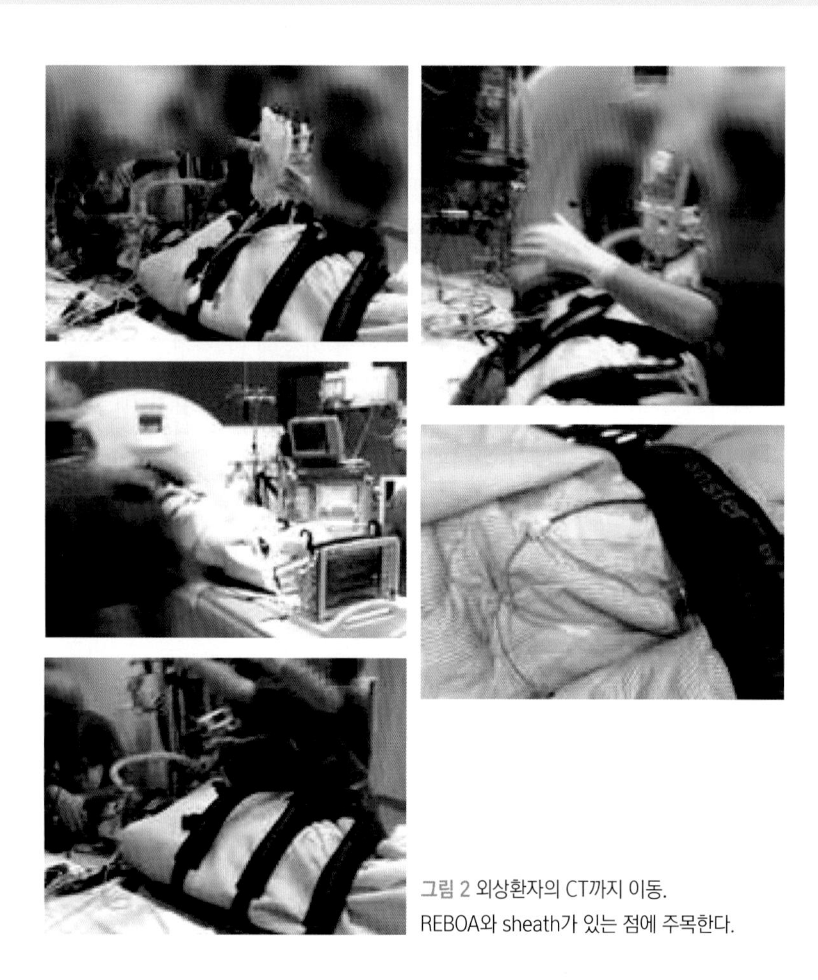

그림 2 외상환자의 CT까지 이동.
REBOA와 sheath가 있는 점에 주목한다.

토콜이 있을 수 있다). 하이브리드 수술실로 이동하는 중에 시행하는 이른바 "초응급 CT (super acute CT)"가 중요한 정보를 제공할 수 있기 때문에 특별한 사정이 없다면 검사하는 것을 고려해야 한다. CT는 의료진이 치료를 진행하고 있는 중에도 다른 의료진들에 의해 판독될 수 있고, 또 다른 의료진들이 온라인으로 확인할 수도 있다. 이는 치료 중인 의사가 환자에 집중할 수 있게 해준다. 새로운 버전의 CT들은 속도가 매우 빠르고 응급실과 가까이 위치할 수 있다. 새로 개발된 "CT on rails"는 현대적인 CT의 표준 사양을 가지고 있으면서 기계의 이동이 가능하여 최근 들어 널리 사용되고 있다. CT가 적절하게 사용된다면 과거의 "죽음의 터널(tunnel of death)"이라는 오명을 벗게 될 것이다. 의료진들을 교육하고 프로토콜을 확실히 준수하면서 검사를 진행하여야 한다. CT검사에서 가장 중요한 문제 중 하나는 환자를 CT실까지 이동하고 복귀하는 것으로 이 부분은 환자 치료에 있어 아주 중요한 부분 중의 하나이다.

다시 하이브리드 수술실 이야기로 돌아가보자. 불안정한 다발성 외상환자를 치료하기 위해서 하이브리드 수술실에 수술과 혈관내시술 모두 준비되어 있어야 한다. 전에 언급한 대로 이런 시설은 다발성 외상환자와 혈역학적으로 불안정한 환자를 치료하기에 이상적인 공간이다. 하이브리드 수술실은 외상팀이 거의 모든 시술을 동시에 할 수 있게 해준다. 예를 들어, 개복술과 상 · 하지의 혈관조영술을 환자의 이동이나 시간지연 없이 진행할 수 있다. 과거 신경외과, 혈관외과 등에서 사용하였던 하이브리드 시술법이 이제는 외상과 출혈 환자에서 적용될 수 있는 것이다. 하이브리드 시설이 없다면 수술실과 C-arm이 합리적 대안이 될 수도 있다. 수술실에 기본적인 혈관내치료 기구들이 보관되어 있다면 큰 도움이 될 것이다. 이런 환경에서는 혈관조영술 외에도 방광조영술, 두부 CT, 기흉이나 골절 확인을 위한 X-ray 등을 동시에 시행할 수 있을 것이다. 이는 시술자의 요구와 이해에 따라 다양하게 사용할 수 있다.

하이브리드 수술실에서 시행 가능한 시술 및 수술들

- 전신마취
- 경식도 초음파
- 소생술: 중심정맥관 등
- REBOA, 동맥/정맥 풍선폐쇄(balloon occlusion)
- 전복막 골반 거즈충전술(preperitoneal pelvic packing, PPP)
- 체외순환(cardiopulmonary bypass), 지속적 신대체요법, ECMO
- 진단적 개복술, 개흉술, 흉강삽관술
- 늑골 고정술
- 주요 혈관의 스텐트 삽입
- 상부위상관 조영술/위장루(PEG)/기관절개술
- 정형외과적 정복, 외고정술, 사지고정
- 절단
- 사지 혈관성형/션트(shunt)/혈관봉합, 혈관조영술
- 혈관조영색전술
- 방광조영술
- 두부 CT
- 그 외에도 여러 시술들이 가능

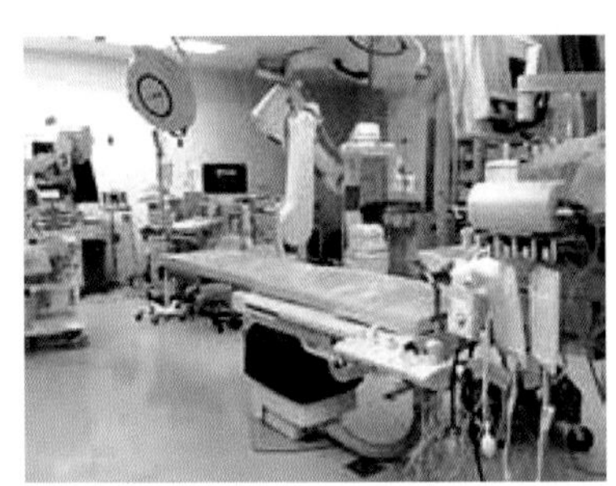

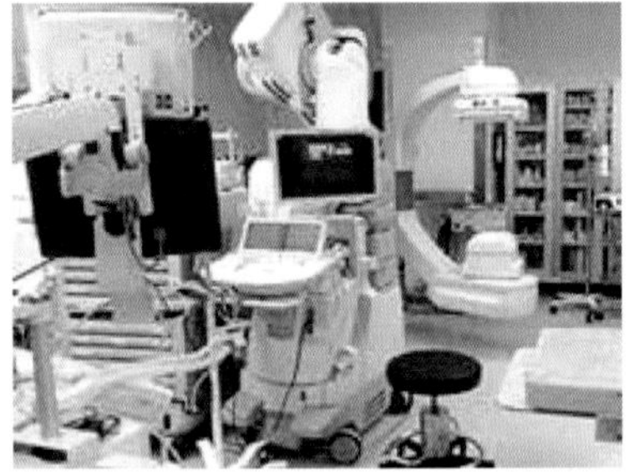

그림 3 볼티모어(Baltimore) Shock & Trauma Center의 하이브리드 룸.

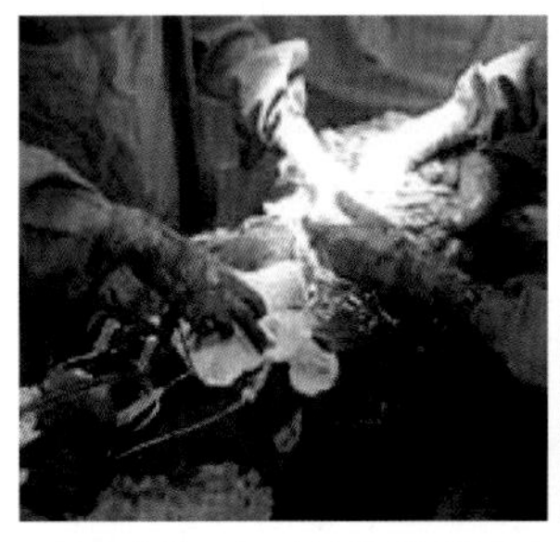
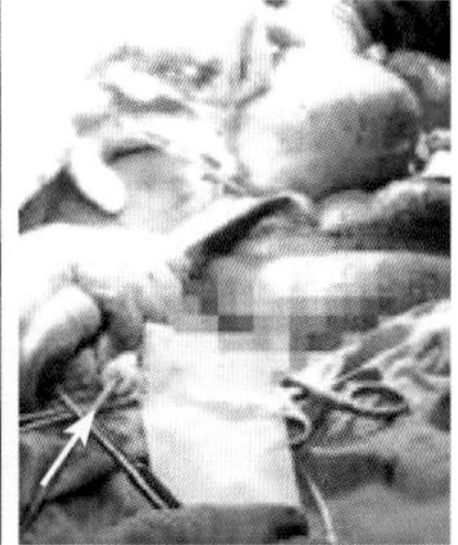
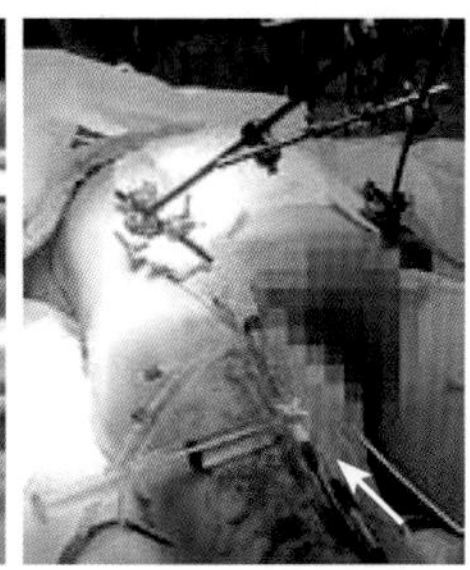

그림 4 하이브리드 시술을 하면서 REBOA를 시행한 사례들.

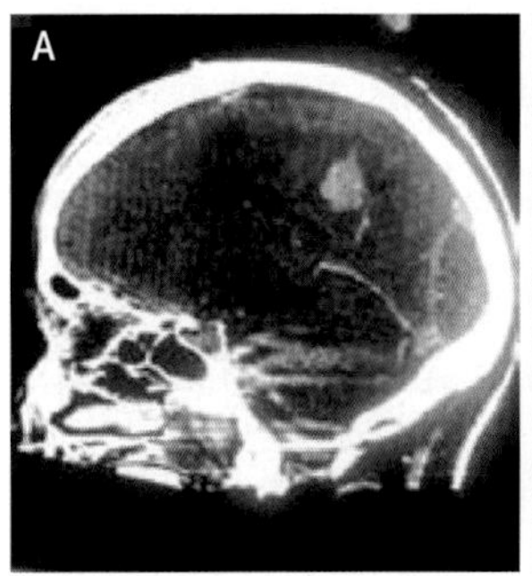

그림 5 A. 하이브리드 수술실의 C-arm을 이용한 뇌내출혈의 발견. 이는 환자의 다음 치료방법을 결정하는데 중요할 수 있다.

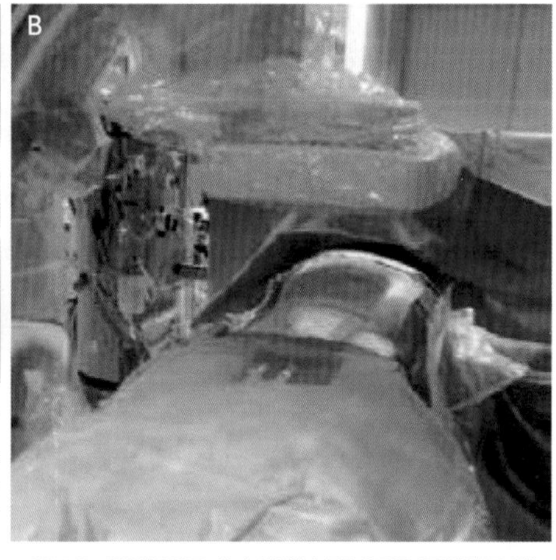

그림 5 B. 하이브리드 수술실에서 TEVAR를 준비하고 있는 환자. 환자의 좌측 상완과 액와부가 소독(drape)되어 있는 것에 주목한다.

1. 하이브리드를 어떻게 생각할 것인가?

How to think hybrid

앞서 언급한 것처럼 하이브리드 수술은 지난 20년간 혈관외과 분야에서 사용되어 왔고 아주 훌륭한 결과를 보여주었다. 아이디어는 단순하다. 생명을 위협하는 출혈을 막는 데 수술과 혈관내시술을 동시에 사용하는 것이다. 이론적으로는 단순하지만, 기술적으로는 쉽지만은 않다. 외과의사는 최신 기술을 다 이용하기 위해 카테터나 와이어를 사용하는 방법을 완전히 습득하여야 하고, 동료 의사들과의 협업은 필수적이다. 이는 EVTM 컨셉의 가장 중요한 부분이기도 하다. 다른 전공의 동료들로부터 많은 정보와 기술을 배울 수 있고, 이것이 어려운 환자의 치료에 유용할 것이다. 만일 모든 치료법이 가능하다면 여러분은 어떤 것을 우선적으로 해야 할지 결정해야 한다. 어떤 손상을 먼저 치료할 것인가? 언제 치료할 것인가? 어떤 자원을 어떻게 활용할 것인가? 이에 대한 대답은 시술자의 경험에 따라 매우 다를 수 있겠지만 하이브리드의 원칙도 외상 치료의 기본원칙과 같다. "출혈이 있다면, 출혈을 멈춰라!" 이에 대한 자세한 방법에 대해서는 이 책의 후반부에 좀 더 다룰 것이다.

분명히 일반적인 수술실도 아래 사진과 같이 반-하이브리드 수술실(semi-hybrid suite)로 변화시킬 수 있다.

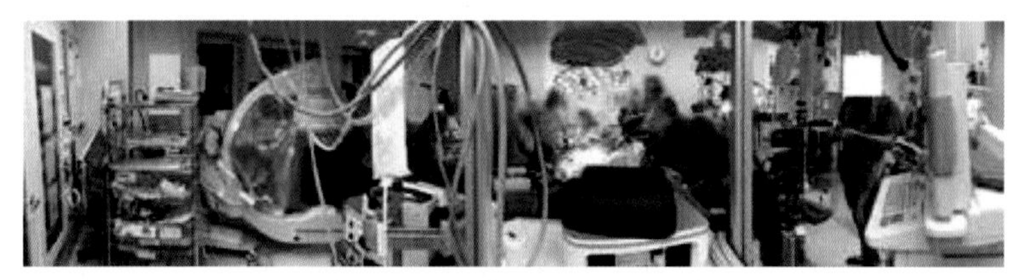

그림 6 하이브리드 수술실로 전환 가능한 시설(semi-hybrid room).
C-arm이 좌측에, 환자는 슬라이딩 테이블에 누워 있다. 사진의 환자는 대량 간손상과 두부 관통상이 있는 불안정한 환자이다. 개복술과 개두술을 동시에 진행하였다.

Tips and some words of caution

- 우리 병원에는 어떤 장비가 있나? 이것이 가장 중요한 점이다. 위험과 이득을 계산하여 CT를 찍는 것이 합리적인가를 생각해보자. 만일 시간이 없다면 환자를 하이브리드 수술실로 곧장 데리고 가야할 것이다.
- CT를 찍는 데 걸린 시간은 단순히 CT 촬영에 걸리는 시간이 아니라, 환자를 CT실까지 이동하고 복귀하는 데 걸린 시간을 모두 포함한 시간이다.
- 하이브리드 또는 혈관내시술은 유용하지만 수술적 치료를 완벽하게 대체할 수는 없다. 때로는 최소침습적인 방법이 불필요하게 일을 복잡하게 만들 수도 있으므로, 수술이 가장 쉽고 단순한 방법이 될 수 있다. 수술과 혈관내시술 선택에 있어 환자에게 적절한 치료가 적용될 수 있도록 균형을 잘 잡아야 한다.

하이브리드 시설을 잘 이용하기 위해서는 EVTM 컨셉을 가지고 가능하다면 언제나 총대퇴동맥(common femoral artery)을 확보하여야 한다. 맹목천자(blind puncture), 초음파 유도하 확보 그리고 혈관절개술 모두 이용할 수 있는 접근법들이다. 접근로는 필요에 따라 REBOA나 혈관조영술을 위한 sheath 크기로 쉽게 변경이 가능하여야 한다. 다양한 상황에서 이런 접근법은 이점을 가지고 있다. 복부 수술에 앞서 필요한 상황에서 즉시 사용 가능하도록, 풍선을 확장시키지 않은 REBOA (deflated REBOA, dREBOA) 카테터를 미리 삽입해 놓을 수도 있다. 이런 방법은 환자가 전에 복부 수술을 받아 유착박리술에 시간이 오래 걸릴 경우 유용할 수 있다. 다시 한번 강조하지만, 대부분의 경험 많은 외과의사는 출혈되는 신장을 수분 안에 제거할 수 있을 것이나, 심한 유착이 있거나 고도비만 환자에서는 그렇게 쉽게 수술이 가능하지 않을 것이다. 풍선을 부풀리지 않은 REBOA 카테터가 대동맥에 있는 것은 위험성이 크지

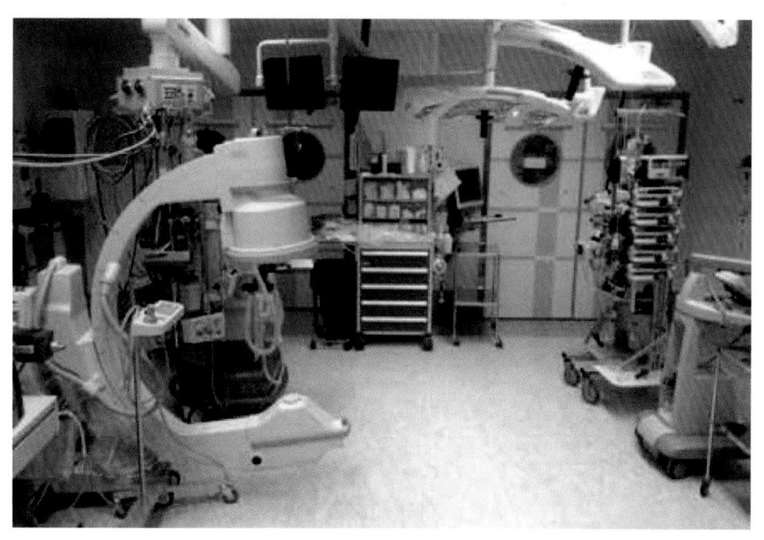

그림 7 하이브리드 구성의 수술실(semi-hybrid).
외상과 출혈 환자의 수술에서 방의 면적이 제한요소가 될 수 있다.

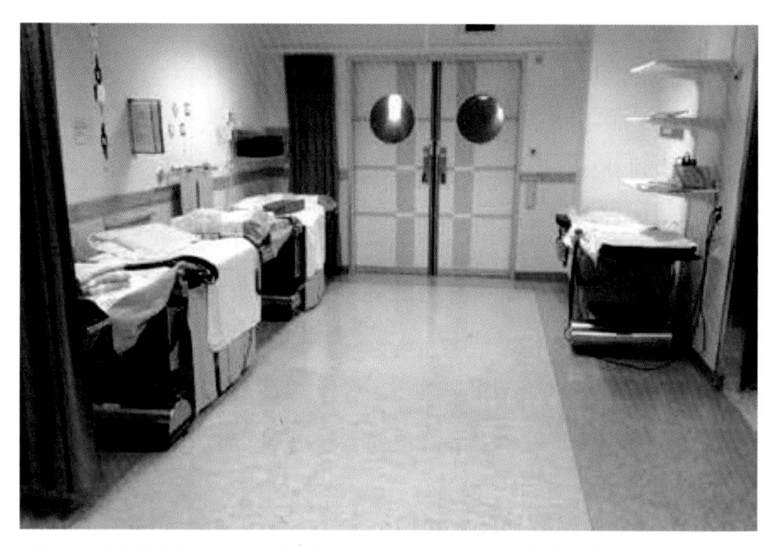

그림 8 스웨덴 외레브로(Örebro) 병원의 외과 수술실 앞 슬라이딩 테이블들(3대를 24시간 사용가능). 외상 환자를 포함한 모든 출혈 환자는 이 침대를 사용한다.

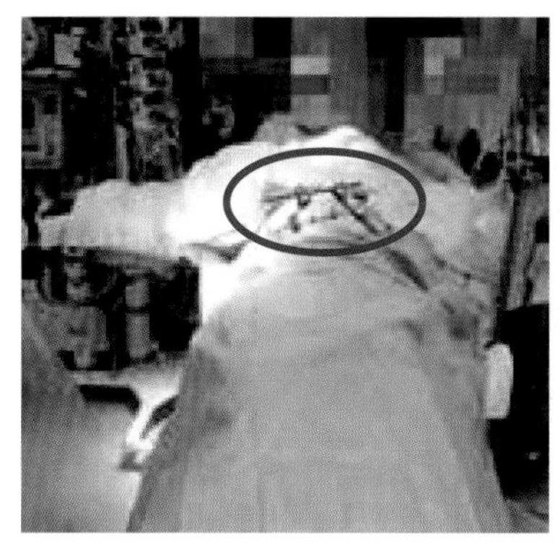

그림 9 pREBOA 후에 개복술, 골반고정, 전복막 거즈충전술(preperitoneal pakcing), 뇌압측정장치 삽입, 사지고정 및 근막절개술은 반-하이브리드(semi-hybrid suite) 수술실에서 시행하였다.

않다. REBOA 외에도 이런 컨셉이 유용한 경우는 또 있다. 상부 흉부 손상이 있는 환자에서 여러분은 상완 또는 액와 동맥로를 확보할 수 있다. 동료 외과의사가 수술적 지혈을 시도하는 동안 혈관성형 풍선(PTA balloon)으로 근위부 동맥을 폐쇄하고 있을 수도 있다. 와이어 삽입의 위험성은 상대적으로 낮고 술기도 매우 신속하게 마칠 수 있어, 어떤 센터에서는 와이어를 목표혈관에 넣어놓고 사용이 필요한 때를 기다리기도 한다. 특히 환자가 하이브리드 수술실에 있다면 수술과 혈관내시술이 동시에 이루어질 수도 있다.

출혈에 대한 혈관내시술은 최종 치료까지 가는 일시적 또는 최종 치료로 시행될 수도 있다. 쇄골하동맥처럼 접근이 어려운 혈관, 특히 혈역학적으로 불안정한 환자에게는 스텐트 삽입이 아주 훌륭한 선택지가 될 수 있다. 폐쇄용 풍선은 수술에 앞서 주요 혈관(쇄골하동맥, 무명동맥, 경동맥, 장골동맥, 대퇴동맥) 등의 근위부 폐쇄를 위해 사용될 수 있다. 해부학적

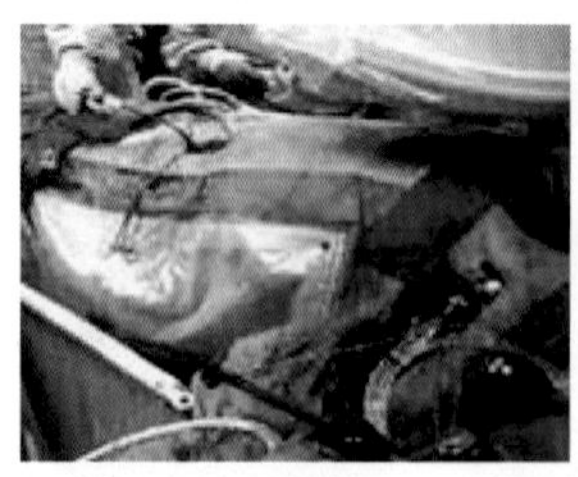

그림 10 정규 혈관내시술 시의 하이브리드 시술(iliac retroperitoneal approach and axillary approach). 이는 수술실에서 C-arm을 사용하여 시술하였다.

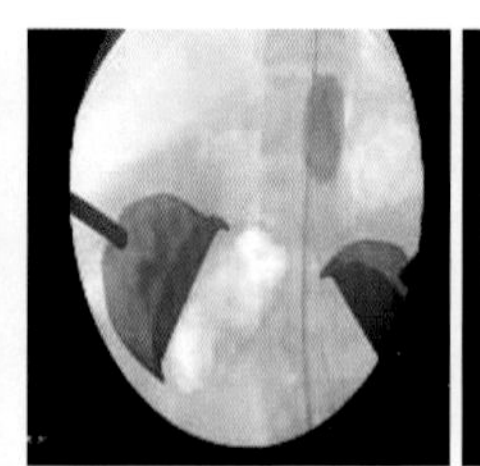

그림 11 하이브리드 컨셉의 일부인 색전술.
CPR 상황에서 REBOA, 전복막 거즈충전술(preperitoneal pakcing), 골반외고정, 혈관조영색전술 시행. 반-하이브리드 수술실에서 C-arm을 이용하여 시행되었다.

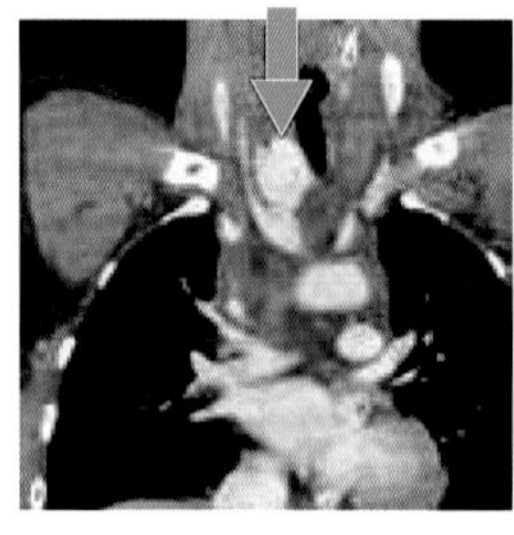

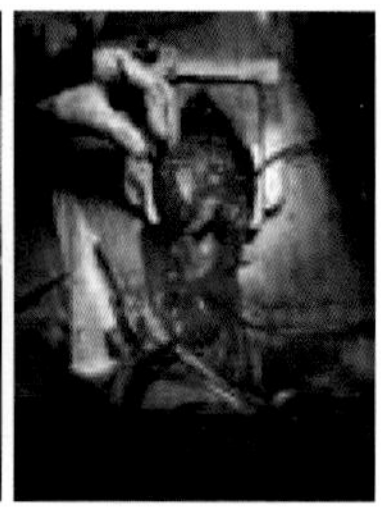

그림 12 PTA 14 mm 풍선 카테터를 액와동맥을 이용하여 삽입한 후 무명동맥(innominate)을 노출하여 패치 봉합을 하였다.

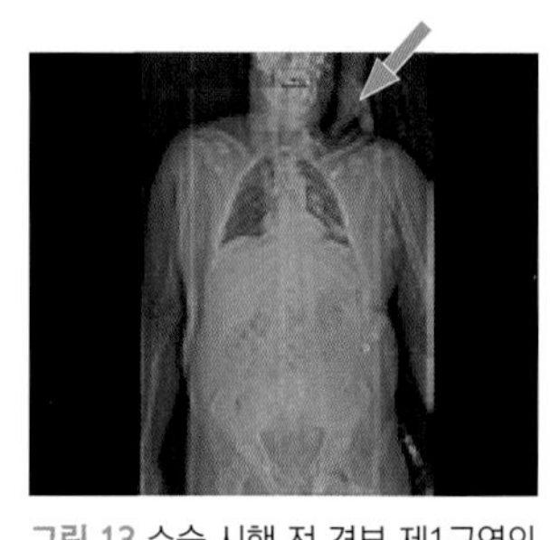

그림 13 수술 시행 전 경부 제1구역의 출혈은 손으로 누르면서 CT 촬영. CT는 흉강 또는 폐의 출혈을 배제하기 위해 촬영하였다. CT가 소생실 옆에 있다면 더 많은 정보를 얻을 수 있을 것이다. 그러나 때로는 무모한 짓이 될 수도 있으니 현명하게 이용하도록 한다.

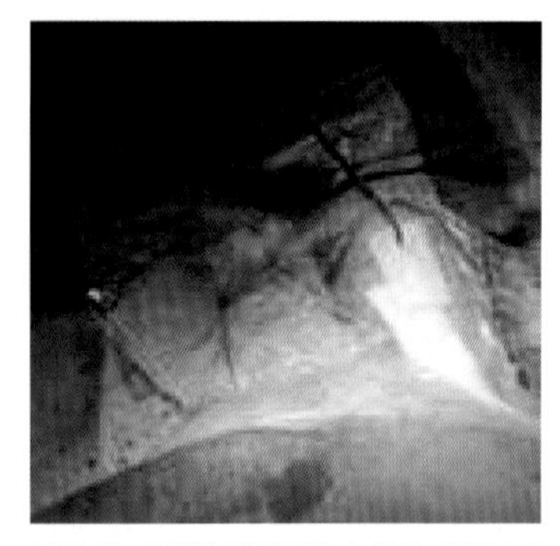

그림 14 의인성 대퇴동맥 손상의 하이브리드 접근법. 좌측에 반대쪽 장골혈관 폐쇄를 위한 8Fr sheath가 삽입되어 있다.

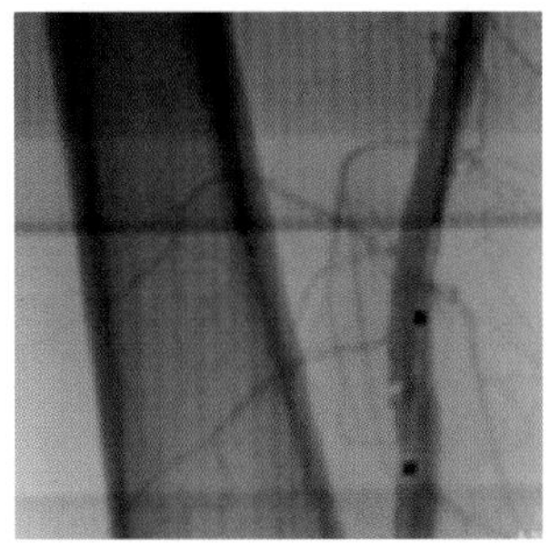

그림 15 표재대퇴동맥(superficial femoral artery) 손상과 근위부 풍선 폐쇄술.

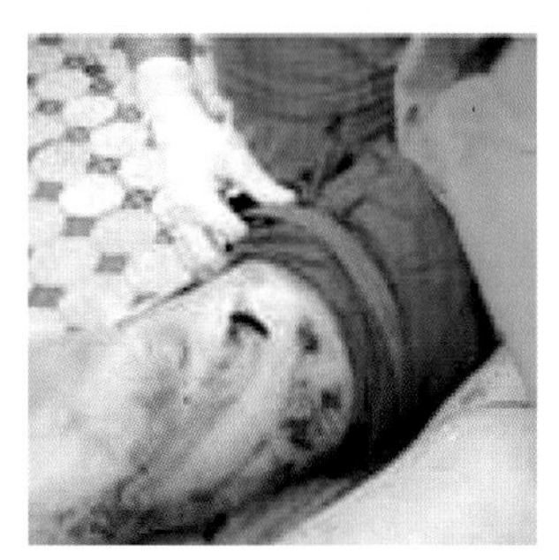

그림 16 환자의 임상 사진.

구조가 복잡한 환자에게 사지에 스텐트를 삽입하는 방법 역시 사용될 수 있다. 이런 스텐트들은 추후 정형외과적으로 골절이 안정화되고, 혈관재건술이 환자의 장기 예후에 더 낫다고 판단되면 제거할 수 있다.

하나의 예시로 아래와 같은 "ENDO trolley"를 제안할 수 있다.

Endo trolley

- 동맥천자세트(여러 개)-18G 바늘과 미세천자세트(micro-puncture set)
- 5-7Fr sheath, 11-24Fr sheath (필요에 따라, 예를 들어, TEVAR?)
- 부드러운 와이어(예: Terumo). 짧은 것과 긴 것.
- 단단한 와이어들(예: Lundeqvist, Amplatz, Back-up Meier)
- 조영제, 10-20 mL 주사기, 생리식염수
- 대동맥 풍선 카테터
- 8-14 mm 혈관성형 풍선들
- Birenstein catheter, Bolia catheter
- 그 외 다른 카테터들

우리는 이번 장에서 하이브리드 컨셉에 대해 다루었다. 이는 필자의 경험에 바탕을 둔 것이며 여기에는 옳고 그름이 없다. 여러분이 하이브리드 컨셉만 가지고 있다면, 하이브리드 또는 반-하이브리드 룸에서 다양한 술기들을 선택할 수 있을 것이라고 믿는다.

하이브리드와 혈관내시술이 장점들을 가지고 있지만 지혈이 지연되면 안 된다는 것이 중요하다. 수술적 치료가 많은 경우에서 합리적으로 선호되는 술기이고 수술과 혈관내치료의 위험과 이득을 잘 따져보아야 한다. 그리고, 치료방법을 선택하기 전에 반드시 고민하도록 한다.

CHAPTER 7

대동맥 외 혈관에서 풍선폐쇄와 EVTM

Balloon occlusion and EVTM at Non-Aortic locations

Tal Hörer, Viktor Reva, Artai Pirouzram, Joe DuBose

외상 분야의 혈관내시술에서 REBOA는 가장 인기 있는 단어가 되었다. 하지만, 일부 전문가들은 "동맥풍선폐쇄(arterial balloon occlusion, ABO)"라는 단순한 용어를 사용하자고 주장해왔다. 비록 덜 특이한 용어이지만, ABO라는 단어가 대동맥뿐만 아니라 다양한 해부학적 위치의 출혈에 대해 혈관내 풍선이 사용될 가능성이 있다는 점을 더 반영하기 때문이다. 정맥(특히 대정맥)에서도 지혈 목적으로 혈관내 풍선을 사용할 수 있기 때문에 사실 ABO라는 단어도 일반적으로 사용되기에는 충분하지 않을 수도 있다. 간손상 환자에서 REBOA와 대정맥 풍선폐쇄를 동시에 이용해 치료하고 생존한 예가 있다. 어느 위치에 있는 혈관에 풍선이 위치하든 기본적인 이점은 분명하다. 풍선폐쇄는 근치적 방법이 실행될 때까지 근위부(그리고/또는 원위부)

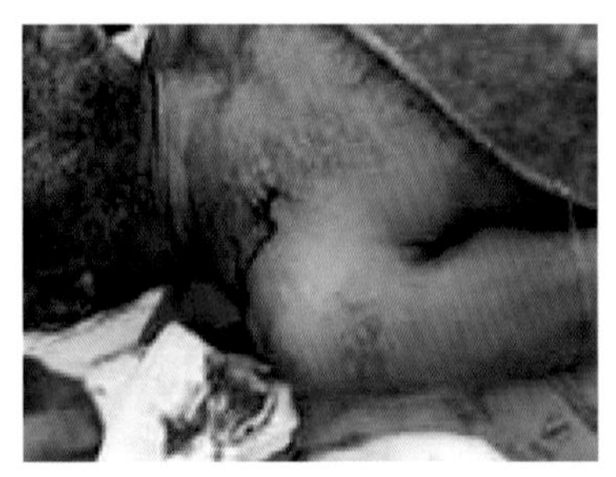

그림 1 경부 제1구역 관통상

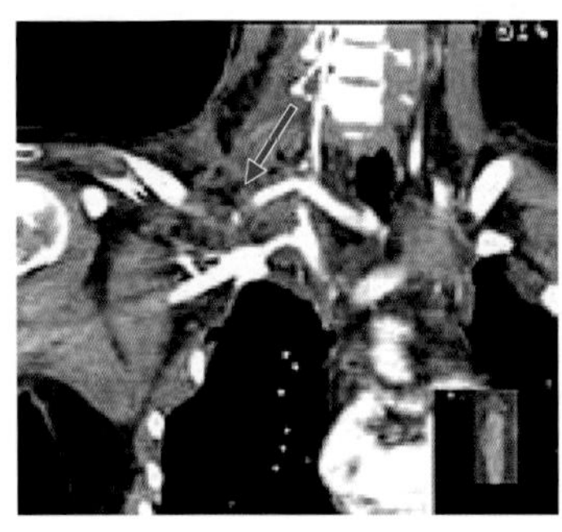

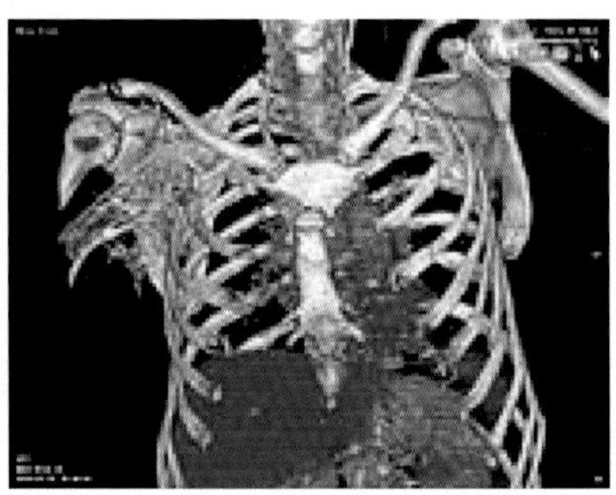

그림 2 CT 검사 결과 우측 쇄골하동맥 손상에 따른 폐색 소견이 관찰됨.
수술적 또는/그리고 인터벤션 방법들이 사용될 수 있다. 만일 조영제 누출이 관찰된다면, 근위부 풍선폐쇄가 도움이 될 것이다.

혈류를 차단할 수 있다는 점이다. 근치적 방법은 수술일 수도 있고 혈관 내 스텐트 삽입술일 수도 있다. 일부 예에서는 풍선폐쇄가 수술할 때 보다 작은 절개로 혈관이 잘 노출될 수 있도록 도움이 되기도 한다.

Remark

- 어떤 혈관에서도 풍선폐쇄는 일시적인 해결책일 뿐이다. 일단 폐쇄하여 혈류가 차단되면, 한숨을 돌리고 필요에 따라 마취과의사에게 소생술을 할 수 있는 시간을 주고, 최적의 근치 방법을 계획하고 있어야 한다.
- ABO를 사용할 때는 항상 장기의 허혈 가능성을 염두에 두자.

여기 대동맥을 제외한 다른 위치에 풍선폐쇄술을 사용해 볼 수 있는 사례가 있다. 젊은 남자가 우측 쇄골 직상방에 관통상을 입고 응급실에 도착했다. 환자는 의식이 명료하다. 구조사가 상처 부위를 손으로 압박하고 있었지만, 손을 치워도 더 이상의 출혈은 없었다. 당신은 이런 위치의 상처에서 분수처럼 뿜어져 나오는 출혈을 치료한 적이 있을지도 모른다. 하지만, 이 환자는 안정적이기 때문에 다행히도 신중히 환자평가를 진행할 수 있다. 손상기전은 무엇인가(칼 아니면 총)? 다른 상처나 손상은 없는가? 환자가 안정적이어서 영상검사를 진행할 수 있을텐데 어떤 검사를 해야하는가?

여기서는 전문외상소생술(advanced trauma life support, ATLS) 원칙이 가장 중요하다. ABC 등은 이런 경우 아주 효과적인 원칙이다. 모든 외상환자에게 하는 것처럼 기도와 호흡을 확보하고, 지혈을 한다. 당신이 일차평가와 이차평가를 하는 동안 FAST와 X-ray 검사들을 하는 것을 잊지 말아야 한다. 이 환자에서는 우측 요골동맥의 맥박이 약해진 것 외에 모든 검사결과가 음성이었다. 이제 당신은 이 환자에게 기도삽관을 언제 어떻게 할지 등에 대해서 마취과의사와 상의하여야 한다.

CT 또는 CT혈관조영술은 이 환자에서 아주 적절한 검사이다. CT혈관조영술은 질 높은 정보들을 많이 제공하고 기흉이나 혈흉을 배제할 수 있게 해준다. 동맥과 정맥 손상을 정확히 파악하기 위해서 CT 촬영시 정맥내 조영제 투여를 해야하고 동맥과 정맥기 모두 촬영하여야 한다. 서로 다른 손상유형을 보여주는 아래 그림들을 보자. CT혈관조영술은 손상여부를 진단하고 활동성 출혈이 없음(조영제 누출 없음)을 보여줄 뿐만 아니라, 근위부 혈관의 크기를 측정하여 적절한 크기의 풍선이

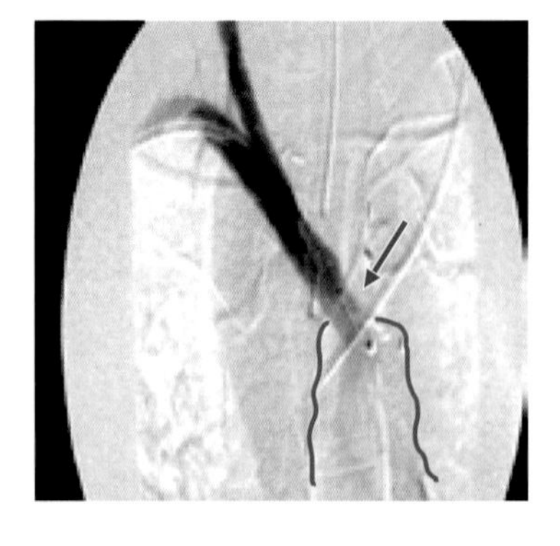

그림 3 완두동맥(팔머리동맥, brachiocephalic trunk) 손상과 조영제 누출.
혈관성형풍선이 수술 전에 혈관 내에 위치. 풍선 폐쇄는 대퇴동맥 또는 상완/액와동맥으로 접근할 수 있다. 대동맥궁이 표시되어 있다.

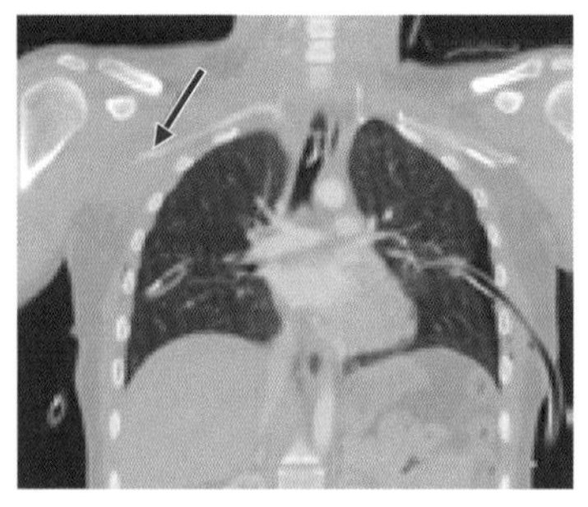

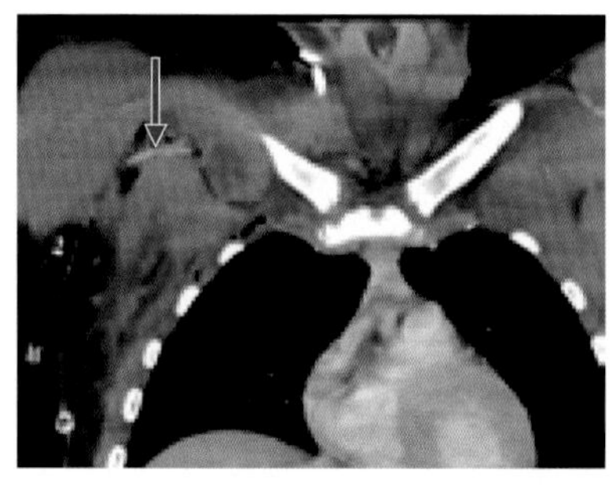

그림 4 우측 쇄골하동맥의 폐쇄소견.
이 그림은 조영제 누출이 없는 폐색 소견을 보여준다. 수술을 통한 동맥 재개통이 시행되었다. 이 경우 혈관내시술을 통한 재개통도 시행될 수 있다. 이런 경우에는 풍선폐쇄가 사용될 필요가 없다.

나 스텐트를 결정하는 데 도움을 줄 수도 있다. 또한 CT촬영 부위는 목과 가슴 전체를 포함하여야 한다는 것을 잊지 말아야 한다. 경부 제1구역에 상처가 있다는 사실이 상처 위아래의 중요한 기관들에 손상이 없다는 것을 의미하지는 않기 때문이다.

여기서 환자를 CT실로 보낼 때 주의가 필요함을 기억해야 한다. 환자가 갑자기 악화될 경우 어떻게 할 것인지를 늘 생각하고 있어야 하고, 그런 경우에는 검사를 즉시 중단하고 수술실로 옮기는 것이 더 나은 방

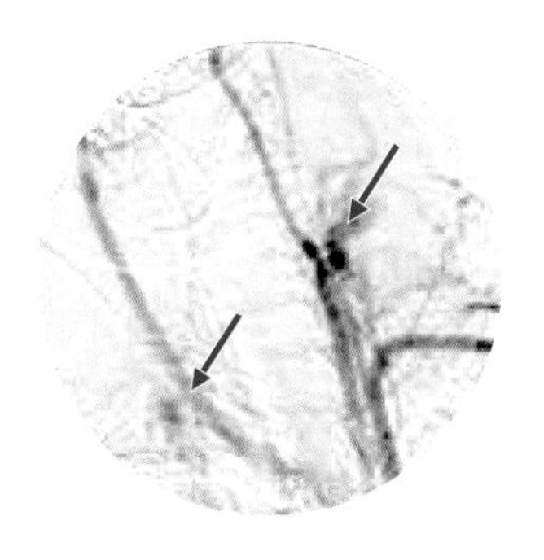

그림 5 경부 제2구역 좌측 경동맥 관통 손상 환자의 우측면.
칼이 목부위를 관통한 손상으로 우측 완두동맥에서 조영제의 혈관외유출이 관찰된다. 이 경우에는 풍선폐쇄와 개방적 수술을 동시에 시행하는 것이 유용할 수 있다.

법일 수 있다. 하지만 선택은 병원의 CT가 응급실 안에 있는지 아니면 멀리 떨어진 영상 검사실 한편에 있는지에 달려있기도 하다. 최악의 경우를 대비한 계획을 세우고 준비하였다면, 이를 팀원 전체와 공유하여야 한다. 그래야 팀원들도 그런 상황에 대비하고 동일하게 행동할 수 있을 것이다. 앞서 언급했듯이 최근에는 "CT on rails"가 외상소생실에서 사용될 수 있기 때문에, 이런 경우에는 검사를 더 쉽게 진행할 수 있을 것이다.

Word of advice

- CT 검사 계획: 필요한 것들이 다 있는가? CT 검사를 진행해도 안전한가?
- 항상 플랜 B를 가지고 있어야 한다.

EVTM 컨셉과 기본으로 되돌아가보자. 만일 당신이 환자가 악화될 수 있다고 걱정하거나 혈관내 외상치료방법들(예: 풍선, 혈관조영술, 스텐트 등)의 사용을 생각한다면, CT실 또는 수술실로 환자를 옮기기 전 신속한 대퇴동맥관 삽입을 고려할 필요가 있다. 동맥로 확보는 환자가 안정적일 경우에 훨씬 용이하지만 상태가 악화된 이후에는 무척 어려울 수 있기 때문이다. 작은 동맥관(4Fr 크기의 표준적인 대퇴동맥압 측정기구)이 있으면 환자 상태가 악화되었을 때 새로 동맥로를 시도하는 것보다는 쉽게 sheath 크기를 변경(upsizing)할 수 있다. 이 부분은 이 책의 제1장에서 기술되어 있다.

자, 이제 환자의 CT혈관조영검사에서 완두동맥(팔머리동맥, brachiocephalic trunk) 손상이 진단되었다고 가정해보자. 환자는 여전히 정상 혈압의 안정적 상태이고 의식은 명료하다. 이제 무엇을 할 것인가? 이 손상은 분명히 치료가 필요하고, 치료하지 않으면 생명에 위협이 될 수 있다. 치료는 수술이 될 수도, 혈관내시술이 될 수도 있다. 이 단계에서 가용한 자원을 활용하는 것이 현명할 것이다. 수술실 동료들에게 알리고 수술과 함께 혈관내시술(C-arm, 하이브리드 수술실)의 준비가 필요함을 알려야 한다. 혈관조영용 수술테이블도 준비해야 하고, 적절한 술기를 제공할 수 있는 전문의들(인터벤션영상의학전문의, 혈관외과의사, 흉부외과의사)을 소집해야 한다. 이는 근무하는 병원 자원에 전적으로 달려 있고, 환자에게 가장 적절하게 문제 없이 근치적 치료를 제공할 수 있게 진행되도록 한다.

완두동맥 손상 환자의 치료 방법은 어떤 것들이 있을까? 수술적 치료에서는 정중확장개흉술(midline extended sternotomy)이 혈관 노출과 봉합을 위한 표준적 방법이지만, 조영제가 누출되는 혈관 주변을 직접 절개할 때는 엄청난 출혈이 발생할 수 있다. 이런 출혈은 시술자의 훌륭한 수술 술기와 경험 많은 마취과의사에 의해 조절될 수도 있지만, 대량수혈 등의 치료가 더 필요하다. 이와 같은 경우에는 혈관내 스텐트 삽입도 하나의 선택지가 될 수 있지만, 이를 위해서는 와이어의 손상 부위 통과가 필요하고 이는 혈관내 혈전을 파괴하여 동맥손상 부위를 더 악화시킬 수 있다. 수술적 방법이든 혈관내시술이든, 치료 전에 근위부에 풍선을 이용한 폐쇄를 한다면 심각한 출혈이나 사망의 위험을 낮출 수 있고, 풍선폐쇄는 유용한 선택이 될 수도 있다.

Remark

- 앞서 보듯이, 우리는 "선택(option)"이라는 단어를 사용했다. 이는 고려해 볼만한 수단이라는 뜻이다. 결정을 내리기 전 생각을 해보고, 가장 좋은 수단을 사용하는 것을 망설이지 말자.
- 풍선은 근치적 방법의 가교(bridge)일 뿐이다.

여기 소개된 완두동맥 손상 환자에서는 대퇴동맥로를 확보하여 와이어를 대동맥궁까지 통과시켰다. 와이어를 통해 이제 다양한 가이드카테터나 긴 sheath을 이용하여 조심스럽게 손상 부위까지 진행할 수 있다(이 환자에서는 대퇴동맥로 확보와 와이어 삽입까지 1분 정도 걸렸다). 일단 와이어가 손상 부위를 통과하면, 동맥손상 부위를 막을 수 있는 적절한 크기와 길이의 풍선 카테터를 선택하는 것은 어렵지 않은 문제다(CT혈관조영술에서 동맥의 크기를 측정해서 필요한 풍선의 크기를 알 수 있다. 만일 CT 등의 검사가 없었다면 일반적으로 알려져 있는 목표 혈관의 크기를 떠올리고, 모른다면 경험 많은 동료들에게 의뢰하여 의견을 구해야 한다).

남자에서 완두동맥의 정상적인 크기는 약 8-12 mm이고 여자에서는 약간 더 작다(나이에 따라 다름). 이제 크기는 알았으니 풍선의 길이는 어느 정도 되어야 하나? 처음 시작할 때는 근위부 혈류만 차단하고 손상 부위 전체를 덮을 필요는 없기 때문에 짧은 풍선부터 사용한다. 긴 풍선(40-60 mm)이 좋을 수도 있지만 혈관내 공간에 딱 맞추기가 어렵다.

어떤 종류의 풍선을 사용할까? 어떤 회사의 제품? 특수 코팅이 필요한가? 외상이나 응급 상황의 지혈을 위한 시술에서는 단순하게 하는 것이 좋다. 구하기 쉬운 혈관성형풍선을 사용하는 것이 시술자의 요구에 맞을 것이다. 당신은 다른 종류의 풍선을 사용할 수도 있지만, 사용해 본 경험이 제한적일 것이다. 아주 고급스러운 기구가 필요한 것은 아니다. 너무 많은 선택지의 수렁에 빠지지 말자.

Word of caution

- 너무 큰 풍선(oversizing) 또는 과도한 팽창(over-inflation)은 혈관에 추가적인 손상을 줄 수 있다. 팽창(Inflation)과 수축(deflation)은 천천히 촉감을 느끼면서 해야 한다. 풍선을 부풀리면서 동맥벽에 풍선이 닿는 촉감을 느껴보고 어떤 저항이 느껴지면 거기서 멈춰야 한다. 동맥을 막기 위해 4-6 mmHg보다 더 풍선을 부풀릴 필요는 없다.
- 기구 사용에 익숙하지 않다면 주사기를 이용하여 직접 풍선을 부풀리는 것이 좋다. 수기로 하면 혈관 저항을 느낄 수 있기 때문이다.

완두동맥 기시부로 삽입된 풍선은 동맥 출혈을 조절하고 수술을 쉽게 해준다. 이런 풍선폐쇄 방법이 다른 다양한 부위의 혈관에도 적용될 수 있다는 것은 어렵지 않게 알 수 있다. 풍선이 당신에게 시간을 벌어주고, 한숨 돌릴 수 있게 해주며 환자에게 충분한 소생술을 할 수 있게 해준다. 그러나, 너무 많은 시간을 사용하면 안 된다는 것을 기억하고, 신속하게 다음 단계를 계획하여야 한다. 손상된 혈관을 고치기 전에 치료해야 하는 다른 손상들이 있는가? 지혈해야 할 다른 부위가 있는가? 수술 또는 혈관내시술? 어떤 치료방법을 선택할 것인가?

여기서 또 중요하게 고려할 점은 동맥 폐쇄가 원위부의 허혈을 발생시킨다는 것이다. 어떤 부위에서는 측부(collateral) 순환이 풍부해서 허혈이 큰 문제가 아닐 수 있다. 하지만 다른 부위, 예를 들어, 경동맥이나 다른 장기의 동맥(renal, hepatic, mesenteric)들은 폐쇄가 시작되면 재관류가 시작될 때까지 숨 가쁜 시간과의 싸움이 시작된다. 가능한 빨리 혈류를 정상으로 되돌려야 한다. 또, 종종 잊는 것이 길이가 긴 풍선이 동맥 가지들에 미치는 영향이다. 예를 들면, 완두동맥 손상을 막는 풍선이 경동맥을 막을 수도 있고 최소한 혈류를 감소시킬 수도 있다. 이는 측면순환이 많이 발달된 환자에서는 큰 문제를 일으키지 않을 수 있고, 응급상황에서 "필요악"이 될 수도 있지만, 정상 혈류를 회복한 후 뇌허혈의 위험을 피하기 위해 신속하게 처리하는 것이 필요하다.

완두동맥 손상의 예를 기술하였지만 이런 접근법은 다른 혈관손상에도 분명히 적용 가능하다. 아래 그림들은 풍선폐쇄술의 원리를 장골동맥 손상에서 효과적으로 이용한 것을 기술하였다.

비슷한 원리가 말초동맥, 내장(visceral)동맥들 또는 고형장기 동맥들에 이용될 수 있다. 특히 수술적 접근이나 치료가 어려운 위치에서 유용할 수 있다. 손상된 혈관에 와이어를 통과시키거나 근위부 혈관에 와이어를 위치시키면, 풍선을 삽입하여 혈류를 조절할 수 있다. 하지만 와이어와 카테터를 복부 장기에 삽입하는 데는 시간이 걸린다는 것을 명심하고 전체적인 계획을 세워야 한다.

어떤 수단을 사용하든 적절한 기구를 사용하여야 한다. 잠시 시간을 내서 동료들이 어떤 새로운 유용한 도구를 사용하고 있지는 않은지 물

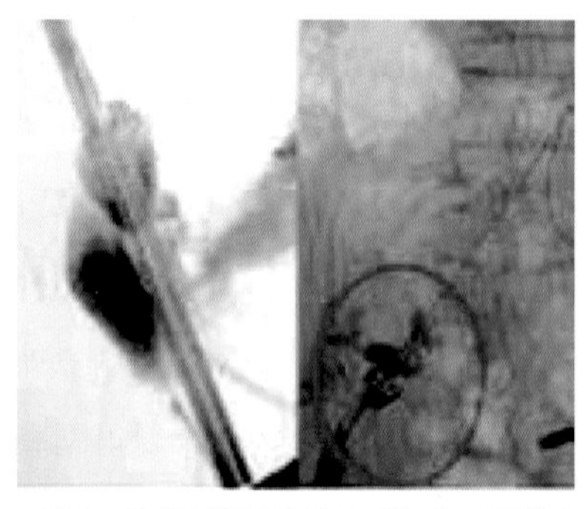

그림 6 조영제의 혈관외유출이 관찰되는 장골혈관의 출혈.

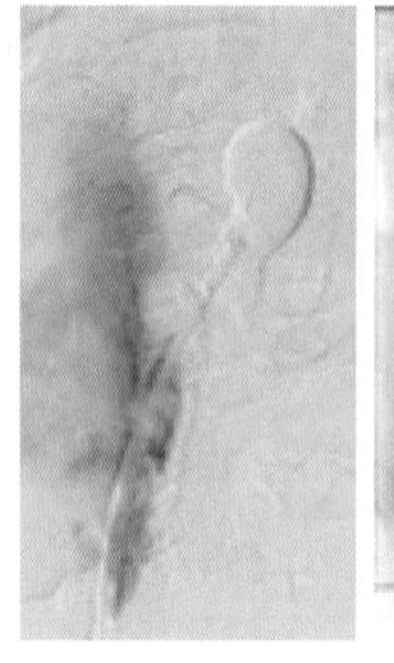
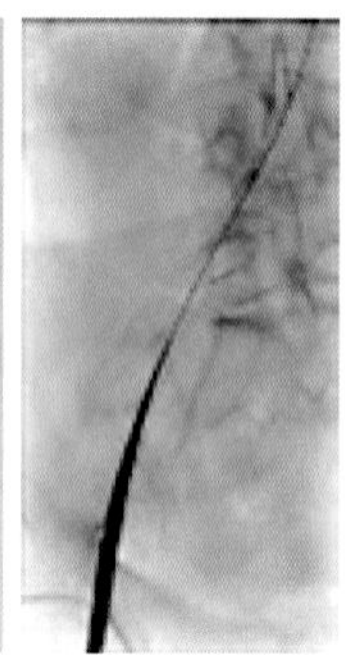

그림 7 동맥 치료를 위해 삽입된 sheath와 와이어.
REBOA가 출혈을 줄이기 위해 Zone III에 삽입되었다. 혈관조영사진에서 출혈 부위로 판단되는 조영제의 유출모습을 확인할 수 있다(비외상환자).

어보고 그것들을 사용하는 것이 좋을 수 있다. 혈관내시술은 시간과 자원을 더 많이 필요로 할 수 있으므로, 수술적 치료가 더 현명하고 편리할 때도 있다. 반대로 시간이 충분하다면 혈관내시술은 보다 우아한 치료 방법이 될 수도 있다. 이미 여러 차례 개복술을 받은 환자라면 복강내출혈이 있을 경우 수술적 접근은 매우 어렵고 많은 시간이 소요될 수 있다. 아래 그림에서 다른 치료 방법들을 볼 수 있다. 결론적으로, 근위부 풍선폐쇄술은 혈관손상의 치료에 있어 매우 유용한 수단이다. 모든 경우에 알맞은 완벽한 수단은 아니지만 특정 환자에서 기존과 다른 치료 과정 및 결과를 만들 수 있다. 다양한 가능성들에 대해서는 이 책의 다른 장에서 좀 더 기술할 것이다.

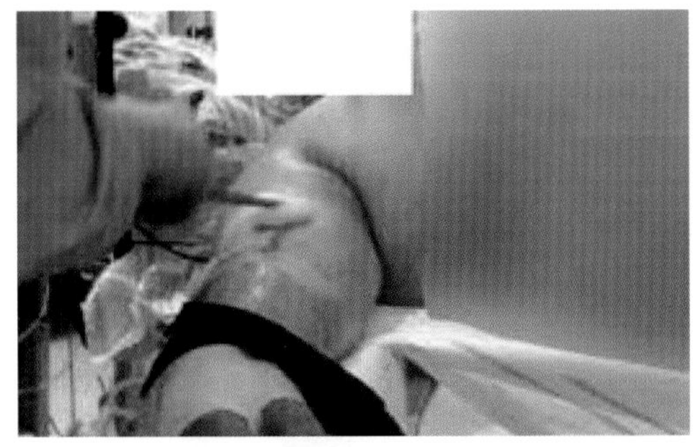

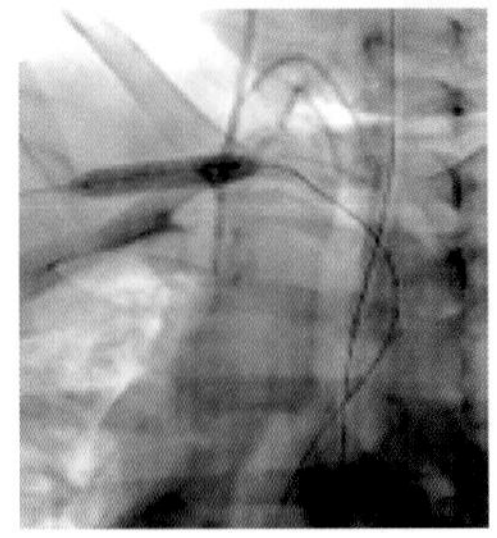

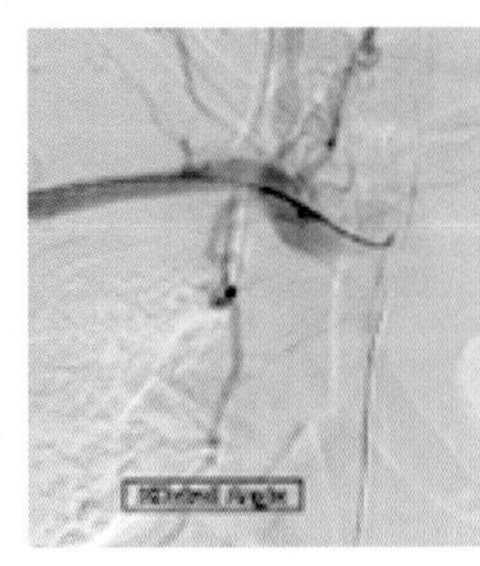

그림 8 심한 비만환자에서 쇄골하동맥 손상을 치료하기 위해 혈관성형풍선과 스텐트를 이용한 경우. 와이어의 위치와 풍선의 크기를 보라. 이 경우 풍선폐쇄는 최종치료를 위한 일시적인 가교로 이용될 수 있다.

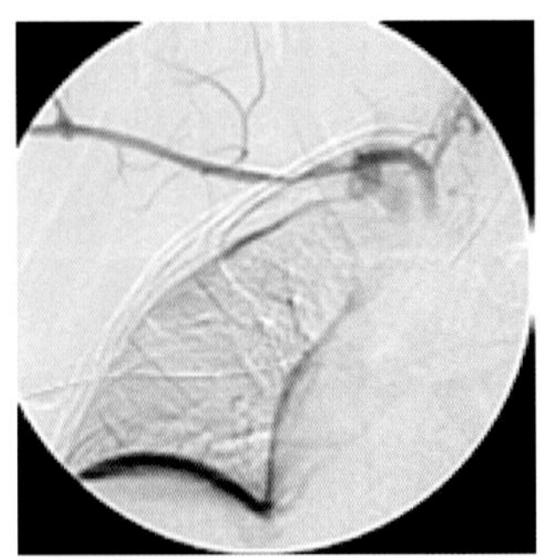

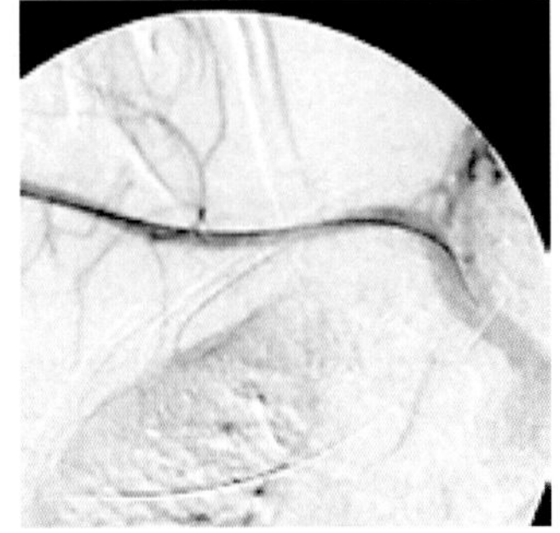

그림 9 좌측 쇄골하동맥손상과 조영제 누출.
스텐트 삽입과 혈관조영술. 풍선폐쇄는 유용하지만 과도한 팽창은 동맥손상을 악화시킬 수도 있다.

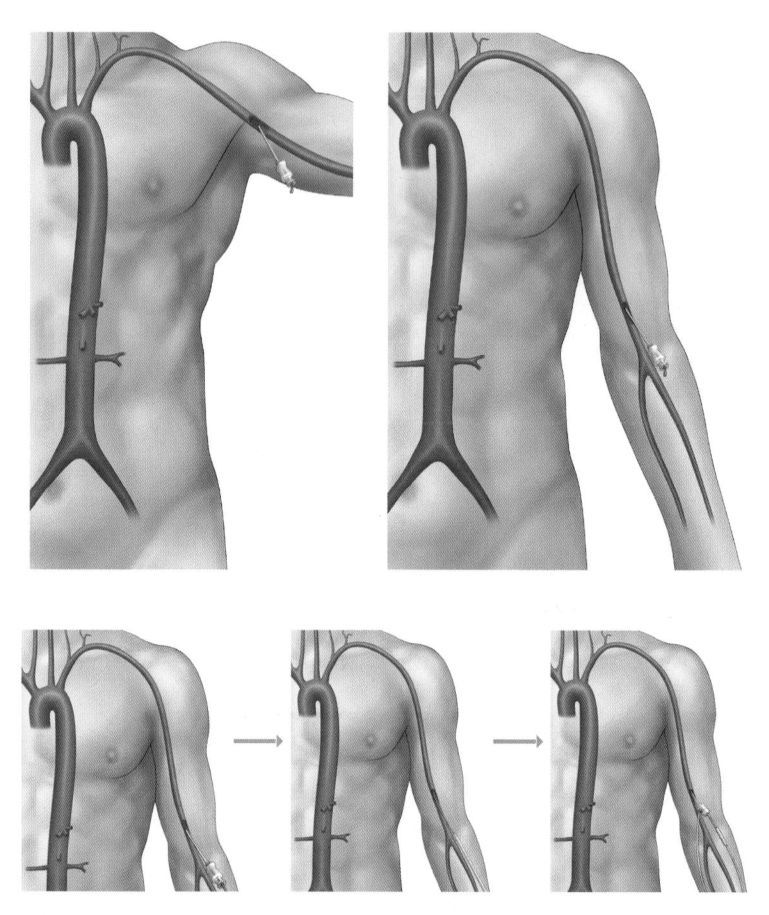

그림 10 동맥로 확보와 와이어, sheath의 삽입. 와이어가 손상 부위를 통과했다면 풍선 또는 스텐트를 사용할 수 있다.

A

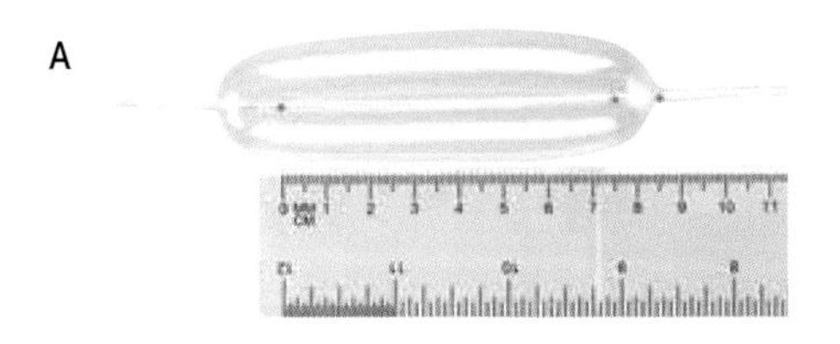

B

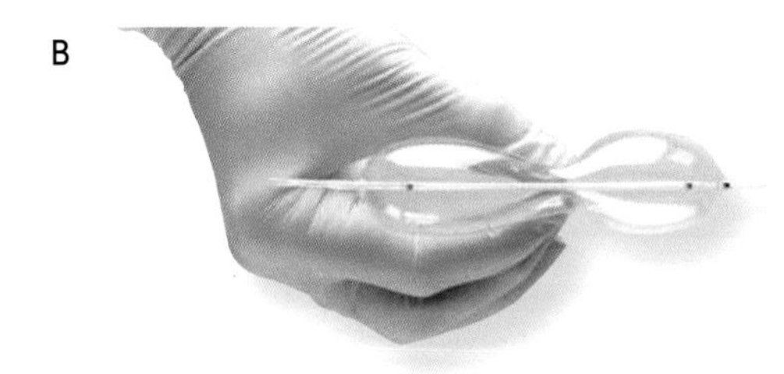

그림 11 대정맥 지혈에 사용될 수 있는 풍선 카테터의 예(Spectranetics 제품).

Key points

- 수술적 치료가 여전히 가장 표준적인(gold standard) 방법이다. 환자가 불안정할 경우 혈관내시술이나 풍선폐쇄를 시행할 자원을 소집할 시간이 없을 것이다.
- 혈관로 확보 없이는 혈관내시술을 할 수 없다. 중재술이 필요할 것 같은 환자에서 초기에 혈관로 확보를 고려해야 한다.
- 환자 상태가 허락한다면 영상 검사를 이용하는 것을 고려해야 한다. CT혈관조영술은 손상 부위를 확인하고 혈관내시술이 가능할지 결정하는 데 도움이 된다.
- 풍선을 이용할 때는 과대크기와 과대팽창을 피하도록 한다. 손에 느껴지는 저항을 무시한다면 상황을 악화시킬 수 있다.
- 헤파린을 사용할 수 있는 상황이라면, 가능한 한 사용하는 것이 좋다. 혈관내시술을 하고 헤파린을 사용하는 것이 후회할 일이 없게 만든다. 특히 완두동맥, 경동맥, 장동맥손상을 치료했을 때는 더욱!

TOP STENT

The art of EndoVascular hybrid Trauma and bleeding Management

CHAPTER 8

주요 경부 및 체부 혈관 손상에서의 스텐트 이식편의 사용: 어떤 환자에게, 어느 부위에, 그리고 어떻게?

Stent Grafts for major cervical and truncal vessels: Who, Where and How?

Joe DuBose, Elias Brountzos, Timothy Williams, Tal Hörer, Thomas Larzon

혈관내 기술의 지속적 발전에 힘입어 동맥경화나 동맥류성 질환뿐 아니라 외상으로까지 그 적용범위가 확대되고 있다. 여러 문헌들은 스텐트 이식편(stent graft)을 포함한 혈관내 기술이 최근의 혈관 손상 치료에 있어 중요한 부분이 되었음을 시사한다. 우리는 이러한 움직임이 더 나아가 혈관내 장비가 수술을 용이하게 하거나 이를 대체하는 통합적인 혈관내 하이브리드를 이용한 외상 및 출혈 관리(endovascular hybrid trauma and bleeding management, EVTM) 개념으로 발전될 것이라고 생각한다. 이번 장에서는, 대동맥과 대동맥의 주요 가지인 완두동맥(팔머리동맥, brachiocephalic trunk), 경동맥(carotid artery), 쇄골하동맥(subclavian artery), 내장동맥(visceral artery) 및 장골동맥(iliac artery)에서의 스텐트 이식편 사용의 기본 원칙에 관해서 논의하고자 한다. 이번 장의 내용 일부는 다른 장에서 다른 저자들에 의해 다뤄졌을 수 있으나 최근의 혈관내 기술 발전 전반에 대한 이해를 위해서 이 장이 필요하다고 생각된다. 특정 제품의 구체적인 세부사항들에 대해서는 논하지 않을 예정인데, 이는 제품의 선택은 지역적 요소의 영향을 많이 받을 수밖에 없고, 현재 이 분야의 제품 개발과 회전율이 너무 빠르기 때문이다. 이번 장은 EVTM 개념의 중요한 부분이 된 스텐트 이식편 사용의 기본 원칙과 활용팁에 대해 논하는 것에 그 목적이 있다. 우리의 주 관심사는 혈관 손상의 급성기 및 아급성기 치료이며, 혈관 손상과 관련된 응급 상황에서 이를 신속하게 해결할 수 있는 방법들에 중점을 둘 것이다.

1. 누구에게 시행할 것인가? – 환자와 혈관 선택

Who? – Vessel and Patient Selection

인체의 모든 주요 혈관에 스텐트 이식편을 삽입하는 것은 가능하다. 혈관내시술의 적용이 비응급질환으로 점차 확대되면서 원하는 혈관에 스텐트 이식편을 삽입하기 위한 여러 가지 뛰어난 기법들이 보고되었다. 하지만 외상환자의 치료에 있어 혈관내기법을 적용할 것인지를 결정할 때에는 혈관내시술이 주어진 상황에 적용 가능한지, 그리고 시행이 용이한지를 모두 고려해야 한다. 달리 말하면, 스텐트 이식편을 사용할 수 있다는 것이 모든 케이스에서 스텐트 이식편을 사용하라는 의미는 아니다.

특정 손상이나 특정 환자에서 스텐트 이식편의 적용여부를 결정할 때 고려해야 할 몇 가지 중요한 문제들이 있다. 특정 손상에서 동등한 치료결과를 얻을 수 있는 다른 혈관내치료법이 있는가? 스텐트 이식편을

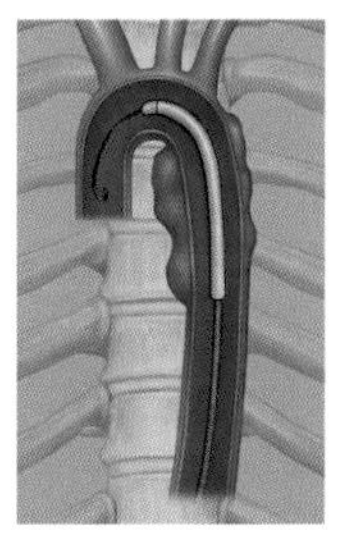
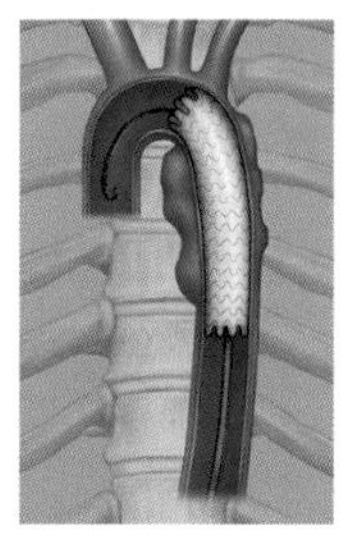
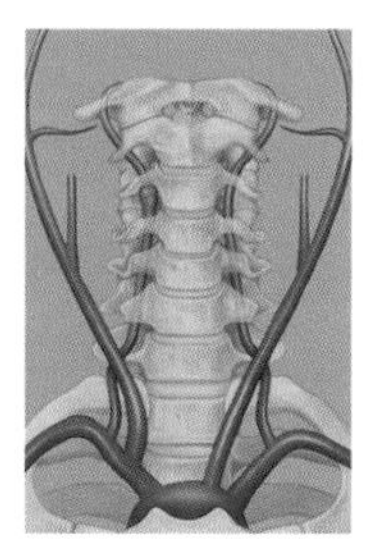
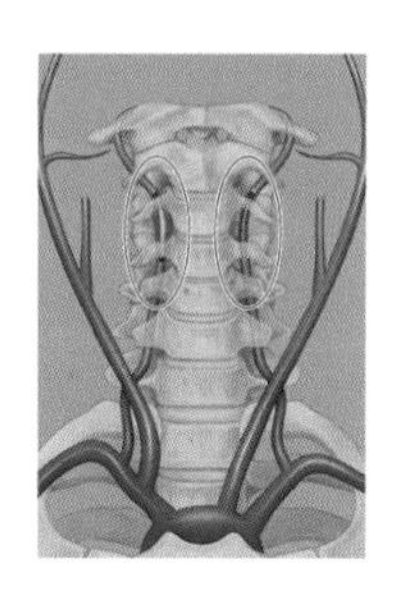

그림 1 혈관내 기법을 이용하여 가능한 치료들의 몇 가지 예.
TEVAR, 척추동맥 풍선카테터와 스텐트 이식편.

사용함으로써 중요한 동맥분지가 막히거나 필수적인 측부순환로가 손상되지는 않는가? 스텐트 이식편을 특정 부위에 위치시켰을 때 조기 폐쇄의 위험은 없는가? 특정 부위에서 색전의 위험이 높지는 않는가? 스텐트 이식편보다 더 용이하고 잠재적 합병증이 적은 수술적 치료법이 있는가? 이 질문들 중 한 가지라도 그에 대한 대답이 "예"라면 스텐트 이식편으로 치료하는 것이 당면한 문제의 이상적 해법이 아닐 수 있다. 추가로, 혈관내치료법을 안전하게 적용할 수 있는 전문기술과 장비가 있는지도 고려해야 한다. 어떤 상황에서도 경험없는 술기를 시도하여 문제를 해결하려 해서는 안 된다. 또한 EVTM 접근법을 적절하게 적용하기 위한 인력, 영상, 장비를 준비하는 데 걸리는 시간이 짧지 않음을 기억해야 한다. 활력징후가 안정된 환자에서는 이러한 시간이 가능하겠으나, 응급환자에서는 장비나 전문인력이 도착하기를 기다리는 것이 오히려 해가 되거나 심지어 환자를 사망에 이르게 할 수도 있다.

이렇게 고려해야 할 사항들이 많지만, 수술적 치료보다 혈관내치료법을 적용하여 더 안전하고 신속하게 치료할 수 있는 특정 혈관 손상들이 존재한다. 혈관내치료가 적합한 환자를 어떻게 선택할 것인가는 여전히 연구해야 할 부분이지만, 적절히 선택된 환자에서 EVTM이 혈관 손상 치료결과(trauma outcome)의 개선에 기여할 수 있음이 명백해지고 있다. 혈관내치료법을 단독으로 사용할지, 수술적 치료와 함께 하이브리드 방식으로 사용할 것인지, 선택은 개별 상황에 따라 달라지겠지만, 외상외과의사가 두 가지 방식 모두를 익숙하게 적용할 수 있게 된다면, 어려운 상황들에 직면하였을 때 큰 도움이 될 것이다.

Remark

- EVTM은 전체적인 개념을 일컫는 말이다. EVTM이 "혈관내시술"만을 뜻하는 것은 아니다.
- 환자가 혈관내치료에 적절한지 결정해야 한다.
- 이 환자에게 시간이 얼마나 있는가? 누가 이 문제를 해결할 수 있는가? 이 환자에게 가장 좋은 치료는 무엇인가? 어떤 치료를 선택할지 결정할 때 이 질문들을 꼭 고려하자.

2. 어디에 어떻게 적용할 것인가?

Where and how?

1) 흉부대동맥(Thoracic aorta)

둔상에 의한 흉부대동맥 손상(blunt thoracic aortic injury, BTAI)의 경우 여러 측면에서 혈관내 스텐트 이식편 시술의 잠재적 유용성을 잘 보여준다. 혈관내기법이 발전하기 전에는 흉부대동맥 손상을 치료하려면 큰 절개창과 심장우회술이나 원위부 대동맥 관류술 등을 이용한 개흉술이 필요했었다. 이러한 손상에 대한 치료 방침은 21세기 초반부터 수술보다는 혈관내 흉부대동맥 치료(thoracic endovascular aortic repair, TEVAR)로 본격적으로 변화하기 시작하였으며, 많은 연구에서 BTAI 환자의 표준치료가 되었음을 보여주고 있다. 어떤 BTAI 환자군에서 TEVAR가 적용되어야 할까? 이를 결정하기 위한 다양한 점수체계가 제안되고 효과적으로 적용되고 있으나, 요점은 파열의 위험이 시술의 위험보다 크다면 TEVAR를 시행해야 한다는 것이다. 현재 응급 TEVAR는 흉부대동맥의 가성동맥류나 진성열상(true transection)이 있는 경우 적용되고 있고, 환자의 상태와 동반 손상의 심각성을 기준으로 시술 시점이 결정된다. 현재의 데이터와 경험은, 파열의 위험이 높은 경우가 아니라면, 초기에는 손상된 대동맥에 가해지는 압력을 최소화하기 위해 혈압을 조절하고, 손상 24시간 이후 지연수복(delayed repair)하는 것이 권고되고 있다.

TEVAR 시술 방법은 외상성 대동맥손상과 대동맥류 및 박리성 질환 모두에서 잘 정립되어 있다. 하지만 외상과 관련하여, 몇 가지 특별히 고려해야 할 사항들이 있다. 첫 번째는 혈관 확보 및 스텐트 이식편 삽입을 위한 항응고제 사용에 관한 것이다. 특히 혈압이 낮은 환자에서 큰 직경의 sheath가 요구되는 TEVAR 시술을 시행하는 경우, sheath에 의한 원위부 하지 혈관 폐쇄의 위험성이 높다. 따라서, 외상 환자에서 큰 직경의 sheasth를 사용하는 경우에는 혈전증 및 색전증의 위험성이 있음을 인지하고 있어야 한다. 비응급상황에서는 헤파린 사용을 통해 이러한 위험성을 줄일 수 있으나, 출혈 환자에서는 헤파린 사용에 제약이 있을 수 밖에 없다. 실제로 BTAI가 있는 외상환자에서 전신 항응고치료의 금기가 되는 다른 손상이 동반된 경우를 꽤 흔하게 볼 수 있다. 그러므로 외상성 두부 출혈이나 고형장기손상은 이들 환자에서 예외적인 상황이 아닌, 충분히 동반될 수 있는 상황임을 알고 있어야 하고, 동반손상은 외상팀이 환자 치료 계획을 수립할 때 심도 있게 논의되어야 한다. 이러한 금기를 가진 환자에서 응급 TEVAR가 시행되어야 한다면, 사지의 허혈성 손상에 대한 위험성을 감수한 채로 항응고요법 없이 시술을 진행해 볼 수 있다. 항응고요법없이 시술이 진행되었다면, 최종 혈관조영술 영상(completion angiography)이나 초음파를 통하여 시술 후 대퇴동맥의 개통 여부를 확인하는 것이 현명할 것이다. 반일 혈전증이 의심된다면, 필요시 대퇴동맥을 수술적으로 노출시켜 혈전제거술을 시행할 수 있다. 경피적 방법으로 sheath를 삽입한 경우, TEVAR 시술 중 적은 양이긴 하지만 대퇴동맥의 혈류가 보존된다. 반면에 수술로 대퇴동맥을 노출시켜 sheath를 삽입한 경우에는 혈관집과 혈관벽 사이에서 생기는 출혈을 방지하기 위해 혈관집과 혈관을 임시적으로 묶는 동맥의 밴딩(banding)이 필요하여 해당 대퇴동맥을 통한 원위부 혈류가 완전히 차단될 수 있다.

Remark

긴급한 상황에서 TEVAR를 시행할 때는 저혈량의 외상환자에서 큰 직경의 sheath가 대퇴동맥의 혈류를 차단할 수 있음을 고려하자! TEVAR만 해놓고 돌아선다고 끝이 아니니다.

BTAI 환자에서 치료는 필요하지만, 응급 상황이 아닌 경우, 외상성 뇌손상이나 기타 외상 관련 2차 출혈 위험이 낮아질 때까지 술기를 지연시키는 것이 바람직하다. 최소 48시간 정도의 지연은 TEVAR 시 필요한 헤파린 사용의 위험성을 크게 감소시킬 수 있고, 사지의 혈전/색전의 위험성을 낮추어 안전하게 BTAI 환자의 치료를 할 수 있도록 한다. 외상 TEVAR에서 흔히 접하는 또 다른 문제는 좌측 쇄골하동맥(left subclavian artery, LSCA) 커버리지(coverage)의 필요성이다. 현재 대규모 외상센터에서의 경험에 따르면 TEVAR를 필요로 하는 외상환자의 40%에서 좌측 쇄골하동맥을 포함하여 대동맥에 스텐트를 삽입하는 것이 필요하다고 하고, 문헌에 따르면 전형적인 외상환자 좌측 쇄골하동맥 커버리지는 매우 양호한 것으로 알려져 있다. 경동맥-쇄골하동맥 우회술은 혈류저하증상(symptom of steal)이 나타나면 필요시 지연적으로 시행할 수 있다. 한편, 스틸증후군(steal syndrome)의 위험성은 외상평가 중 시행한 수술 전 영상을 주의깊게 관찰함으로써 종종 예측할 수 있다. 획득한 CT혈관조영술 영상을 통해 왼쪽 척추동맥과 윌리스고리(Circle of Willis)의 해부학적 크기를 추정할 수 있다. 만약 왼쪽 척추동맥의 우월성(dominance)이나 윌리스고리(Circle of Willis)의 이상(생각보다 흔함)이 관찰되는 경우에는 조기에 경동맥-쇄골하동맥 우회술이 필요할 수 있다. 상황에 따라 TEVAR 시행 전에 수술의 첫 단계로 우회술을 먼저 시행할 수 있지만, 응급상황이 아닌 경우에 시행해야 하는 것을 원칙으로 한다.

Tips

대부분의 경우, TEVAR를 실행하고 수술적인 우회술을 고려해 볼 수 있다.
수술 후 환자가 우회술이 필요한지 임상적으로 판단해야 한다.

추가적으로 고려할 사항은 좌측 쇄골하동맥 커버리지(coverage)로 인해 증가할 수 있는 사지마비의 위험성이다. 현재 비응급상황에서는 TEVAR 시행 전에 경동맥-쇄골하동맥 우회술을 시행함으로써 이러한 위험성을 줄일 수 있다고 알려져 있으며, 15-20 cm 이상의 긴 대동맥 구간을 덮게 되는 경우, 예방적 우회술을 고려하고 있다. 그러나 이러한 예방적 우회술 없이 TEVAR가 이루어지는 응급상황에서 시술 후 사지 마비가 발생했다면, 우선적으로는 뇌척수액 배액술이 시도되어야 한다. 또한, 뇌척수액 배액 시 외상환자와 응고장애 환자들에서 척추 천자와 관련된 혈종 위험성이 있음을 알고 있어야 한다. 흉부대동맥에서 분지형 이식편(branched graft)을 포함한 혈관내 기술이 점차 발전하여, 가까운 미래에는 좌측 쇄골하동맥 폐쇄에 따른 합병증에 대한 걱정을 덜 수 있길 기대해본다.

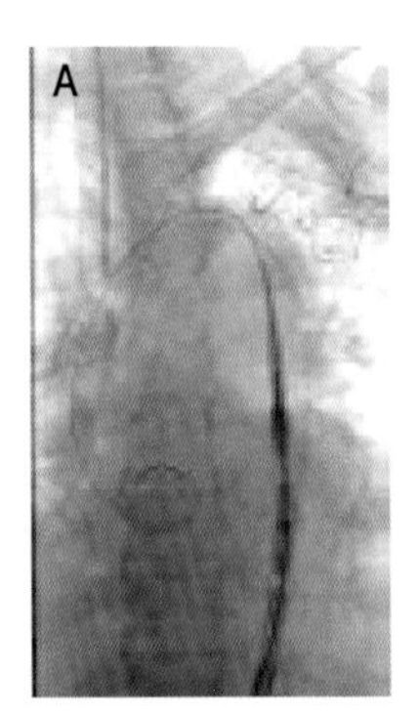

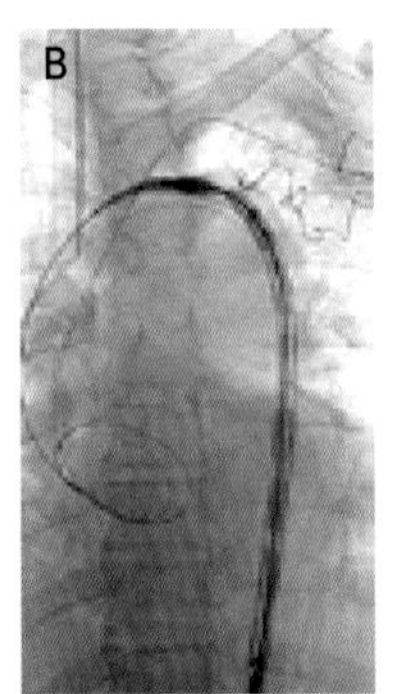

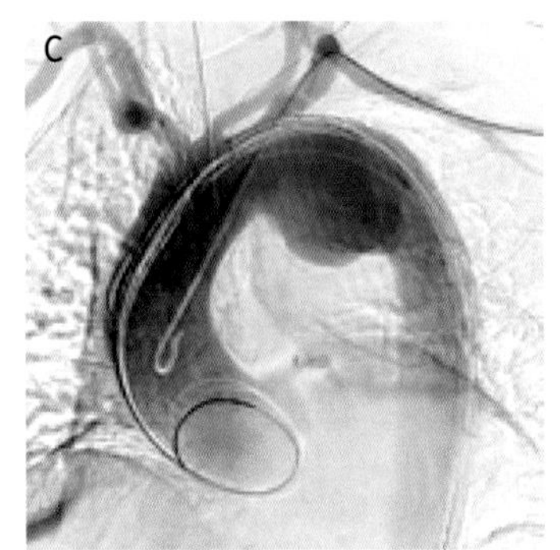

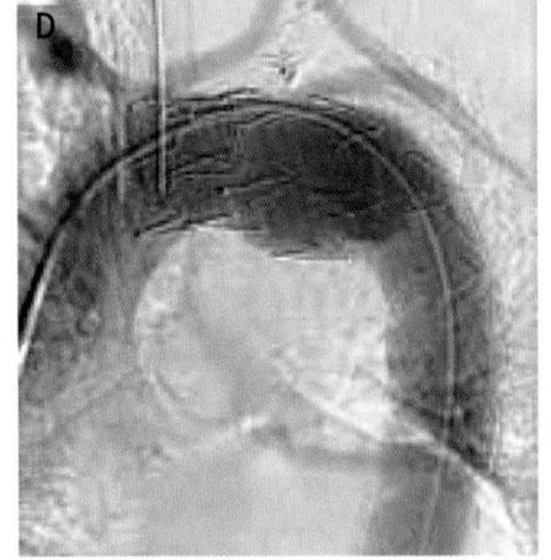

그림 2 A~D. 비외상 상황에서 스텐트 이식편 거치 방법.
스텐트 이식편을 대동맥궁의 원하는 위치까지 진입시킨다. 혈관조영술을 통해 주요 대동맥 분지 혈관들의 위치를 확인하는 것이 중요하다. 대동맥의 혈관들이 펼쳐져 보일 수 있게 C-arm을 돌려서 촬영하는 것을 잊지 말자. 해당 환자의 혈관조영술은 상완동맥-쇄골하동맥을 통한 카테터를 통해 이루어졌다.

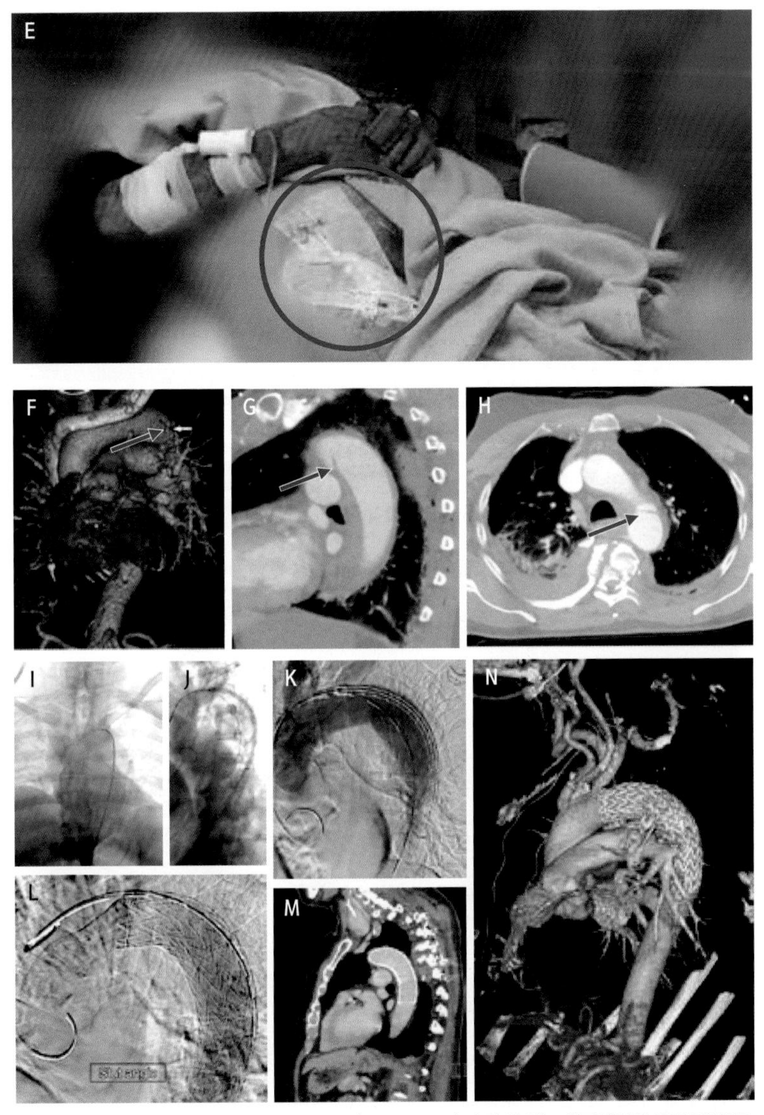

그림 2 E~N. 외상에 의한 흉부대동맥의 절단(transection) 손상이 있는 환자에서의 응급 TEVAR. 와이어와 스텐트 이식편이 거치되는 조영술 사진과 시술 전후 CTA 사진. 스텐트 이식편이 펴지면서 대동맥의 굴곡을 따라 손상 부위가 잘 덮인 것을 눈여겨 보자.

조기에 좌측 쇄골하동맥으로 혈류를 보내줄 수 있는 다른 새로운 접근법들도 보고되고 있다. 복잡한 흉부대동맥 질환에서 굴뚝술(chimney)이나 잠망경법(periscope) 같은 병렬식 스텐트 이식편 삽입술에 대한 경험이 증가하고 있다. 병렬식 이식편 삽입술은 현재 대동맥궁을 침범한 대동맥류의 치료에서 쇄골하동맥과 경동맥을 보존할 수 있는 기술로 널리 사용되고 있으며, 특히 천공이 있는 이식편(fenestrated graft)과 같은 상용 제품을 사용할 수 없는 응급 복부대동맥질환의 치료에 유용한 방법이다. 이러한 접근법은 다른 대동맥 분절 또는 다양한 다른 부위의 손상된 동맥을 수복할 때 중요 분지 동맥을 보존하기 위해서 이용될 수 있다. TEVAR용 천공이식편(fenestrated graft)도 상품화되고 있어 분지 혈관을 보존해야 할 때 유용하게 사용될 수 있을 것으로 생각된다. 이러한 복잡한 시술을 위해서는, 시술을 면밀하게 계획하고 필요하면 전문 기술을 가진 동료들의 도움을 받아야 할 수 있어, 시간이 있는 아급성 상황에서 특히 유용할 것이다.

좌측 쇄골하동맥의 재관류를 위해 복잡한 술기를 시도할 때 고려해야 할 핵심 요소는 시술을 완료하는 데 소요되는 시간이다. 다수의 BTAI 환자들에서 좌측 쇄골하동맥을 덮는 간단한 TEVAR는 다른 긴박한 동반 손상에 신속하게 집중할 수 있게 함으로써 전체적인 환자 결과를 개선시킬 수 있다. BTAI를 치료함에 있어 여러 종류의 복잡한 혈관내기법들이 존재하므로 복잡한 시술에 대해서는 다학제적 접근을 추천한다.

환자에게 TEVAR가 필요하다고 판단된다면 몇 가지 생각해 볼 점들이 있다. 사용 가능한 장비가 있는가? 내게 필요한 지식과 경험이 있는가? 그리고 이 방법이 환자에게 가장 좋은 옵션인가? 하는 것이다.

CT혈관조영술(computed tomography angiography, CTA) 영상은 BTAI에서 성공적인 TEVAR를 시행하는 데 중요한 3가지 요소를 가능하게 할 수 있다는 점에서 매우 중요하다. 그 3가지 요소란 1) 근위 대동맥 안착 부위(landing zone)의 길이, 2) 근위부 및 원위부 안착 부위에서 대동맥의 실제 직경, 3) 접근혈관인 대퇴동맥과 장골동맥의 직경과 비틀림(tortuosity) 정도이다.

Practical tips

- CT혈관조영술로 얻어진 여러 방향에서의 영상을 보고 혈관의 손상 패턴을 파악해보자. 다른 혈관에 손상은 없는가? 정상 대동맥은 어느 부위이며, 정상 대동맥의 직경은 어떠한가?
- 사용할 접근로(대퇴동맥, 장골동맥 등)를 파악하자. 큰 직경의 sheath 삽입에 무리가 없겠는가?
- 일반적으로 안착 부위의 길이는 15 mm 이상이어야 하며, 내강누출(endoleak)을 방지하기 위해서는 동맥 직경보다 15-20% 큰 스텐트 이식편을 선택해야 한다.
- 대동맥 직경이 작은 젊은 환자들에서는 고령 환자를 위해 개발된 상용 스텐트 이식편 제품을 사용하였을 때 직경이 너무 커서 혈관 내에서 접히거나 펴지지 않는 문제가 발생할 수 있으므로 스텐트 이식편의 사용이 가장 좋은 치료법인지 다시 한번 생각해보아야 한다. 대동맥의 크기와 탄력성은 나이 들어감에 따라 변하기 때문이다.
- 스텐트 이식편은 수술까지의 시간을 벌기 위한 가교(bridge) 치료로서 고려될 수도 있으나 스텐트 이식편을 제거하는 것은 기술적으로 쉽지 않다.

만일 하행 흉부대동맥에 출혈이 있는 자상 환자가 있다면, 한쪽 대퇴동맥을 통하여 REBOA (자세한 내용과 금기에 대해서는 책의 관련부분을 참고하기 바란다)를 시행함으로써 환자의 혈역학적 상태를 안정시키고, 반대쪽 대퇴동맥을 통해 스텐트 이식을 시도해 볼 수도 있다. 혈관조영술을 위해 또 하나의 혈관 확보가 필요하다면 동일한 대퇴동맥에 이중 천자를 이용하거나 큰 sheath를 사용하여 REBOA용 풍선카테터와 조영술용 카테터를 함께 삽입해 볼 수도 있고, 상완동맥이나 액와동맥을 이용해 볼 수도 있다. 난이도 있는 술기들은 혼자 시행하기에 앞서 전문가와 함께 하는 훈련을 통해 미리 익혀두는 것이 좋다.

출혈 환자에서는 지금 출혈을 어떻게 해결할 수 있을지에 집중하자. 최선의 해결책은 무엇인가? 다른 문제에 대해서는 그 이후에 생각해도 된다. 많은 출혈성 병변들은 이미 지혈이 이루어져 혈관에 손상은 있으나 현재 피가 나지 않을 수 있으며, 이러한 병변들에 대해서는 혈관중재술을 전문적으로 시행하는 영상의학과 시술팀이나 혈관외과팀의 도움을 받아서, 충분한 준비 시간을 가지고 복잡한 혈관내기법들을 사용하여 혈관손상을 치료할 수도 있다. 그러나 "항상 혈관내시술을 할 수 있다"고 생각해서는 안 된다. 환자에게 가장 좋은 치료법이 무엇인지 고민해보고, 수술적 치료가 더 적합한 환자도 존재하므로 혈관내치료법과 수술을 항상 함께 고려하여야 한다. EVTM은 혈관내치료법이 바로 지금 이 환자에게 어떤 도움이 될 수 있을지를 생각하는 것이다.

Practical tips

- 만약에 환자가 하행 흉부대동맥에서 출혈되고 있다면 REBOA를 이용하여 환자를 안정시킨 후 반대쪽 대퇴동맥을 통해 스텐트 이식편을 삽입할 수 있다.
- REBOA가 모든 흉부 외상에서 금기라고는 생각되지 않는다. 특히 당신이 전체적인 EVTM 개념 안에서 올바르게 사용한다면 말이다.

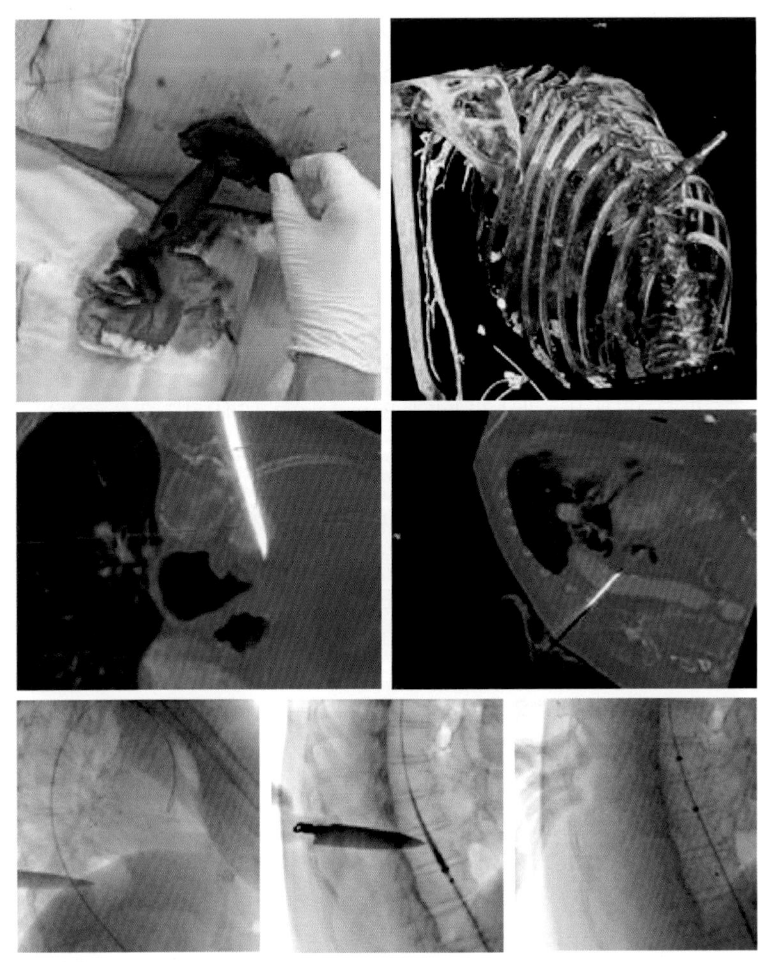

그림 3 칼에 의한 등쪽 자상으로 대동맥이 관통된 환자에서 스텐트 이식편이 성공적으로 사용된 것을 보여주고 있다. 시술 전 CT 재건영상(3.2-3.4)과 시술 과정 중의 C-arm사진(3.5-3.7).

Practical tips

- 조영술을 위한 세 번째 접근로가 필요하다면 동일 대퇴동맥에 이중 천자를 하거나 직경이 큰 sheath를 사용하여 REBOA용 풍선카테터와 조영술용 카테터를 함께 삽입하거나 또는 상완동맥이나 액와동맥을 이용해 볼 수도 있다.
- 수술은 늘 함께 고려되어야 한다. 다른 장기들은 괜찮은가? 지금 이 환자에게 가장 좋은 치료법은 무엇인가? 단순히 혈관내기법이 가능하다고 해서 수술적 치료를 배제해서는 안 된다.
- 대퇴동맥을 확보하고, 단단한 와이어(stiff wire)를 통해 필요한 크기의 sheath(주로 18-24Fr)로 바꾼다. 부드러운 와이어(soft wire)를 넣어 살짝 구부러진 끝을 가진 카테터(예: Bernstein)를 진입시키고, 이후 카테터를 눈금자가 그려진 계측 가능한 조영술용 카테터로 바꾼다. 어떤 경우에는 조영술용 카테터를 바로 사용하기도 한다.
- 단단한 와이어를 따라 스텐트 이식편을 병변을 지나 안착 부위 너머까지 진입시킨다. 그 후, 안착 부위 근위부까지 당겨 위치시키고, 조영술을 시행하여 위치를 확인한다. 대동맥궁을 관찰하기 위해서는 C-arm을 옆으로 기울여야[40-50° 좌전사위상(left anterior oblique, LAO)] 하는 것을 잊지 않도록 한다.
- 기도에 삽관된 튜브와 대동맥궁이 만나는 부분은 대략적으로 좌측 경동맥의 시작 부위와 일치한다.
- 스텐트 이식편의 거치법은 회사별로, 제품별로 다르므로 사용하는 스텐트 이식편 시스템에 대해 미리 알고 있는 것이다.
- 항상 종료 전에 최종 혈관조영술(completion angiography)을 촬영하여 이식편이 원하는 위치에 거치되어 있는지, 내강누출은 없는지, 그리고 분지 혈관들로의 혈류는 개통되어 있는지 확인하도록 한다.

2) 액와-쇄골하동맥(Axillo-subclavian arteries)

액와-쇄골하동맥은 혈관내 스텐트 이식편이 유용하게 사용될 수 있는 또 하나의 이상적인 부위다. 이곳은 중요한 해부학적 구조들이 밀집

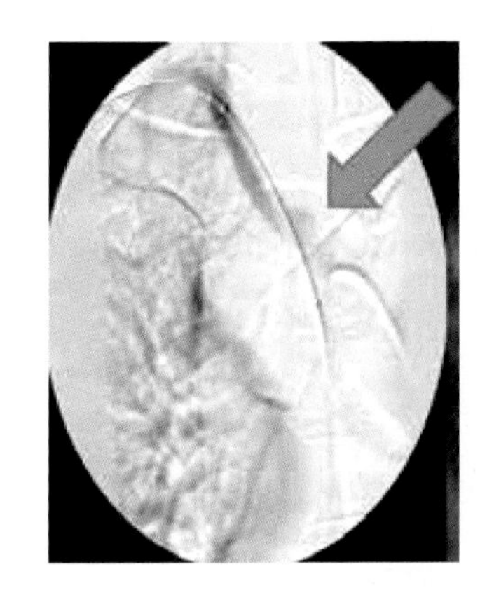

그림 4 스텐트 이식편을 사용할 수 있을지는 병변의 위치, 접근로 그리고 임상적 판단에 의해 결정된다.

되어 있을 뿐 아니라 외상으로 인한 혈종이나 연부조직 파괴로 손상 부위로의 접근이 어려울 수 있다. 이는 일반적으로 관통상과 상당한 신전(stretch)/신연(distraction) 손상이 있는 경우 모두에 해당된다. 혈관은 깊은 곳에 위치해 있을 수 있고, 특히 비만하거나 목이 짧은 환자에서 혈관 제어가 어려울 수 있다. 액와-쇄골하 동맥 관련 손상에서 스텐트 이식편의 사용 경험이 증가하고 있는데, 스텐트 이식편을 사용하게 되면 초기 처치 시에 추가적인 상완신경총이나 림프 경로의 손상을 예방할 수 있다는 잠재적 이점이 있다.

완두동맥(팔머리동맥, brachiocephalic trunk)과 상행 대동맥 역시 스텐트 이식편과 EVTM 방식 적용이 유용한 부위다. 특히 이 영역의 동맥 손상을 복구하는 데 심폐우회술과 복잡한 개흉술이 종종 필요하다는 것을 생각하면, 혈관내기법은 최종 치료 혹은 일시적 손상통제 효과를 제공하여 치료에 기여할 수 있다고 생각된다. 최근 완두동맥과 상행대동맥 영역에서 발생한 의인성 손상을 혈관내 스텐트를 이용하여 치료한 증례

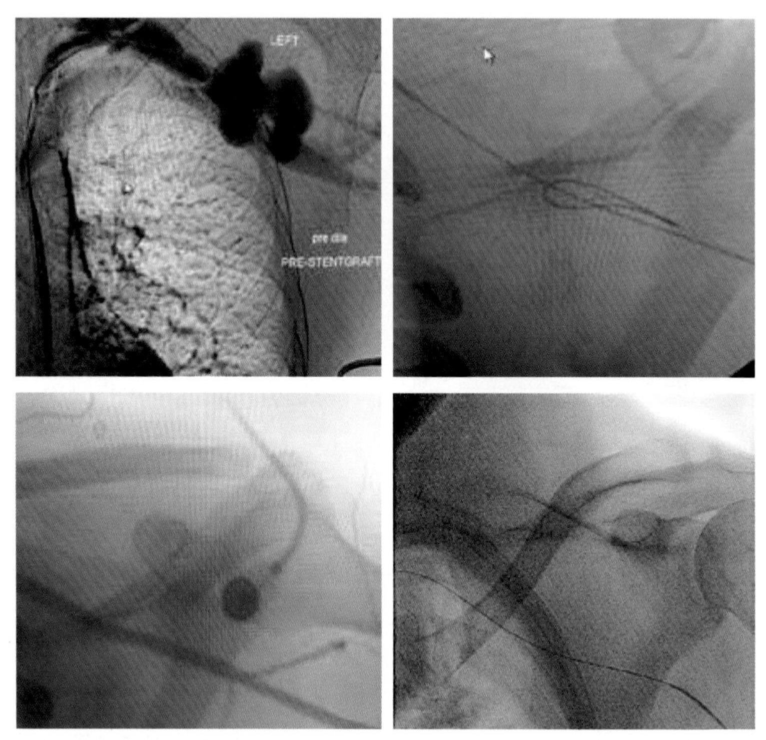

그림 5 신연(distraction) 손상에 의해 발생한 심각한 액와-쇄골하동맥 파열(disruption). 상완동맥과 대퇴동맥의 두 접근로를 통해 와이어와 snare를 이용하여 손상 부위에 와이어를 통과시켜 거치하는 "body-floss" 또는 "through and through" 기법의 시술 사진. 외상성 액와-쇄골하동맥 손상을 스텐트 이식편을 통해 치료한 후의 최종 조영술 사진. 쇄골하동맥에 스텐트 이식편을 거치하기 위해 이를 통과하여 와이어를 거치시키는 것이 일부 환자에서는 가능하다.

보고가 증가하는 것은 이 부분에서 스텐트 이식편의 상당한 잠재력을 보여준다. 그림 4는 혈관내기법과 수술을 함께 사용한 하이브리드 방법이 EVTM 방식의 일부로서 어려운 대동맥 손상의 치료에서 어떤 역할을 할 수 있는지 보여준다.

이러한 손상의 상당수에서는 상완동맥만으로 접근해도 혈관내시술이 가능하지만, 심각한 손상이 발생한 경우에는 다른 보조적인 접근로가 유용할 수 있다. 특히, 상완동맥과 대퇴동맥을 함께 이용한 "랑데부 기법(rendezvous technique) 또는 "body floss 기법"은 특히 시술 성공에 중요한 역할을 할 수 있다. 이 기법들에 대해서는 이 장의 후반부에서 더 자세하게 설명하겠지만 여기에서 간단히 언급하고 넘어가려 한다. 물론 이 기법은 다소 시간이 걸리고, 초보자에게는 어려울 수 있다. 또한 시술 중에 동맥 손상이 발생할 위험도 있지만, 이러한 기법이 존재하고 유용하게 사용될 수 있음을 알고 있어야 한다.

Practical tips

- 상완동맥/액와동맥과 대퇴동맥 두 혈관에 접근로를 확보한다. 이러한 접근로 확보는 다른 외상팀원들이 가슴과 복부의 손상에 대한 검진과 처치를 하는 동안 함께 이루어져야 한다. 혈관을 확보할 수 있도록 상완은 40-60° 벌려서 지지대 위에 두도록 한다.
- 접근로를 확보하였다면, 조영술을 통해 가이드와이어의 위치를 확인해야 하는데, 이를 위해서는 어느 정도의 공간과 준비 시간이 필요하다. 동료들과 이에 대해 이야기해 두는 것이 좋다. 시술을 위한 풍선을 거치하기 위해서는 7-9Fr sheath를 사용하는데, 이는 상완동맥이라고 해서 다르지 않다. 수술적 치료를 고려한다고 하여도 손상된 부분을 넘겨 와이어를 거치시켜 놓는 것은 많은 도움이 된다. 수술 전 일시적 지혈을 위해 혈관성형술용 풍선카테터를 사용할 수 있는데, 보통 10-14 mm 정도가 사용된다. 하지만 비순응풍선(noncompliant balloon)은 혈관 직경을 가늠하여 맞는 사이즈의 풍선을 사용해야 하는 단점이 있다. 다른 선택지로는 순응풍선(elastic balloon)이 있는데, 적합한 사이즈의 sheath와 순응풍선을 보유하고 있다면 사용해 볼 수 있겠다. 와이어를 통한 전통적인 혈전제거용 카테터(thrombectomy catheter)를 거치시켜(over-the-wire 형태로) 사용하는 것도 좋은 방법이다.
- 재차 강조하지만, 이 모든 치료를 고려할 때는 환자에 적합한 일련의 치료인지 심사숙고하여 결정해야 한다.

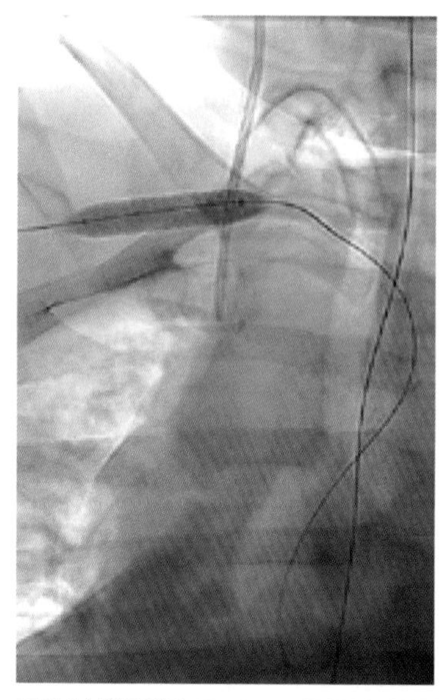

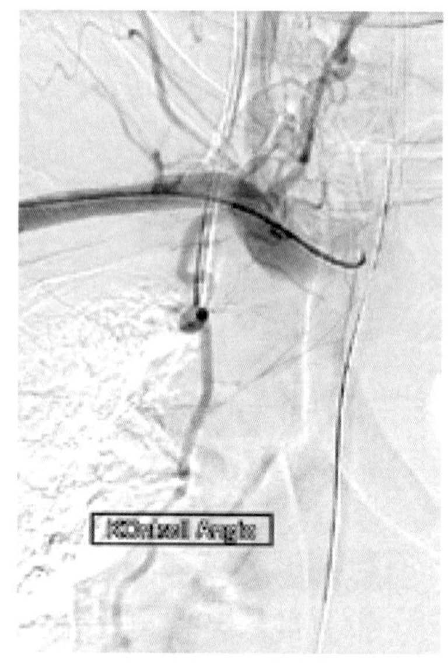

그림 6 상완동맥의 5Fr sheath를 통해 삽입한 스텐트 이식편.
이 케이스에서는 풍선 확장형 스텐트가 사용되었다.

3) 경동맥(Carotid artery)

스텐트 이식편은 경동맥 손상의 경우 효과적으로 사용되는데, 경동맥의 근위부 또는 원위부 손상에 가장 흔하게 사용된다. 액와-쇄골하동맥과 마찬가지로, 심각한 외상을 입은 환자에서 경동맥 양쪽 끝단에 손상이 있을 때, 해당 부위를 노출시켜 혈관을 제어하기란 상당히 어렵다. 다른 부위의 혈관내시술에서처럼, 경동맥 시술 시 항응고제의 사용에 대해서 신중하게 고려해야 한다. 경동맥 치료에 있어 전신적 항응고요법을 시행할 수 없다는 점은 뇌졸중의 위험성을 크게 증가시킨다. 특정 환자에서는 경동맥의 동맥경화성 질환에 대한 치료에서 흔히 사용되는 원위부 색전 예방 장치들을 사용해 볼 수 있겠지만, 외상 환자들에서 이

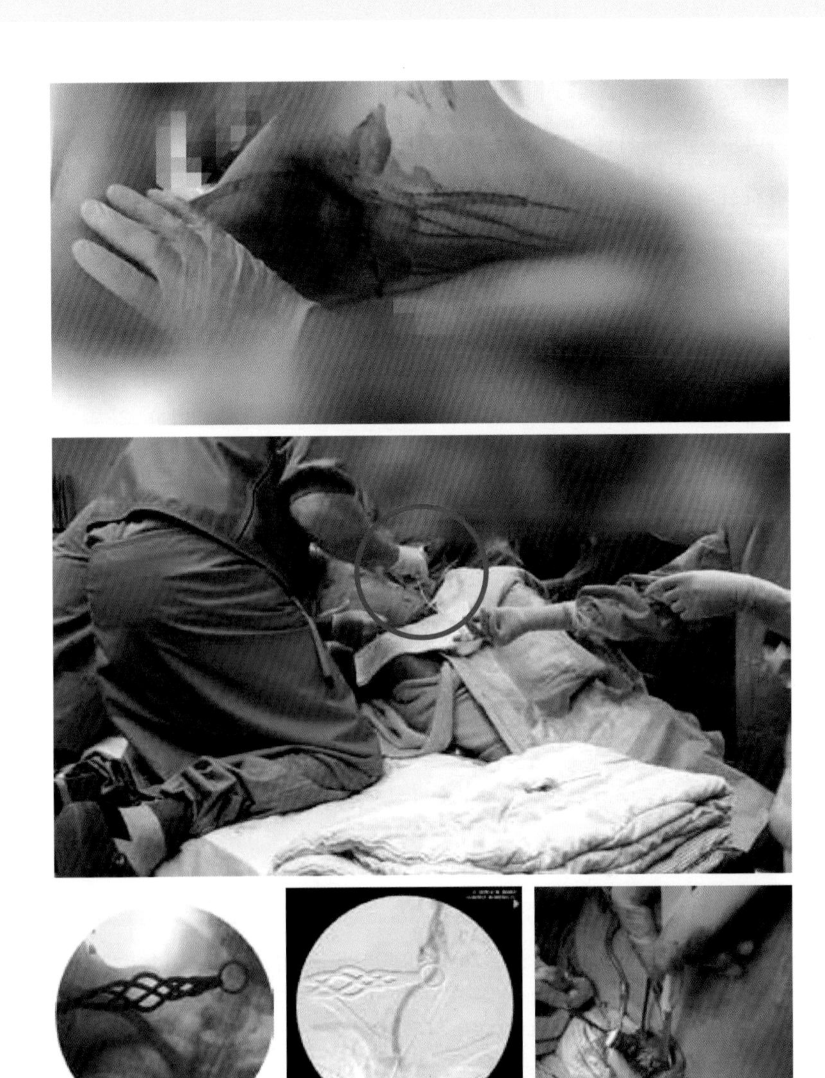

그림 7 겨드랑에서 우측 경동맥 쪽으로의 관통상.
수술로 경동맥을 노출한 후 경동맥과 경정맥을 손으로 압박하면서 이물질을 제거하였다. 수술 중 근위부 혈관 조절이 필요하거나 조영술이 필요할 경우를 대비하여 총경동맥에 거치시켜 놓은 와이어와 Bernstein 카테터가 보인다. 이 환자에서는 조영술을 통해 정확한 손상의 위치를 파악할 수 있었고 수술적 치료가 진행되는 동안 와이어를 유지하였다. 이 환자에서는 손상의 위치와 외전된 팔 때문에 CT 촬영이 불가능하였다.

장치들을 예방적으로 사용하는 것에 대해서는 아직 정립된 바가 없다. 아마도 혈관내치료법은 응급상황이 아닌 환자들과 이전 경부 수술이나 방사선 치료의 과거력이 있는 환자들에서 큰 가치가 있을 것이라 생각된다. 일반적으로 경부손상 Zone II-III 손상은 수술로 치료하게 된다. 이렇게 수술받는 환자들 중 일부에서는 낮은 부위의 근위부 경동맥을 통제(control)하는 것이 필요할 수 있는데, 이러한 상황에서 대퇴동맥을 통해 혈관성형술용 풍선을 거치하여 경동맥을 제어할 수 있고, 같은 접근로를 통해 조영술을 시행하는 것 역시 가능하다. 일반적으로 압박하여 지혈할 수 있는 위치라면 해결책은 수술이다. 경동맥 내 스텐트 이식편을 사용하는 것은 아직 논란이 있으며, 이 문제에 대해서는 합의점을 찾는 것은 쉽지 않을 것이다. 경동맥 손상은 대체로 수술적 치료가 필요하다고 생각되는데, 수술은 대개의 경우 안전하며, 혈종을 제거하고 다른 손상은 없는지 확인하는 것이 필수적이기 때문이다. 경부 Zone I 손상의 경우에는 수술적으로 접근이 어려울 수 있고 혈관내기법들이 유용할 수 있다.

Practical tips

- 경동맥에는 0.038 인치 또는 더 작은 와이어를 거치하는 것을 고려해보자. 이들은 경동맥손상이나 색전을 일으킬 위험성이 적으며, 이를 통해 임시적 지혈이나 스텐트 이식편을 거치하는 데 사용될 수 있다. 그러나 경부 Zone II 또는 III 손상의 치료는 일반적으로 수술이다.
- 카테터를 사용하면 수술 또는 시술 후 조영술을 통한 확인이 가능하다.
- 만일 경동맥을 노출시켰는데 생각했던 것보다 손상이 근위부(Zone I)에 존재한다면? 와이어를 이용하여 풍선을 거치시킴으로써 일시적인 지혈을 시도해볼 수 있다. 대체로 6-8 mm의 짧은 풍선이 사용되는데, 하지만 이때 풍선으로 오히려 추가적인 손상을 줄 수 있으니 조심해야 한다!

4) 복부대동맥(Abdominal aorta)

복부대동맥의 손상은 매우 드물게 발생하지만, 복부대동맥에 직접적인 손상을 입은 환자는 대부분 사고 지점에서 사망한다. 복부대동맥의 손상에서 스텐트 이식편 사용의 경험은 많지 않으나, 잘 선택된 환자군에서는 유용할 것으로 생각된다. 동맥류 및 죽상경화성 질환에서 혈관내치료(endovascular aortic repair, EVAR)의 증가로 인해 시술자들이 파열성 대동맥류를 포함한 다양한 상황에서의 EVAR 시술에 익숙해졌다는 점은 일부 외상환자들에서도 EVAR가 잠재적으로 유용할 수 있음을 시사하지만, 복부 외상환자 대부분은 동반된 장관손상이 있을 수 있으므로 유의해야 한다. EVAR를 시행하는 경우, 대동맥의 수술적 수복 이후 발생할 수 있는 이식편 감염의 위험성을 감소시킬 수 있다. 만일 EVAR가 시행된다면, 항응고요법 관련 문제나, 큰 사이즈의 sheath를 사용하는 데서 기인하는 하지 허혈의 위험성 등이 존재할 수 있는데, 이는 이 책의 다른 장에서 다뤄질 것이다.

복부대동맥 단독 손상이나 가성동맥류 등에서 스텐트 이식편을 사용해 볼 수 있는데 항상 다른 손상을 염두해 두어야 한다. 또 다른 선택지는 와이어를 통한 REBOA로 근위부 혈류를 통제하는 것이다. 대동맥 손상이 의심되는 환자가 있다면 다른 동료들이 처치를 하는 동안 대퇴동맥 접근로를 확보(이에 대해서는 이 책의 첫 장을 참고)해 두자. EVTM 방식의 다른 경우들과 마찬가지로, 하이브리드 개념을 사용하여 환자를 처음부터 조영술용 슬라이딩 침대 위에 눕히고, C-arm이 필요할 수 있으므로, 방 안에 C-arm을 준비해놓도록 한다.

관통상의 경우, 수술로 대동맥을 노출시키고 봉합하는 동안 REBOA

용 풍선을 거치해놓는다. 필요한 경우 일시적으로 풍선을 팽창시켜 지혈을 유도할 수 있다. 만일 복부대동맥의 손상이 있지만 현재 혈관을 통한 출혈은 없는 상태(낮은 등급의 동맥벽 손상 또는 가성동맥류)라면 정규시간에 수술 또는 혈관내시술을 통해 이를 해결할 수 있으며, 이렇게 하면 정교하고 복잡한 술기들을 사용하는 것이 가능하다. 복부에 사용하는 이식편에는 항상 감염의 위험이 있으나, 그럼에도 EVAR는 외상 환자에서 사용되고 있다. 하지만, 예를 들어, 대동맥손상 자체는 일자 복부용 스텐트 이식편(straight abdominal graft)을 이용하여 간단히 해결될 수 있는 상황이라고 하여도, 동반 손상 여부(장 손상?)와 환자의 나이, 손상 기전, 복부 수술력, 대동맥 손상의 종류 등을 고려하여 환자에게 무엇이 최선인지에 대해 생각해야 한다.

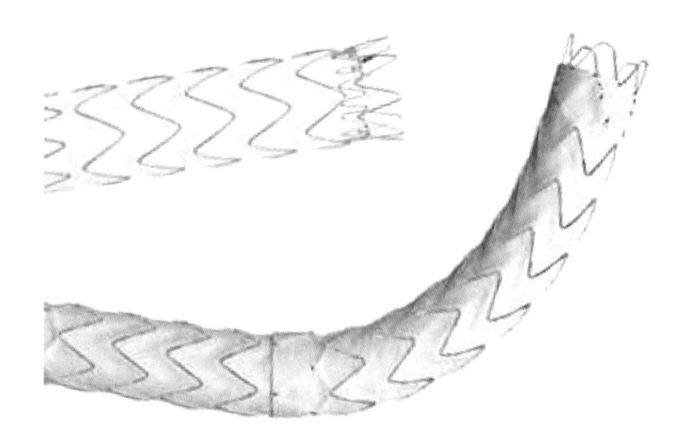

그림 8 대동맥 스텐트 이식편의 예(Cook medical과 Bolton 제품).
근무하는 병원에서 사용 가능한 스텐트 이식편은 어떤 제품들이 있으며, 환자에게 어떤 제품이 적절한지 동료들에게 물어보도록 한다. 특히 젊은 환자들에서 흉부와 복부에 어떤 이식편을 사용할지 결정하는 것은 쉬운 일이 아니다.

Practical tips

- CT를 잘 보자. 대동맥의 크기는 어떻게 되는가? 무엇으로 커버(cover)할 것인가?
- 혈역학적으로 불안정한 환자에서는 권고되는 것보다 큰 이식편을 사용하고, 이에 대해 신중히 계획해야 한다. 일반적으로 15-20% 정도 큰 사이즈를 사용할 것을 권유하는데 아직 이에 대한 근거는 부족하며, 주로 적은 수의 환자 증례들이나 개인적 경험에 의한 것이다. 환자의 나이와 CT 촬영 당시의 환자의 혈역학적 상태에 따라 크게 달라질 수 있다.

5) 그 외 복부동맥(Viscerals)

내장동맥과 신동맥에서도 스텐트, 스텐트 이식편이나 색전술이 유용하게 사용되고 있다. 외상환자에서 스텐트 이식편을 사용하는 기법은 동맥경화성 질환이나 동맥류 질환의 방식과 크게 다르지 않다. 그러나 이러한 술기가 외상 환자에서는 복잡할 수 있으며 상당한 시간이 소요될 수 있음을 고려해야 한다. 외상성 출혈에 의해 저혈량 상태인 환자에서는 부작용 없이 사용 가능한 조영제의 양 역시 더 제한적일 수 있다. 물론 어느 정도의 조영제까지 사용할 수 있는가는 환자에 따라 다르지만 이에 대해 숙지하고 있어야 한다. 이러한 위험성과 복잡성이 존재하지만, 스텐트나 스텐트 이식편이 동맥박리가 있거나 가성동맥류가 있는 환자에게 좋은 치료법이 될 수 있다.

Practical tips

- 조영술이나 여러 혈관내시술을 시행하는 데는 시간이 걸릴 수 있다는 점을 기억하자. 원하는 내장동맥에 도달하는 것은 어려울 수 있으나, 만일 박리가 의심되는 경우라면 혈관내기법은 매우 유용할 수 있다. 또한 신동맥, 복강동맥, 상장간막동맥의 가성동맥류를 막거나 출혈이 있는 경우에도 사용될 수 있다.
- 시술 전에는 CT혈관조영술을 시행하는 것이 중요한데, 이는 손상이 어느 혈관에 위치해있고, 손상 부위의 범위와 직경을 가늠할 수 있게 해준다. 긴 introducer인 sheath 카테터를 사용해야 하며 스텐트 이식편은 혈관 직경보다 10% 이상 큰 사이즈를 사용하는 것이 좋을 수 있다. 처음에는 쉽지 않을 수 있으니 그럴 때는 경험이 있는 사람에게 도움을 구하는 것이 좋겠다.

6) 장골동맥과 장골정맥(Iliac vessels)

장골혈관 역시 액와-쇄골하동맥과 같이 혈관내 스텐트 이식편의 유용성이 잘 정립되어 있다. 액와-쇄골하 부위와 유사하게 장골 혈관 주위에도 해부학적으로 중요한 구조물들이 존재하며 수술적으로 노출이 어려운 부위이다. 항응고제 사용과 관련된 문제 또한 여기서도 중요하게 고려되어야 한다. 액와-쇄골하 부위가 포함되는 흉곽입구(thoracic inlet) 손상과의 큰 차이점은 장골 부위 손상에서 더 자주 장관 손상이 동반된다는 것이고 개복술 시 그로 인한 오염이 문제가 된다는 점이다. 이러한 것을 고려하였을 때 일부 적합한 외상환자에서 손상된 장골동맥에 스텐트 이식편을 사용하는 것은 매우 유용할 수 있다. 심한 손상이 있는 경우, "랑데부 기법(rendezvous technique)" 또는 "body floss 기법"(아래 설명)이 도움이 된다.

일반적으로 수술적 치료는 좋은 해법이지만, 비만 또는 복부 수술력이 있어 유착이 심한 환자의 경우에는 아닐 수도 있다. 혈관내기법을 선택한다면 복부를 압박하거나 반대쪽에서 REBOA를 시도하는 동안 손상 부위 동측의 대퇴동맥을 확보하고 시술을 진행할 수 있다. 병변을 넘어 와이어를 거치하는 데 성공하였다면 스텐트 이식편을 위치시킬 수 있게 된다. 저자들 중 일부는 손상된 장골동맥에 손가락을 얹고 육안으로 보면서 와이어와 스텐트 이식편을 위치시키기도 하였다. 스텐트 이식편을 사용할 때는 정상 장골동맥 크기보다(성인 남성에서는 12 mm, 여성에서는 10 mm 정도 되는데 개인차가 큼) 10-15% 큰 사이즈를 선택해야 한다. 스텐트 이식편의 길이는 병변에 따라 달라진다. 내장골동맥을 보존하기 어려운 상황에서는 덮어도 무방하다. 만일 내장골동맥을 포함하여 손상되었다면 내장골동맥의 입구를 막는다고 하더라도 역출혈(back-bleeding)에 의해 출혈이 지속될 수 있다. 이러한 경우에는 내장골동맥을 덮기 전에 이를 색전하는 것이 필요할 수 있다. 만일 하이브리드 방식으로 치료를 진행하였다면, 감염 위험성을 고려하여 해당 동맥 및 이식편 주위를 복강내 지방조직으로 덮는 것을 고려한다. 혈관내치료법은 수술이 시행될 때까지의 가교(bridge) 치료로도 고려될 수 있고, 응급 상황에서 혈관접근로가 확보되어 와이어를 거치시켰다면 경험있는 시술자는 수분 내에 스텐트 이식편을 삽입할 수 있다. 정규 시술이 아니기 때문에 감염의 위험은 일반적으로 높을 수 있는데, 상황과 손상 정도에 따라 달라진다.

Practical tips

- 크기(size)를 알고 있어야 한다. 성인 남성에서 장골동맥의 직경은 12 mm 정도이며 여성에서는 이보다 10-20% 정도 작다. 하지만 개인차가 매우 크다. 젊은 사람의 장골동맥은 일반적으로 곧지만, 노년층에서는 굴곡져 있다.
- 내장골동맥은 보존할 수 있다면 보존하는 것이 좋다. 그러나 응급상황이라면 덮어버리도록!

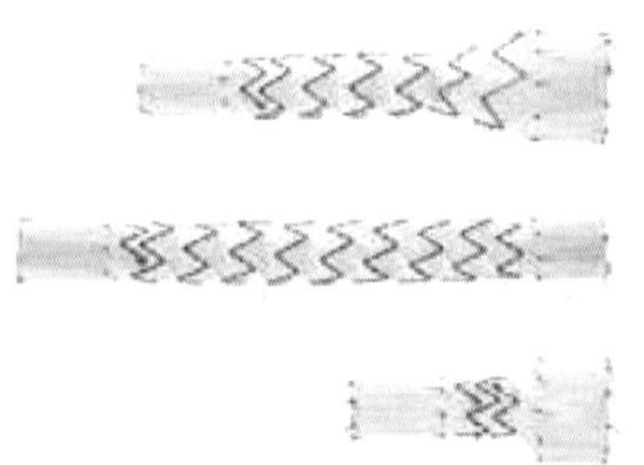

그림 9 장골동맥에서 사용되는 스텐트 이식편(Cook medical과 Bolton 제품). 회사별 카탈로그를 참고하면 사이즈와 길이에 대해 더 자세한 정보를 얻을 수 있고, 각 병원에서 사용가능한 제품을 미리 확인하도록 한다.

3. 어떻게 스텐트 이식편을 삽입하면 되는가 - 몇 가지 일반적 원칙

How - some General Principles

1) 접근로의 선택(Access planning)

혈관접근에 대한 일반 원칙은 이 책의 다른 부분에 매우 자세하게 기술되어 있다. 외상환자에서 특별히 신경써야 할 부분은 항응고제의 사용이 어려운 상황에서 굵은 sheath 사용에 따른 원위부 색전의 위험에 대한 것이다. 필요한 풍선 카테터나 스텐트 이식편을 삽입하기 위해 요구되는 delivery sheath의 크기가 커서 젊거나 체구가 작은 외상환자에서

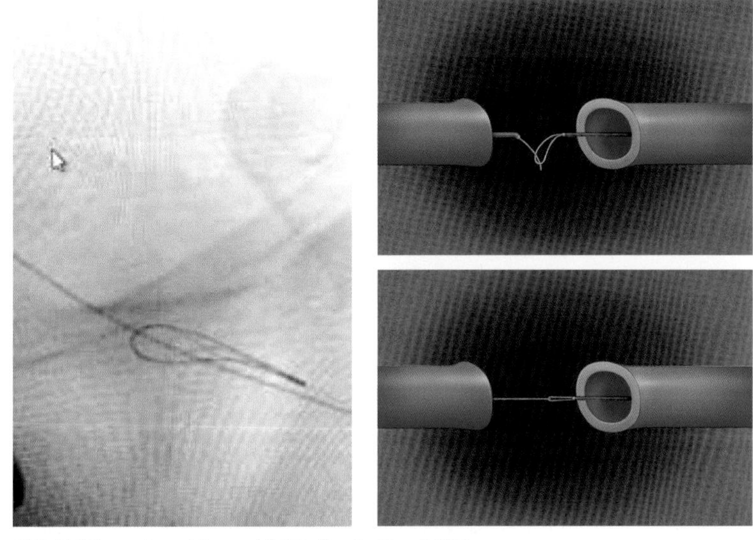

그림 10 "Through and through" 또는 "body-floss" 기법

확보된 혈관 원위부의 혈류를 거의 또는 완전히 막아 버릴 수 있다. 이러한 위험을 줄이기 위해 사용해 볼 수 있는 한 가지 방법은 확보된 접근로의 원위부에 순행방향(antegrade) 접근로를 추가적으로 확보하여 관류시켜주는 방법이다. 이는 여러가지 방법으로 시행될 수 있는데, 몇 가지 예를 들자면 근위부 큰 sheath와 그보다 작은 원위부 sheath를 관(tube)을 이용하여 연결하거나 체외펌프나 회로(circuit)를 이용해보는 것이다. 이를 위해서는 추가적 시간이 소요될 수 있으나 큰 sheath를 사용하여 전체 혈류를 막을 위험이 있을 때 이러한 대안들에 대해 고민해야 한다.

혈관접근로 확보는 EVTM 방식에서 때로 가장 어려운 부분이다. EVTM 개념을 적용하고자 하는 의료진에게 줄 수 있는 가장 유용한 조언은 동맥접근로를 "일찍" 확보하라는 것이다. 초기에 작은 크기의

sheath라도 접근로가 확보되었다면 출혈에 대해 풍선카테터를 삽입하거나 최종치료를 위한 스텐트 이식편 삽입이 필요할 때 더 큰 sheath로 손쉽게, 그리고 빠르게 바꿀 수 있게 된다. 중증외상환자에서 가장 흔히 저지르는 실수는 동맥로를 너무 늦게 확보하는 것이다. 혈역학적으로 안정된 환자에서 대퇴동맥의 확보가 훨씬 용이함을 기억해야 한다. 다시 한번 "어떻게 혈관접근로를 확보할 것인가"에 대한 이 책의 앞부분을 읽어보길 권한다.

Another general tip

큰 혈관의 스텐트 이식편 사용을 계획할 때는 항상 실패할 때의 대안까지 생각해 두어야 한다. 또 다른 혈관내기법이 있는가? 아니면 수술인가? 다른 분야의 도움이 필요하지는 않을까? 누가 나를 도와줄 수 있으며, "이 환자"에게 최선의 방법은 무엇인가?

2) 랑데부 기법(Rendezvous technique)/Body floss 기법(Body floss technique)/Through and through 기법(Through and through technique)

여러 위치에서 혈관내시술을 시행할 때 넘어야 할 첫 번째 산은 와이어를 통과시키는 것이다. "지나가면 이길 수 있다(If you can cross it, you can boss it)"의 기본 법칙은 아직도 통용된다. 다르게 말하면, 손상 부위를 넘겨 와이어를 거치시키지 못 하면 혈관을 제어할 수도 치료할 수도 없다는 것이다. 물론 혈관내시술이 끝나고 추가로 수술을 통해 혈종을 제거하거나 혈관을 재건할 수 있지만 거치시킨 와이어는 여러모로 유용하게 사용할 수 있다. 혈관이 상당히 많이 손상된 경우에는 와

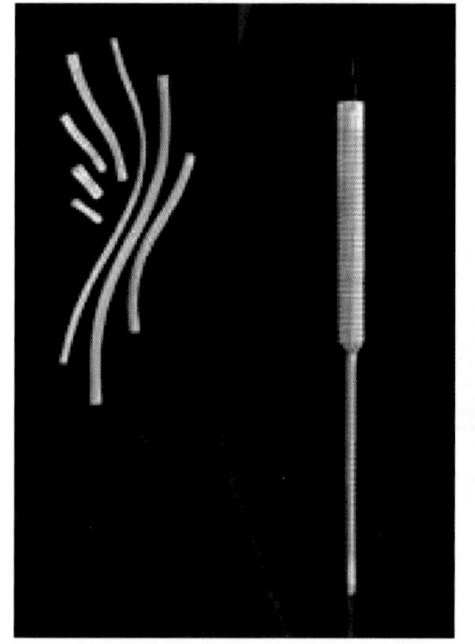
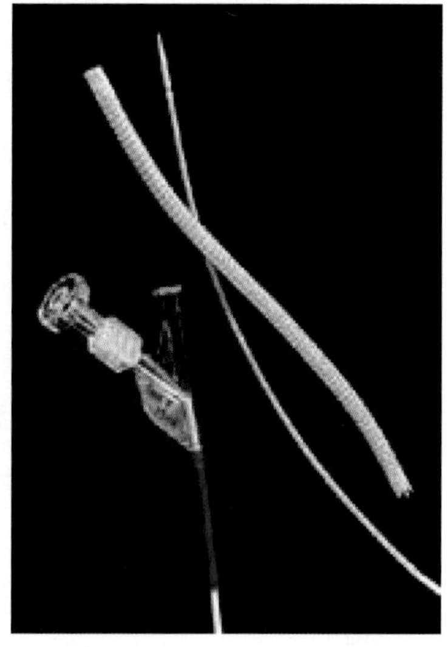

그림 11 이러한 손상에는 Viabahn 스텐트 이식편이나 다른 유사한 제품들이 유용할 수 있다 (Gore사 제공).

이어를 통과시키는 것이 어려울 수 있다. 순행성(antegrade) 또는 역행성(retrograde) 접근만으로 와이어를 통과시키는 것에 실패한 경우 "랑데부(Rendezvous)" 또는 "body-floss" 기법은 특히 유용할 수 있다.

심각한 액와-쇄골하 손상은 이 기법이 사용될 수 있는 좋은 예이다. 이 부위 병변은 종종 상완동맥을 통한 접근만으로 통과가 가능하지만, 심각하게 손상되어 혈전이 생긴 경우 혈관 끝의 혈전 때문에 와이어를 통과시키기가 쉽지 않을 수 있다. 이러한 경우, "랑데부(Rendezvous)" 또는 "body-floss" 기법을 사용해 볼 수 있다. 이 기법을 시행하기 위해서는 상완동맥의 접근로를 통해 긴 친수성 와이어를 병변까지 진행시키고, 대퇴동맥을 통해 snare를 병변까지 삽입한다. 손상 부위에서 와이어를

snare로 잡은 후 끌고 내려와, 대퇴동맥의 sheath를 통해 밖으로 뺀다. 이렇게 하면 와이어가 병변을 통과하여 거치되며, 그 양쪽 끝은 상완동맥과 대퇴동맥의 sheath를 통해 밖으로 나와 있게 된다. 이 와이어는 이제 치료를 위한 스텐트 이식편을 삽입하고 거치시킬 수 있는 안정적인 레일 역할을 할 수 있다.

다른 혈관도 손상 부위를 기준으로 양 끝에서 서로 반대방향으로 접근가능하다면 유사한 방식으로 치료할 수 있다. 혈관내치료의 원래 법칙을 조금 확장시켜 본다면, "지나가면 이길 수 있다. 그러나 때때로 지나가기 위해 플로스 기법이 필요할 수 있다" 라고 할 수 있겠다.

3) 정맥에서의 활용(Venous applications)

스텐트 이식편 사용의 기본 원칙들은 정맥 손상에서도 활용해 볼 수 있다. 대정맥 손상에서 스텐트 이식편을 사용하는 것에 대한 논의는 있지만, 아직 널리 사용되고 있지는 않다. 그러나 특정 상황에서는 주요 정맥 손상에 의한 출혈을 빠르고 간편하게 조절하는데 스텐트 이식편이 유용할 수 있다. 만일 하대정맥이나 장골정맥에서 출혈이 있다면 대퇴정맥을 천자하여 10-12Fr의 큰 접근로를 확보하고, 와이어를 삽입하자. 현재 하대정맥이나 장골정맥에 사용할 수 있는 정맥용 스텐트 이식편들이 나와 있다. 문제는 정맥에서는 혈류가 느려 응고되면 스텐트 이식편이 혈전으로 폐쇄될 수 있다는 점이다. 외상환자에서의 경험은 아직 제한적이다.

4) 손상통제냐 최종 치료냐?(Damage control or definitive?)

스텐트 이식편 사용에 있어 논란이 되는 쟁점들이 존재한다. 대부분 이들 논쟁의 중심에는 젊은 외상환자에서 스텐트 이식편의 장기 성적(longterm outcome)에 대한 불확실성이 자리하고 있다. 주로 장년층에서 더 많이 관찰되는 질환군(예를 들면, 죽상동맥경화성 질환)에서 혈관내 스텐트 이식편은 상당히 오랜 기간의 추적 관찰 결과를 갖고 있다. 그러나 아마도 더 여명이 많이 남아있을 25살의 외상 환자에게 혈관내 스텐트 이식편이 사용되었을 때 어떠한 자연 경과를 거치는가에 대해서는 상대적으로 알려진 바가 적다. 젊은 환자군에서 예상 수명에 해당하는 장기 성적에 대한 데이터는 존재하지 않으며 성장 중인 환자에서 상대적으로 점차 혈관에 비해 작아질 이 장치들이 어떠한 영향을 미칠지에 대해서도 알려져 있지 않다. 젊은 환자군에서 이러한 장치들을 삽입한 후 적정 모니터링 기간, 간격 및 방법은 무엇인가? 그들에게 항혈전제나 항응고제를 평생 처방하여야 할 것인가? 이는 혈관내 외상치료가 발전하기 시작한 현 시점에서는 답하기 어려운 문제들이다.

그러나 종종 간과되는 점은, 혈관내 스텐트 사용이 모든 케이스에서 최종 치료일 필요는 없다는 것이다. 응급상황에서 스텐트 이식편의 잠재적 유용성은 위에서 논의된 바와 같이 명백하다. 그러나 환자가 손상에서 회복된 후 이 시술과 관련된 불확실한 장기적 위험성에 대해서는 환자에게 알리고 논의해야 한다. 장기간 항혈소판 또는 항응고제를 복용해야 할 가능성이 있음을 설명해야 하며, 젊은 환자의 남은 생존 기간 동안 장치의 내구성이나 개통성이 유지될지 불확실함도 논의하여야 한다. 환자와 함께 이러한 위험성과 불확실성을 해당 병변에 대해 다시 수술적으로 재건할 때의 위험성과 비교하여 논의하여야 한다. 이때 EVAR와 파열된(ruptured) 복부대동맥류의 EVAR (rEVAR) 또는 TEVAR와 파열된(ruptured) 흉부대동맥류의 TEVAR (rTEVAR)가 좋은 결과와 장기 성적을 보이고 있음을 참고해 볼 수 있겠다. 이 환자들의 데이터와 외상 환자들의 데이터가 꼭 같지는 않겠지만, 중요한 부분이며 조사되어야 하는 부분임에는 틀림이 없다.

경우에 따라서는 이 논의에 영향을 미치는 다른 변수들이 있을 수 있다. 액와-쇄골하동맥의 손상이 있는 한 경우를 보자. 임상적으로 명백한 상완신경총 손상이 동반되어 있다면, 다른 손상에 대한 처치가 이루어진 후 신경에 대한 지연 수복을 시도하게 될 수 있다. 이 경우 쇄골하동맥손상이 이전에 스텐트 이식편으로 치료되었다면, 신경에 대한 지연 수술 시 같은 절개창으로 동맥내 스텐트 이식편을 제거하고 동맥 우회술을 시행할 수 있다. 그러므로, 환자와 이러한 가능성에 대해 상세히 논의하여야 한다.

5) "터널 시야(tunnel vision)"와 "endo 사고방식(endo mindset)"에 대해

혈관중재를 통한 스텐트 이식편 삽입을 시도하는 초기에 빠질 수 있는 가장 큰 위험 중 하나는 "터널 시야"이다. 시술자는 혹시 자신이 상황을 치료하기 위해 혈관내요법의 가능성을 전체적으로 고려하지 못하고, 스텐트 이식편 삽입에만 지나치게 집중하고 있는 것은 아닌지 주의해야 한다. 때에 따라서는 적정 시기에 스텐트 이식편의 삽입에서 풍선

카테터나 색전을 통한 지혈로 방향을 전환하는 것이 필요할 수 있다. 특히 심각한 출혈을 보이는 환자에서 풍선 또는 색전을 통해 지혈하는 것이 가능한데도 스텐트 이식편을 고집하면서 그 크기 결정, 삽입 및 거치 등에 어려움을 겪으며 고군분투하는 것은 이치에 맞지 않는다. 풍선 삽입술과 색전술은 신속하게 출혈을 조절하여 시술자에서 숨을 돌릴 수 있는 기회를 제공할 뿐 아니라 환자에게 필요한 소생술이 이루어질 수 있게 한다. 외상외과의사는 이 시점에 수술적 치료가 더 적당하다고 판단할 수도 있는데, 그렇다고 해도 중재술은 출혈이 조절된 훨씬 더 나은 상황을 만들어 수술을 진행할 수 있게 도와줄 수 있다.

내장동맥이나 이 장에서 다루어진 다른 어떤 혈관의 문제를 해결하기 위해서는 다양한 혈관내기법들을 전체적으로 고려하는 것이 중요하다. 이 책의 다른 부분에서 이 개념에 대해 더 자세하게 다루겠지만 특정 문제를 가장 효과적이고 안전하게 해결하기 위해서는 신속하고 효과적으로 여러 혈관내치료법들을 바꿔가며 사용하는 "endo 사고방식"이 가장 중요하다고 할 수 있다. 여기에서 EVTM이 특정 혈관내치료를 말하는 것이 아니라, 환자를 살리는 데 도움을 줄 수 있는 공구상자 같은 것임을 다시 한번 강조한다.

Some word of advice

대혈관손상은 매우 어려운 문제일 수 있다. 혈관내기법은 유용한 도구가 될 수 있으나 조심해서 사용하여야 한다. 환자는 실험 대상이 아니다. 경험 있는 사람에게 도움을 요청하여 함께 시행한다면 더 성공적인 시술을 할 수 있을 것이고 환자가 그 혜택을 볼 것이다.

4. 이 장을 마치며

Closing remarks for this chapter

스텐트 이식편은 혈관 손상을 조절하고 치료하는데 점차 널리 사용되고 있다. 이들은 특히 수술적 노출이 어렵거나 시간이 소요되는 해부학적 위치에서 유용하게 사용된다. 외상환자에서 스텐트 이식편 사용의 장기 성적은 불확실하지만 초기 경험들은 외상 상황에서도 잠재적으로 중요한 역할을 할 수 있음을 시사하고 있다. 혈관내기법을 이용한 외상 치료가 지속적으로 발전함에 따라 외상환자에서 사용할 수 있는 도구들은 지속적으로 증가할 것이며, EVTM 사고방식은 주어진 환자에서 올바른 방법을 선택할 수 있도록 해줄 것이다.

CHAPTER 9

EVTM과 색전술에 관한 몇 가지 근본적인 이슈들

Some more basic issues to consider about EVTM and embolization

Yosuke Matsumura, Junichi Matsumoto, Per Skoog, Lars Lönn, Tal Hörer

지금부터는 시술자의 경험이 많지 않거나, 도움을 줄만한 다른 의료진이 아직 도착하지 않았을 때 어떻게 해야 하는지에 대해서 얘기해 보고자 한다. 출혈환자를 맞닥뜨렸을 때 시술자가 이러한 경험이 많지 않다면 다른 동료를 호출해야 하고 다학제팀을 활성화해야 한다. 이번 장에서는 시술자가 어떤 선택을 해야하고 무엇을 할 수 있는지에 대해서 알아보고자 한다.

혈관내시술은 외상치료에 접목되고 있다. 임상의사는 많은 의료장비를 가질수록 더 많은 의료행위를 할 수 있다. 과연 그럴까? 종종 기본 술기만으로 충분하기도 하고, 오히려 많은 치료 선택지 때문에 상황이 더 복잡해질 수도 있다. 외상외과의 중요 과제 중 하나는 어떤 환자에게 어떤 술기가 언제 필요한지를 파악하는 일이다. 외상진료에서 가장 중요한 문제는 급성 출혈 부위를 찾아 지혈하는 것이고, 환자가 출혈로 인한 저혈압 증세를 보일 때 출혈병소를 찾는 게 급선무가 된다. 누군가는 출혈 부위를 가늠할 수 있는 복부 관통상보다 둔상 환자가 더 위협적이라고 생각할 것이다.

이번 장에서는 도움이 될만한 기본적인 사항들에 대해서 다룰 것이다. 여기서 기술되는 내용은 개인적인 경험과 의견에 기초한 것이니 이를 토대로 임상에서 적절히 선택하여 진료하면 된다. 대량출혈환자가 곧 사망에 이르게 될 것이라고 예상된다면 지혈할 수 있는 적절한 곳으로 환자를 빨리 이동시켜야 한다. 경험이 없고 무엇을 해야 할지 모른다면 CT를 찍으러 가서는 안 된다. 불안정한 환자는 빠른 의사결정과 숙련된 기술을 필요로 한다. 뚜렷한 계획이나 가까운 수술실, 매우 능숙한 의사가 있지 않는 이상 CT실에는 필요한 의료행위를 이어나가기가 쉽지 않다. CT(또는 CT혈관조영술)는 매우 중요한 영상이지만 출혈을 멈출 수 있는 치료는 되지 못한다. 그러므로, 수술적 치료에 이를 수 있게 환자의 혈역학적 안정화를 위한 여러 도구가 필요하게 되는데, 그중 하나가 REBOA다. REBOA는 지혈할 수 있는 장소로 갈 때까지 얼마의 시간을 벌어줄 수 있을 것이다. REBOA를 하기 위해서는 대퇴동맥로를 확보해야 한다. 그리고 환자에게 REBOA가 좋은 선택인지 생각해 봐야 한다.

"비선택적" 혈관조영술을 하지 말아야 한다. 웬만하면 "비선택적" 혈관조영술을 하지 말아야 하고 분명한 출혈병소를 확인하여야 한다.

환자가 안정적이거나, 거즈가 충전된 채로 복부가 개방되어 있고 골반은 조여져 있지만 환자가 여전히 불안정하다면, 보다 정밀한 진단법이나 색전술을 고려해 보아야 한다. 또는 가능하다면 CT혈관조영술이 대안이 될 수 있다. 검사로 출혈 병소가 어디인지 찾았지만 수술로 접근이 어렵고 환자는 빠르게 악화되고 있다. 색전술을 고려해볼 수 있지만 색전술에는 시간이 소요된다는 것을 기억해야 한다. 이 때의 관건은 시술자가 있는 장소, 그리고 시술자의 술기 능력이다. 내장골동맥 색전술은 능숙한 인터벤션영상의학과의사나 혈관내시술이 가능한 외과의사에 의해 10분 안에 시행될 수 있으나 이동과 준비 과정이 더 오래 걸릴 수 있다. 다른 방법으로 하이브리드(EVTM)를 생각해 볼 수 있는데 이는 색전술을 준비하거나 REBOA를 시행하는 동안 복강내 거즈 충전술을 시행하는 것이다. 개복술을 시행하는 동안 누군가는 대퇴동맥로를 확보하고 REBOA를 거치시킬 수 있다. 여기서 알아두어야 할 것은 팀 워크가 필요하다는 점이다. 시술자가 출혈 병소를 확인하여 거즈충전술을 시행할 동안 의료진 팀 내 누군가는 REBOA를 관리해야 한다. 뚜렷한 출혈 병소를 모른다면 색전술로 효과를 보기 어려울 것이다. 반면 출혈 병소를 짐작하고 있고, 앞서 기술한 EVTM 방식을 활용한다면 색전술은 좋은 해결책이 될 수 있다. pREBOA로 혈압을 유지하여 도움을 줄 수 있는 의료진이 오거나 수술방이 준비될 때까지 버틸 수 있는 상황도 생각해 볼 수 있다. 어떤 시술이나 수술적 방법을 시행하든 간에, 다음 계획 없이 REBOA를 시행하여 대기만 하고 있으면 안된다. pREBOA를 시행하고 도움을 요청하도록 한다.

대부분 많은 수의 외상 환자들은 혈역학적으로 안정화되어 색전술을 시행하거나 스텐트 이식술을 고려해볼 수 있다. 하지만 혈역학적으로 불안정한 단독 골반손상 이외에는 대개는 출혈병소를 찾기 위해 CT혈관조영술이 필요할 것이다. CT혈관조영술은 혈관외유출 부위를 보여주고 그 곳에 이르기 위한 가이드가 될 수 있으며 동반손상 유무도 확인할 수 있다. 뇌내혈종과 함께 골반내 경한 출혈이 있을 때 무엇을 먼저 처치해야 하는지에 대한 우선순위가 바뀔 수 있다.

색전술을 하기로 결정하였지만 이전에 한 번도 해본 적이 없다면 어떻게 준비해야 할까? 주변의 유경험자의 도움을 받아야 하겠지만 색전술 시행하는 데 있어서 필요한 여러 장비 및 재료에 대한 정보는 다음과 같다.

Macrocatheter	5Fr 이상의 굵기
Microcatheter	5Fr 미만의 더 얇은 직경의 카테터(종종 0.018 inch 와이어가 통과)
Selective catheter	구부러지거나 휘는 종류의 카테터
친수성 카테터	각도가 있는 부분을 통과하고 와이어를 바꿀 수 있게 함
코일	작은 합금형 나선 색전제
Vascular plug	큰 혈관용 색전제
젤라틴 스폰지	비수용성 젤라틴 색전제, 말초의 산재성 출혈에 좋음
액상제제	다루기 어렵지만 효과적이고, 정확하게 침투되면 일시적 지혈효과가 있음. 응고상태에 영향을 받지 않음

여러분이 혈관내시술에 대한 기본훈련을 받은 것으로 가정하고 여기서 몇 가지 기초 색전술 술기를 다루고자 한다.

1. 혈관 확보는 항상 EVTM에서 최우선순위

Access is always the first priority for EVTM

("혈관 확보에 대한 모든 것" 챕터도 참고할 것)

REBOA, 동맥풍선폐쇄술, 색전술, 스텐트 이식술을 하고 싶다면 혈관 확보가 필요하다. 앞서 언급한 바와 같이 이는 일차평가(AABCDE)에서 시행되어야 하는 것이지만 아직 어떤 가이드라인에도 포함되지는 않았다. 불안정한 환자에서 혈관 확보는 쉽지 않으므로 환자가 안정적일 때 시행되어야 한다. 수축기혈압이 60 mmHg이라면 10분 내에 확보한 혈관이 도움이 될 것이다. 작은 sheath (5Fr)를 올바르게 삽입한다면 대부분 손상을 유발하지 않는다.

2. Over-the-wire 기법, 팁과 요령들

Over-the-wire technique, tips and tricks

의인성 혈관 손상을 피하기 위해서는 over-the-wire 기법을 사용하여 카테터를 진입시켜야 한다. 카테터 끝은 단단해서 와이어없이 밀어넣으면 혈관에 손상을 가할 수 있기 때문에 와이어 없이 절대 카테터만 사용하지 않는다. 왼손으로 카테터를 잡고 오른손으로는 가이드와이어 끝을 잡아서 카테터 안으로 밀어 넣는다.

대개 선호하는 카테터를 이용하게 될 것이고 일정한 간격으로 와이어를 삽입하며 그 횟수를 계산하자. 경험이 쌓임에 따라 와이어 끝이 카테터 끝에 다다르기 직전 언제 멈춰야하는지 알게 될 것이다. 가이드와이어가 혈관내강에 진입하는 순간이 중요한데, 특히 혈관에 플라크(plaque)가 있을 때는 와이어가 혈관내피를 관통하여 박리를 일으킬 수 있다. 완벽히 와이어 삽입을 멈추었다가 투시검사를 통해 최대한 조심스럽게, 천천히 진입시킨다. 와이어 끝이 실제 내강 안에 위치하였다면 아무런 저항없이 진입되는 것을 느낄 것이다. 목표 위치에 와이어를 거치시킨 후 오른손으로 가이드와이어 끝을 잡고 왼손으로 카테터를 이동시킨다(카테터가 와이어를 따라간다). 와이어 끝을 잡지 않는다면 위쪽으로 이동해 버릴 수 있다. 중요한 팁은 가이드와이어를 통해 카테터를 교체할 때는 카테터에 비해 최소한 두배 길이의 가이드와이어를 사용해야 한다는 것이다. 만약 80 cm 카테터를 사용한다면 가이드와이어의 길이는 180 cm(150 cm이 아닌)이어야 한다. 대동맥 내에서 카테터를 교체하는 것이 어떤 동맥에서 하는 것보다 긴장이 훨씬 덜할 것이지만, 기본적인 술기는 같다.

골반골절 환자에서 색전술 후에 골반 혈관조영술을 통해 잔여 출혈(요추동맥이나 외장골동맥 가지로부터 나오는)을 확인하게 된다. 이때 pig-tail 카테터가 필요할 것이다.

3. 혈관조영술 – 조영제 주입 방법

Angiography – contrast injection issues

목표한 동맥에 삽입 후 제일 먼저 해야 하는 일이 혈액의 역류를 확인하는 것이다. 멸균증류수 몇 mL를 주입하고 조영제 주입 검사를 부드럽게 시행한다. 비정상적 저항이 느껴지거나 다른 혈관으로의 흐름이 보일 때는 혈관 박리 가능성이 있기 때문에 주입을 중단해야 한다. 파워주입기는 기계적으로 일정하게 강한 주입을 통해 훌륭한 영상을 만들어 줄 수 있지만, 연결하는 데 몇 분이 걸리고 항상 이용할 수 있는 게 아니다. 대부분이 큰 카테터를 통해 수기 주입을 해도 질 좋은 영상을 얻을 수 있다. 수기로 1-2초 안에 8-10 mL를 쉽게 주입할 수 있다. 대부분의 미세카테터는 자체 압력 제한으로 1.5-2.5 mL/sec만 허용된다. 주입할 때는 카테터의 직경을 고려해야 한다.

4. 골반골절에서 색전술의 팁

Pelvic fracture related embolization tips

골반 골절은 술기가 간단할 수 있기 때문에 좋은 예가 될 수도 있지만, 대부분의 골반 손상들은 정맥출혈을 야기하고 필요시에 시행되는 색전술은 간단하지 않을 수도 있다.

처음에는 골반고정대(pelvic binder)를 조여 매고 지혈 상태를 재평가한다. 정맥 출혈은 외부 골반고정대나 외부 고정술, 복막외 충전술로 지혈이 잘 되고, 동맥 색전술은 골반 부위 내로 혈액유입을 줄임으로써 정맥 출혈을 감소시킬 수 있다. 혈관조영술을 시작하기에 앞서 어떤 혈관에 접근해야 할지 결정해야 한다. 대부분의 인터벤션영상의학과의사들은 반대쪽의 대퇴동맥에 혈관을 확보한다. 출혈 부위가 왼쪽이면 오른쪽 총대퇴동맥에 천자를 하고 5Fr sheath를 거치시킨다. 그 부위에 REBOA가 시행되어 있다면 평행천자를 하거나 병소와 동측에서 천자를 시행한다. 예리하게 각진 대동맥분지를 가진 젊은 환자에게는 동측의 혈관 확보를 권유한다. 어떤 환자는 양측 색전술이 필요할 수 있는데 임상의사의 일반적인 접근 방식에 따르면 된다.

어떤 카테터를 사용해야 할까? 다룰 수 있는 것 중 가장 선호하는 것을 권한다. 카테터의 종류에는 Cobra, Shepherd 등 여러 가지가 있다. 대동맥분지를 확인할 수 있도록 골반 혈관조영술을 시행하고 20-40° RAO (right anterior oblique) view에서 조영제 10 mL를 주입하여 내장골동맥과 그 가지들을 확인한다(C-arm은 환자의 오른쪽으로 기울여서 위치시킨다). 사선(oblique) 각도의 영상이 대동맥분지를 보여주게 되는데, 이렇게 진단적 혈관조영술과 동시에 장골동맥 분지를 지도화(mapping)할 수 있다. 내장골동맥으로 가이드와이어를 진입하여 색전술을 시행하거나 좀 더 선택적으로 색전술을 할 수 있다. 나머지는 좀 더 전문적인 과정이므로 여기서 더 구체적으로 기술하지 않는다.

5. 골반에서 색전제에 관한 몇 가지 알아야 할 사항

Some more words on embolization agents in the pelvis

색전제의 선택은 손상 양상과 임상의사의 경험에 의해 결정된다. 내장골동맥 주요 가지와 같은 근위부 주요 동맥 손상에서 스텐트 이식편 삽입술은 좋은 선택지가 아니다. 코일과 함께 vascular plug를 사용하는 것이 효과적이다. Plug 색전술은 빠른 지혈을 가능하게 하지만 원위부 허혈의 위험성을 갖고 있다. 내장골동맥의 첫 번째 또는 두 번째 가지가 손상되었을 때는 액상형 고분자 색전제만큼이나 코일과 큰 젤폼 입자가 잘 쓰인다. 젤폼 입자(2-4 mm)는 쉽고 빠르게 준비할 수 있고 일시적인 색전 효과를 갖는다. 젤라틴 스폰지를 천천히 비선택적으로 카테터에서 근위부 내장골동맥으로 주입한다. 혈역학적으로 불안정한 골반골절환자에서는 초선택적(super-selective) 색전술은 시행하지 않도록 한다! 큰 젤라틴 스폰지는 원위부로 가지 못하고 가장 빠른 하류로 이동할 가능성이 크다. 젤라틴 스폰지와 조영제 식염수를 번갈아 가면서 주입할 수 있다. 젤라틴 스폰지를 카테터에 가득 채울 때까지 색전을 시행하고나서 총장골동맥으로 카테터를 빼고 필요하면 흡인하거나 색전 후 검사(post-embolization study)를 위하여 조영제를 주입한다. 색전 후에 카테터 내강에 있는 젤라틴 스폰지를 흡인할 수 없다면 카테터를 제거하고나서 체외에서 물로 씻어낼 수도 있다. 하지만 카테터를 빼고 다시 진행할 때는 시간이 지연됨을 잊지 말아야 한다. 코일은 지혈 효과를 얻기 위해서는 강한 패킹이 필요하고 시술하고 있는 위치를 확인하기 쉽다(X-ray에서도 볼 수 있다)는 특성을 지닌다. 하지만 응고장애가 있을 때 코일은 효과적이지 않을 수 있다. 말초에 산재성 출혈이 있을 때는 젤폼-식염수-조영제 혼합물을 비선택적으로 주입할 수 있다. 비가역적인 대안으로는 응고상태와 상관없이 작용하는 Onyx 또는 NBCA와 같은 액상형 고분자 색전제가 있다. Onyx는 하류로 흘러가면서 영양동맥(feeding artery)으로 출혈이 일어날 수 있는 "뒷문"을 차단하게 되어 매우 유용하다.

골반의 앞쪽 부위는 반대쪽으로부터 곁순환(collateral flow)되어 이 부위 손상에서는 양측 색전술이 필요할 수 있다. 만약 양측 혈관로가 확보되어 반대측으로 접근할 때는 반대로 좌측 sheath로 우측 내장골동맥에 이르는, 소위 "대칭적 술기"가 된다. 한 개의 sheath만 있을 때는 그 곳을 통해 동측의 내장골동맥에 접근해야 한다.

술기 마지막에는 원위 대동맥조영술(distal aortogram)을 시행한다. 이는 잔여 혈관외유출을 확인하기 위함이다. 불안정한 골반골절환자에서는 소생술기로써 양측 비선택적 젤라틴 스폰지 색전술을 시도할 수 있고, 몇몇 센터에서는 기본적으로 시행하고 있다.

Your pitfalls in the pelvis

- 혈관 확보를 할 수 없을 때
- 내장골동맥으로 진입하는 데 시간이 지체될 때
- 카테터가 불안정하게 위치할 때
- 출혈병소를 찾을 수 없을 때
- 코일 색전으로 출혈이 멈추지 않고 시간이 흐를 때

6. 신동맥 색전술

Renal embolization issues

대부분의 경우 대퇴동맥 혈관로 확보가 가장 쉽긴 하지만 상완동맥이나 액와동맥으로 접근할 수도 있다. 흉추 12번과 요추 1번 사이에 혈관조영 카테터를 거치하고 고농도, 고유량(15 mL/s, 20-30 mL)의 대동맥조영술을 시작으로 술기를 시행한다. 여기서 주(main) 신동맥을 찾아야 한다. 선택적 카테터(갈고리 모양 또는 90° 각도의 카테터를 주로 사용)를 신동맥에 삽입한다. 삽입한 후에 수기 주입영상을 촬영하면서 혈관외유출을 찾는다. 주동맥 파열(transection)의 경우, 신동맥에 큰 카테터를 거치하고 코일을 삽입하는 것이 가장 빠른 지혈 방법이다. Vascular plug도 또 다른 대안이 될 수 있다. 가능하면 선택적 또는 초선택적 분지 색전술을 시행하는 것이 좋다. 신동맥문(hilum)에 유도 sheath (6-7Fr)를 거치하여 혈관분지에 큰 카테터(4-5Fr)나 미세카테터를 이용하여 시술하는 것도 좋은 방법인데, 이는 혈관조영을 조절하여 미세코일이나 액상형 색전제로 좀 더 선택적 색전을 할 수 있게 한다. 주신동맥경(pedicle)에 손상이 확인될 때는 신동맥 스텐트를 삽입하는 것이 좋다. 이런 방법들이 초보자의 수기가 아니라는 점을 명심하자!

Pitfalls

- 동맥으로 접근을 할 수 없거나 불안정한 카테터로 동맥 진입이 안될 때, 다른 접근 방법이나 혈관로를 고려한다.
- 신장이나 혈관에 와이어 천공이 발생할 때, 색전을 고려한다.
- 비의도적인 완전 색전이 발생한다면, 간단한 해결책은 없다.

7. 비장동맥 색전술

Splenic embolization

선택적 카테터를 이용하여 복강동맥에 삽입하고 대개 간동맥에 거치한다. 여기서 안정적인 카테터의 위치가 성공의 요소가 된다. 복강동맥에 sheath나 유도 카테터(6-7Fr)를 거치하여 혈관조영을 시행하고 비장동맥으로 진입한다. 복강동맥의 진행방향이 앞쪽으로 보이게 C-arm의 위치 조절이 필요하다. 근위부 색전(vascular plug 또는 코일)이 필요한 출혈이 있는지 미세혈관에 말초선택적 색전이 필요한지 판단해야 한다. 근위부로 색전을 하게 되더라도 비장은 근위부 비장동맥에서 나오는 배측 췌장동맥(dorsal pancreatic artery)을 통해 곁순환을 가지므로, 관류압을 감소시켜 환자를 안정화시킨다. 여기서 액상형 색전제를 사용할 수도 있고, 비장동맥 풍선폐쇄는 비장손상에서 또 하나의 효과적인 임시방법일 수 있다.

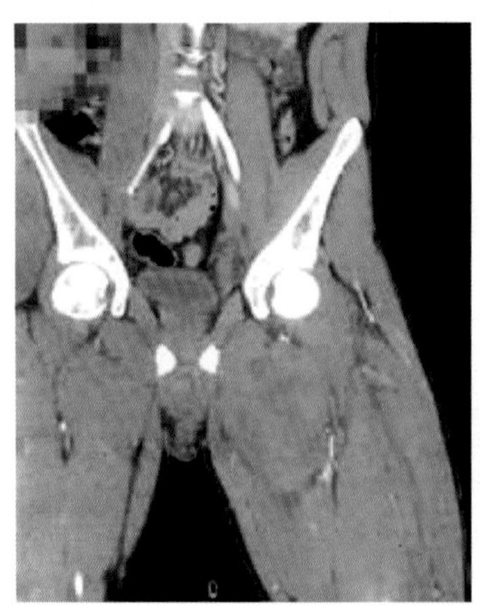
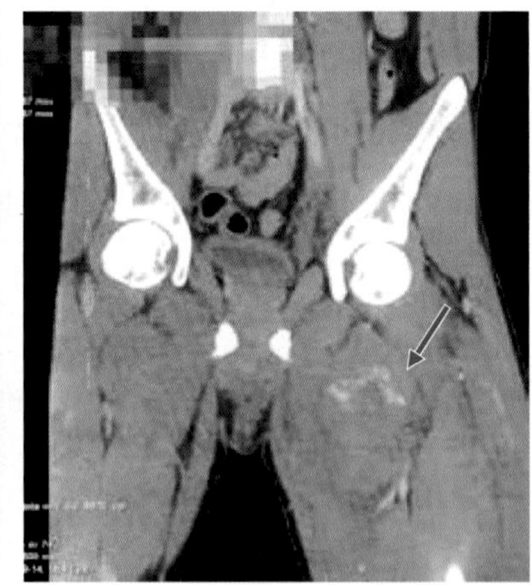

그림 1 동맥기와 정맥기(지연기) CT혈관조영술.
혈관외유출이 관찰된다. CT혈관조영술의 초기와 지연기 영상에서 많은 정보를 알 수 있다.

Pitfalls

- 복강동맥으로 진입이 실패할 때, 다른 접근이나 혈관로를 고려한다.
- 동맥내 고유량으로 코일이 이동할 수 있다. 코일을 교체하거나 다른 접근이 필요하다.
- 곁순환이나 "뒷문(back-door)" 출혈로 재출혈이 일어날 때, 접근 방법을 바꿔본다. 액상형 색전제는 어떨까?

8. 간동맥 색전술

Hepatic issues

갈고리형 카테터로 복강동맥에 삽입하는데 이 위치는 불안정하여 유도카테터 sheath가 필요할 수 있다. 조영제 10 mL를 수기 주입하고 해부학 구조를 파악하여 출혈 병소를 확인한다. 여러 번의 투시검사를 하고 나서 큰 카테터와 0.035 inch 친수성 와이어를 이용하여 출혈 부위에 최대한 가까이 접근한다. 미세카테터가 더 유용할 수도 있다. 간에서는 특히 "뒷문" 출혈을 막는 것이 중요하다. 상황에 따라 다르지만 출혈 혈관의 근위부에 코일을 삽입하여 관류압을 감소시키는 것만으로 충분할 수 있다. 젤라틴 스폰지는 동정맥단락을 통해 전신순환계로 진행할 수 있고 이에 따라 의인성 폐색전(iatrogenic pulmonary embolism)이 생기기도 한다. 가능하면 선택적으로 색전하도록 한다.

Pitfalls

- 불안정한 카테터
- 와이어 천공과 추가적인 손상
- 출혈 혈관/병소를 찾을 수 없을 때, 접근 방법을 바꾼다.
- 동정맥단락을 통해 색전제의 비의도적 폐 이동이 일어난다면, 간단한 해결책은 없다.

요약정리

– 혈관내술기를 시작하기 전에 기초 술기에 대한 훈련을 받아야 한다.

– 많은 훈련과정이 필요하고 다른 의료진들의 도움을 받는 것이 좋다.

불안정한 환자에서는 함부로 시행하지 않는다.

– 술기와 관련된 재료 및 기구에 대해서 잘 파악하여 사용한다.

– 사용 전에 잘 생각해야 한다!

CHAPTER 10

장기별 구성. 가능성과 실제적 해결책. 몇 가지의 추가적 고려사항, 팁과 요령

Organ by organ

the possibilities and practical solutions
–some further thoughts, tips and tricks

Lauri Handolin, Joe DuBose, Viktor Reva, Lars Lönn, Per Skoog, Junichi Matsumoto, Tal Hörer

외상후 출혈은 여러 형태로 나타나고, 모든 출혈은 심각하게 받아들여져야 한다. 지혈에 시간이 필요하고, 환자가 생리학적으로 버틸 수 있는 출혈과 즉각 사망을 일으킬 수 있는 출혈 사이에 차이가 있다는 것에 모든 외사의사들이 동의할 것이다. 당신은 외과의사로서 출혈의 모든 원인을 정확하게 판단하고, 이를 위해서 어떻게, 그리고 언제 해야 하는지 결정을 내려야만 한다. 최종 수술을 할 필요나 시간적 여유가 있는가? 아니면 일시적인 손상통제술로 시간을 버는 것이 더 현명한가? 팀원 모두가 당신의 결정을 기다리고 있다.

외상후 출혈을 치료할 때에도 기도 및 호흡 문제가 출혈보다 더 시급하다는 것을 기억해야 하고, ABC를 잊으면 안 된다. 출혈로 인한 사망이 꼭 과다 출혈로만 발생하는 것은 아니라는 점을 이해할 필요가 있다. 심막내나 두개골내 같은 좋지 않은 위치에 있는 출혈은 소량이라도 주변 구조물에 대한 압력을 높혀 위험한 결과를 초래할 수 있다. 이렇게 상대적으로 소량인 출혈이 종종 더 시급한 치료를 필요로 하기도 한다. 두개골내출혈이나 심막내출혈(심낭압전 등)같은 예는 "EVTM solution"으로 해결할 수 있는 문제들이 아니므로 여기서 다루지는 않겠지만, EVTM 원칙을 적용하여 치료하게 될 환자들과 매우 깊은 관련이 있을 것이다.

또한 혈관 손상은 심각한 출혈을 일으키지 않는 경우에도 위험할 수 있다고 인식하는 것이 중요하다. 혈관의 부분 폐쇄는 뇌와 같은 중요한 장기에 색전증을 일으킬 수 있고, 신장과 같은 주요 장기에 혈액을 공급하는 말단 동맥(end artery)의 완전 폐쇄도 일으킬 수 있다. 따라서 증상의 해석과 치료 결정은 상황에 대한 충분한 이해와 임상적 판단을 바탕으로 이루어져야 한다. 당신이 가지고 있는 모든 전문성과 최선의 판단력을 발휘해 좋은 결과를 이끌어내야 한다. 본질적으로 체내 장기들은 생존의 측면에서 그 중요성이 각각 다르다. 각 장기에 대한 접근 및 치료 방법은 장기마다 독특한 부분이 있으며 다양한 치료 방법이 있다. 다음을 대비하기 위해 자신의 상황을 돌아보고 당신이 시도할 수 있는 각각의 장기들에 대한 치료방법을 고려해 보길 바란다. 이 장에서는 "EVTM"을 감안하여 무엇을 이루어낼 수 있는지 살펴볼 것이다.

1. 골반

Pelvis

골반골절과 비구골절(acetabular fracture)은 둔상에 의해 발생한다. 불안정한 골반골절은 주로 수평(측면압박과 오픈북 형태)과 수직(완전히 불안정한 골반고리)의 두 가지 방향으로 설명된다. 골반골절과 관련된 출혈은 골절된 뼈 표면, 연부조직, 그리고 절단된 정맥과 동맥에 의해서 발생한다. 혈역학적 안정성에 가장 중요하고 큰 영향을 미치는 것은 골반 후방에 위치한 주요 동맥과 그 분지 동맥들이다[내장골동맥 및 상둔부동맥(internal iliac and superior gluteal arteries)]. 이러한 출혈은 완전히 불안정한 골반고리(pelvic ring)골절에서 많이 발생한다. 구급대원이 자살하려고 뛰어내린 혈역학적으로 불안정한 젊은 환자를 이송해 왔으며, 팀원들이 환자에게 기도삽관을 시행하고 호흡 문제는 없음을 확인했다. FAST에서 복부소견은 음성이지만 임상적으로는 불안정한 골반골절을 발견했다. 환자는 출혈이 의심되며 대부분의 출혈이 골반에서 발생했을 가능성이 매우 높다. 무엇을 시행하겠는가?

첫 번째 단계는 골반고정대를 적용하고 대량수혈프로토콜(massive transfusion protocol, MTP)을 진행하는 것이다. 혈역학적으로 불안정하거나 지속적으로 악화되는 경향을 보인다면, 다른 무언가를 빨리 실행해야 한다. 골반에 거즈충전을 하기 전에 출혈을 근위부에서 조절해야겠다는 생각으로 흉부대동맥 차단술을 고려할 수도 있다. 여기서 잠깐! 기존의 프로토콜이 적합한지 따져보자. 개흉술은 필요 없다. 환자의 가슴을 절개하는 것보다 복부대동맥의 Zone III를 막는 것이 더 이상적이다. 개흉술로 인한 추가적 문제뿐만 아니라, 개흉술 자체로 인해 손상이 발생할 수도 있다. 우리는 성공적으로 개흉술을 피할 수 있었던 몇몇 젊은 환자들을 봤었고 그럴만한 가치가 있었다. 지금 누워있는 환자가 어린 학생이라면? 개흉술이 환자의 인생에 다른 결과를 가져올 수도 있다는 생각을 해 볼 필요가 있다.

Remark

개흉술이 필요한 상황에도 개흉술을 하지 말라고 제안하는 것은 아니다. EVTM 개념의 일부로서 다른 방법을 알리려 하는 것이므로, 어떤 선택지든 간에 시술자는 환자를 위한 최선의 방법을 결정하면 된다.

다음으로, 당신은 REBOA를 시행하기 위해 대퇴동맥을 확보하려 하지만, 그 부분에 있는 골반고정대가 방해가 된다는 것을 알게 된다. 아직 골반고정대를 풀면 안된다. 다른 고정대를 첫 번째 고정대 바로 아래에 시행하고 두 번째 고정대를 착용한 후에 첫 번째 고정대를 풀어야 한다. 이제 골반을 안정되게 유지하면서 서혜부에 접근할 수 있다. 초음파를 사용하거나 필요시 피부를 절개하여 동맥천자를 시행하고 sheath를 넣는다. 오른쪽, 왼쪽 어느 곳이든 상관없고, 들어가기만 하면 된다. REBOA 카테터를 밀어 넣고 Zone III에 거치시키도록 한다. 정확한 위치는 투시검사(fluoroscopy)나 초음파를 사용하여 확인할 수 있지만, 이런 과정 없이도 Zone III를 유추할 수 있다. 환자의 배 위에 카테터를 놓고 풍선이 배꼽 바로 위에 오도록 한 다음에 카테터의 근위부 끝을 확인한다. 여기가 시작점이다. 카테터를 확인한 위치까지 밀어 넣는다. 천천히 5 cm 정도의 움직임으로 카테터를 밀고 당기는 동안 풍선이 팽창하면서 대동맥벽에 닿아 생기는 저항을 느낄 때까지 풍선을 천천히 채우기 시작한다. 저항은 괜찮으나 카테터가 여전히 움직이는 상태에서 풍선에 주입을 멈추고 카테터가 멈출 때까지 당겨 뺀 후, 마지막으로 2 mL의 식염수를 추가하여 마무리하도록 한다. 대동맥과 장골동맥의 직경 차이로 인해 당신의 풍선은 대동맥 분기점에서 멈출 가능성이 매우 높다. 이 책의 REBOA 챕터를 참고하여, 가능하다면 혈압을 관찰하면서 pREBOA를 할 수 있다.

이제 REBOA를 사용하여 출혈 병소의 근위부를 조절하였다. 하지만 이 방법으로 단지 몇 십분 정도의 시간을 벌었을 뿐이고 출혈을 치료할 수 있는 방법이 계속 필요한 상태이다. 다음 단계는 환자의 상태와 병원의 역량, 외상치료체계에 달려있다. 환자가 비교적 안정적이고 중재시술이 가능한 영상의학과 전문의(또는 혈관외과의사)를 즉시 호출할 수 있는 경우에는 혈관색전술을 위해 즉시 혈관조영술실로 환자를 옮겨야 한다. 비교적 심한 손상의 환자라 하더라도 확실한 혈관조영술 팀이 있다면 수술실에서 이동성 C-arm을 사용하여 내장골동맥 색전술을 시행할 수 있다. 이런 시술에는 일반적인 골반혈관조영술도 필요하지 않다. 대신 기본적인 와이어, 카테터 및 색전제(gelfoam, coils, NBCA, Onyx, plugs 또는 적절하다고 생각되는 모든 것)의 기본 세트만 있으면 된다. 이 시술은 경험있는 외상외과의사가 기본적이면서도 전문적으로 시술을 시행할 수도 있다.

Remark

또한 CT혈관조영술을 시행해 볼 수 있는데, CT혈관조영술은 다른 부위에 대해 보다 자세한 정보를 줄 것이다(머리, 척추 등). 선택은 당신의 상황과 경험에 크게 좌우되지만, 가장 중요한 것은 다음과 같다. 지금 이 환자에게 가장 좋은 것은 무엇인가? 우리 중 일부는 가능하다면 항상 CT혈관조영술을 시행할 것이다.

만약 불행하게도 중재술이 가능한 영상의학과의사를 활용할 수 없고, 수술실에 C-arm이 없으며, 기본적인 혈관조영술세트가 없다면 간단하

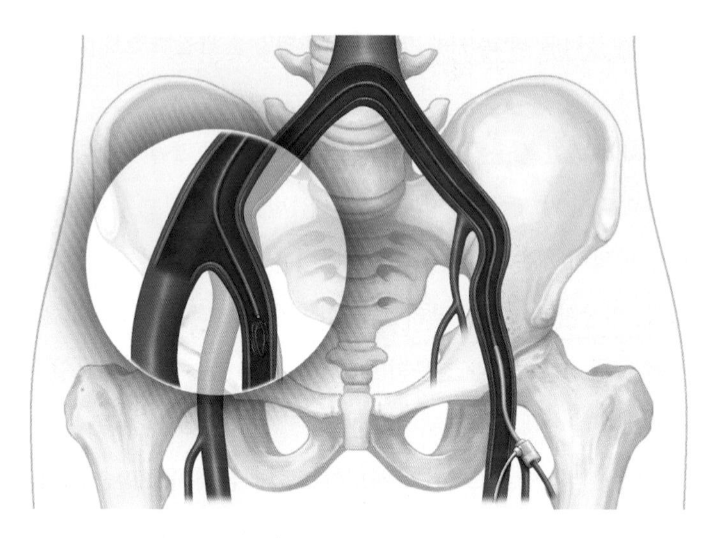

그림 1 내장골동맥에 대한 골반 혈관색전술.

지만 매우 효과적인 전복막 골반 거즈충전술(preperitoneal pelvic packing)을 시행하는 것이 좋다. 전복막 골반 거즈충전술을 시행한 뒤 풍선의 크기를 천천히 줄일 수 있는지 확인해야 한다. 수술이 제대로 되었다면 천천히 단계적으로 시행되는 풍선 감압을 환자가 견딜 수 있을 것이다. 만약 환자 상태가 이를 견디지 못한다면, 하반신 쪽으로의 일부 혈류순환을 회복시키기 위해 풍선의 부분적 폐쇄(pREBOA)를 고려할 수 있다. 또한 앞서 언급한 바와 같이 환자에 대한 whole body CT 촬영을 통해 보다 상세한 진단이 필요하다. 생명을 구하기 위한 우선적인 지혈 술기 직후에 이러한 것들이 필요하다. 수술 후 혈압이 안정되고 있다 하더라도 "즉각적인 안도감"에 빠지지 말고, 치료가 필요한 다른 손상이 있을 수 있다는 것을 명심해야 한다. 적어도 내장기관 손상과 복강내방광

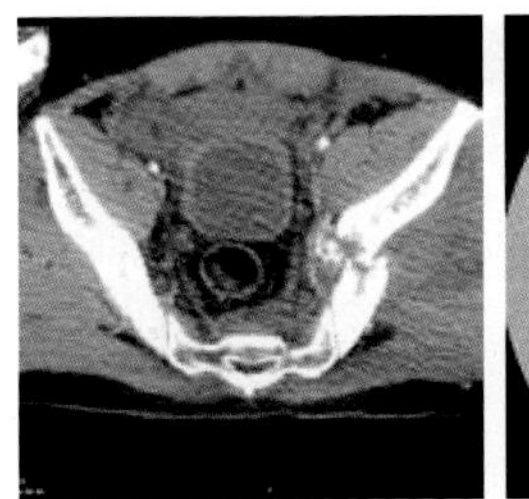
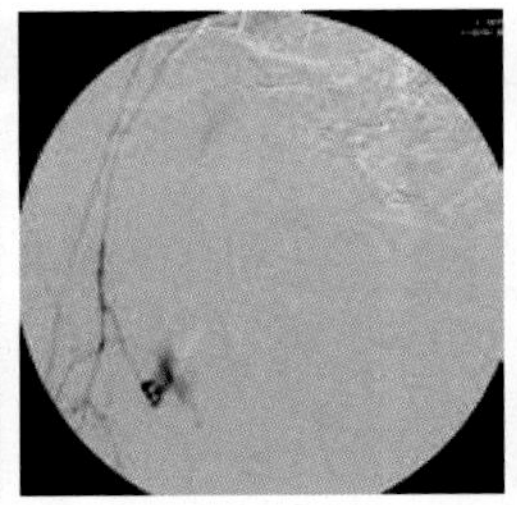
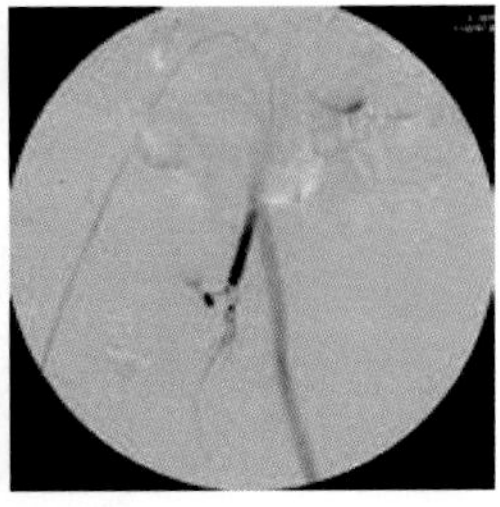

그림 2 조영제를 사용한 CT혈관조영술에서 관찰되는 골반골절과 혈관외유출 소견.
혈관조영술상 혈관외유출 소견과 코일 시술한 모습. 이 환자에게 심폐소생술을 시행하면서 REBOA를 적용하였고, 환자는 생존하였다.

(intraperitoneal) 손상은 배제할 필요가 있다. 수술 후, 이차평가를 하면서 환자를 안정화시켜야 한다. 24시간 후에 환자를 다시 혈관조영실로 이송하여 거즈를 하나씩 뽑으면서 동맥출혈 여부를 확인한다. 혈관조영술에서 출혈이 관찰된다면 혈관색전술을 시행한다.

2. 비장
Spleen

혈역학적으로 불안정하고 복강내에 유리 체액(free fluid)이 있는 경우에는 개복술과 비장절제술을 시행해야 한다. 그러나, 환자가 비교적 안정적이고, whole body CT를 시행하였으며 출혈성 비장 이외에는 개복술을 받을 이유가 없다고 판단되는 경우, 비수술적 기본 치료의 하나인 혈관색전술을 고려해야 한다. 환자를 혈관조영실로 옮기는 데 걸리는 시간과, 혈관색전술이 얼마나 빨리 이루어질 수 있는지, 그리고 위험할

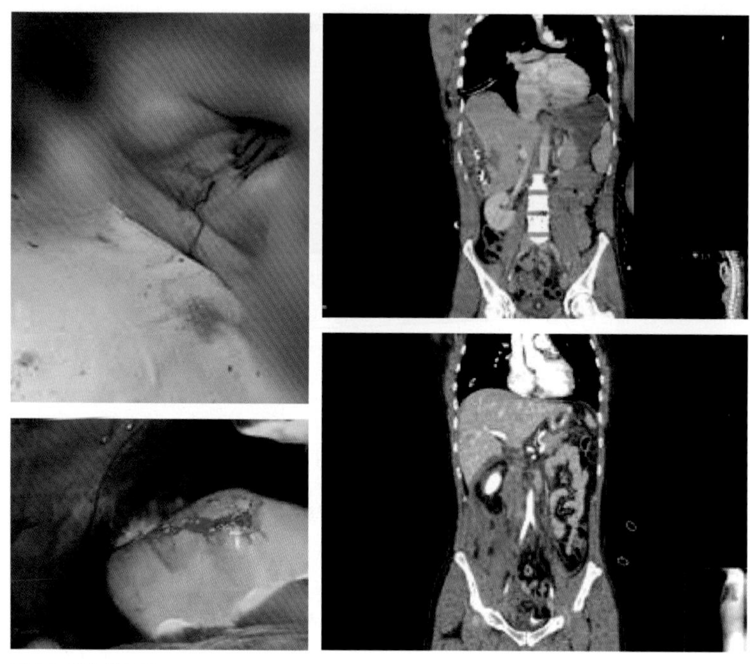

그림 3 간의 관통상.
간 주위의 혈액이 관찰된다. 이 환자의 경우, 개복술과 간 거즈충전술을 시행하였다. 개복술이 많은 출혈을 일으켜 혈역학적으로 불안정해질 수 있기 때문에 dREBOA (deflated REBOA)가 옵션이 될 수 있다.

수 있는 상황인지를 명심해야 한다. 걱정된다면 환자를 수술실로 옮기는 것이 좋다. 비장동맥을 찾아 카테터를 삽입하는 것은 색전술만큼 간단하지 않다. 때로는 경험 많은 사람이라도 서로 다른 카테터와 와이어를 조작하여 복강동맥을 통과하는 데 수십 분이 걸리기도 한다.

비장은 주로 비장동맥에서 혈액을 공급받지만, 일부 혈액은 위장성 인대(vasa brevias)에서도 나온다. 따라서 급성 출혈 시 선택할 수 있는 비장동맥의 근위부(비선택적) 색전술의 경우에도 비장의 허혈과 괴사의 위험이 비교적 낮다. 두개내 손상같이 다른 큰 손상이 없는 안정적인 상황에서만 선택적이고 부분적인 색전술을 위해 더 오랜 시간을 사용할 수 있다.

근위부 색전술에서는 비장괴사가 발생할 수 있다. 그 이유로는 1차적 외상으로 인해 위비장(gastrosplenic) 인대가 손상되어 비장동맥의 순환을 차단함에 따라 허혈증이 발생하는 경우이다. 허혈성 비장은 환자가 안정된 후 수술로 제거할 수 있지만 다행히 대부분의 비장괴사증은 저절로 해결된다. 비장절제술 후처럼 비장의 근위부 색전술 후에도 예방접종이 필요할까? 아마도 아닐 것이다. 만약 비장의 완전한 괴사가 없다면, 예방접종을 피할만한 비장이 충분히 남아있을 것이기 때문이다.

3. 간

Liver

간에는 출혈 가능한 순환시스템이 3개가 있는데, 그 중 2개는 근위부(간동맥과 간문맥)에서 오고, 1개는 간과 대정맥(간정맥)에서 역행하는 것이다. 간으로 들어가는 혈액의 약 75%는 간문맥에서 나오는 정맥혈이며, 나머지 25%는 동맥혈이다. 심각한 간출혈에서는 이 세 개의 순환시스템이 모두 손상될 수 있다. 따라서 대부분의 경우 혈역학적으로 불안정한 환자에서는 신속한 개복술과 간 거즈충전술이 필요하다. 간십이지장 인대의 일시적인 폐쇄(Pringle's maneuver)는 간으로 들어오는(간문맥과 간동맥) 모든 출혈을 효과적으로 멈추게 하여 패킹할 시간을 벌어준다.

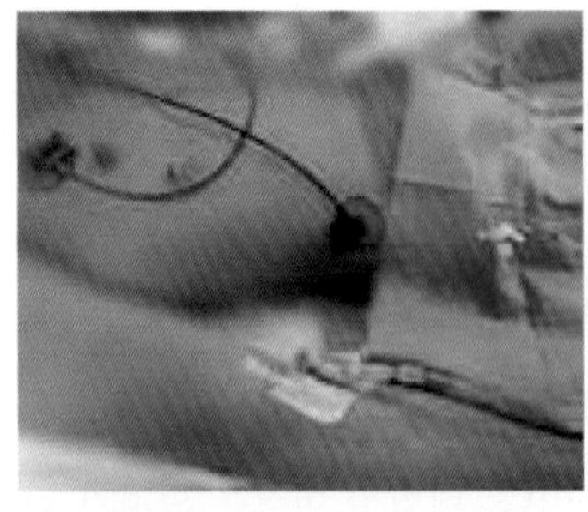

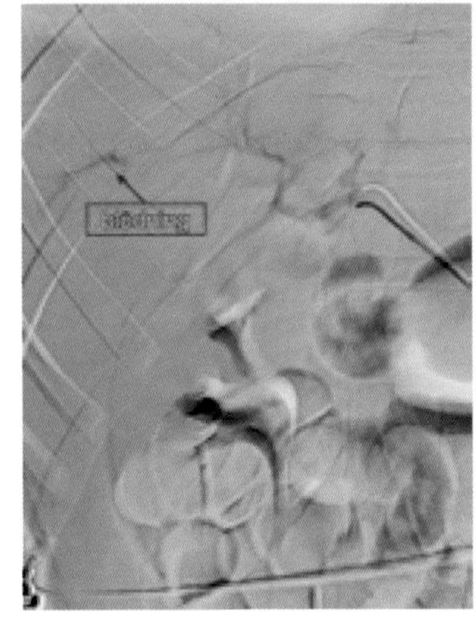

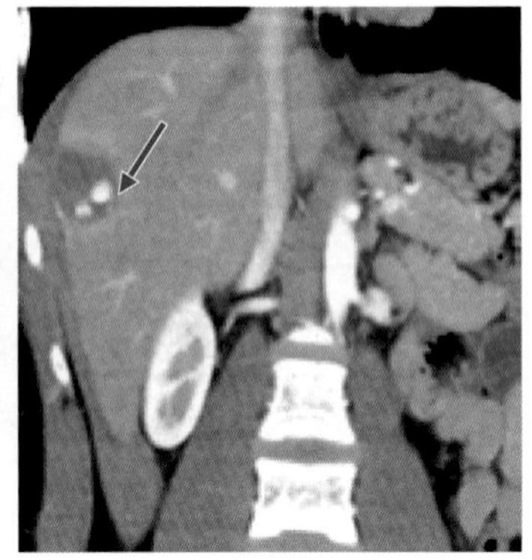

그림 4 조영제 유출이 보이는 간 관통상과 코일색전술(여기서는 보이지 않음).

3P 법칙을 기억해야 한다. Press, Pringle, Pack! 반면 FAST가 양성인 혈역학적으로 불안정한 환자를 대할 때, REBOA부터 시작해서 곧장 개복술을 시행할 수 있다. Pringle's maneuver를 시행하고, 간하대정맥으로부터의 출혈로 곤란을 겪고 있을 때에는 하대정맥의 근위부와 원위부의 조절이 필요하다. 신장 윗쪽의 하대정맥을 클램핑하려면 Kocher maneuver를 이용하여 십이지장을 박리하면 되지만, 횡격막 아래 혹은 심막 아래의 하대정맥을 클램핑하는 것은 매우 어려운 일이다. 이러한 경우 동일한 장비로 대퇴정맥을 통하여 간정맥 위치의 하대정맥을 일시적으로 폐

쇄할 수 있다. 이와 같은 심각한 외상성 간출혈 환자에서 REBOA와 대정맥 풍선(double REBOA)이 시행된 증례가 보고된 바 있다. 이 방법은 선택적인 경우에서 사용해볼만한 해결책이라 생각된다.

CT혈관조영술에서 간의 조영제유출이 보일 경우 결정을 내려야 한다. 간의 다른 부위에서 출혈이 있는가? 조영제의 유출은 동맥출혈을 나타낼 가능성이 매우 높지만, 간문맥이나 간정맥에 대해서는 많은 것을 알기 어렵다.

Remark

앞서 언급한 바와 같이, 동맥기와 정맥기 모두 포함하여 CT 촬영을 하는 것이 좋다.

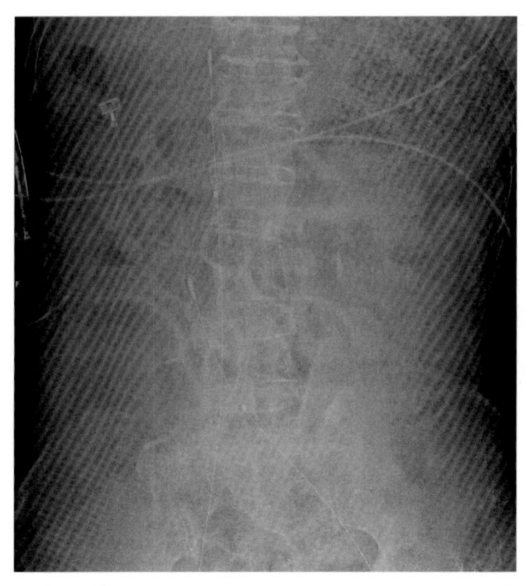

그림5 우측 대퇴정맥을 통한 근위부 하대정맥 폐쇄와 좌측 대퇴정맥을 통한 원위부 하대정맥 폐쇄를 시행한 대정맥내 풍선폐쇄 소생술(REBOVC) 사진

동맥출혈이 간실질조직 내에서만 일어나고 있는가(외상성 가성동맥류) 아니면 복강 안으로 새어나가고 있는가? 외상성 가성동맥류는 혈역학적 불안정성을 야기하진 않지만 나중에 문제를 일으킬 수 있다. 그런 경우에는 외상소생술을 시행하여 환자를 안정시킨 후, 나중에 선택적이고 부분적인 혈관색전술로 가성동맥류를 해결할 수 있다. 복강내로 동맥출혈이 있지만 혈역학적 불안정성이 심하지 않은 경우, 환자에게 즉시 혈관색전술을 시행할 수 있다.

4. 신장
Kidney

신장손상과 관련된 응급 상황에는 활동성 출혈, 허혈성 신장을 유발하는 신동맥의 폐쇄, 그리고 소변 누출, 이렇게 세 가지가 있다. 소변의 누출은 신장의 집합관까지 이어지는 깊은 손상이거나 골반과 요도의 접합부 손상인 경우 발생한다. 이러한 손상은 직접적으로 환자를 사망에 이르게 하지는 않지만 혈역학적으로 안정화된 후, 세심한 주의와 치료가 필요하다. 신장에서의 문제가 되는 출혈은 대개 동맥이며 심각한 둔상 또는 관통상에 의해 발생한다. 혈관내시술 측면에서 볼 때 출혈을 멈추기 위해 신동맥을 막는 것은 가능하다. 신동맥의 폐쇄 후에는 더 이상 관류가 되지 않아 소변의 누출도 없을 것이므로 혈관색전술을 시행할 위치를 분별할 필요는 없다. 그러나 신동맥의 개수, 크기, 그리고 기시부 등의 변이가 많아 특히 혈역학적으로 불안정한 환자의 경우 응급으로 치료할 때 혈관색전술은 매우 까다롭고 시간이 많이 소요될 수 있다.

REBOA는 혈역학적으로 심각한 불안정상태를 일으킬 수 있는 주요 신동맥 손상의 경우에 유용할 수 있다. 이 술기는 신장의 손상 패턴을 확인하고 신장문(renal hilum)을 노출시킬 수 있게 내장기관을 회전시키는 수술을 가능하게 해준다. 복강동맥과 신동맥 사이의 대동맥 구역을 "폐색금지구역"이라고도 부르므로 가능한 한 허혈시간을 줄이면서 치료를 시행해야 한다는 것을 명심해야 한다.

Remark

여기서 Zone I이나 Zone II REBOA도 고려하되, 가능하다면 pREBOA를 생각해라. 수술적 혈관봉합법이 환자를 보다 안정시킬 수 있다.

손상을 입은 신장에 혈류가 감소하였지만, 약간이라도 남아있다면 추후 혈압이 상승하면서 문제를 일으킬 수 있다. 혈관중재술은 심각한 신장손상에 대한 완벽한 해결책이 아니며, 신장에서 나오는 출혈로 인해 혈역학적으로 불안정한 상태라면 신장절제술(nephrectomy)을 고려할 필요가 있다. 그러나 경우에 따라서는 가능하다면, 그리고 환자가 이미 혈관조영실에 있다면, 환자를 안정시키기 위해 혈관중재술로 신장출혈을 막을 수 있고, 그 후 2단계에서 신장절제술을 시행하여 치료를 마무리할 수 있다.

One more annoying remark

과거에 복부수술을 여러 번 받은 환자의 경우 이러한 조작은 개복하는 시간을 벌어줄 수 있다.

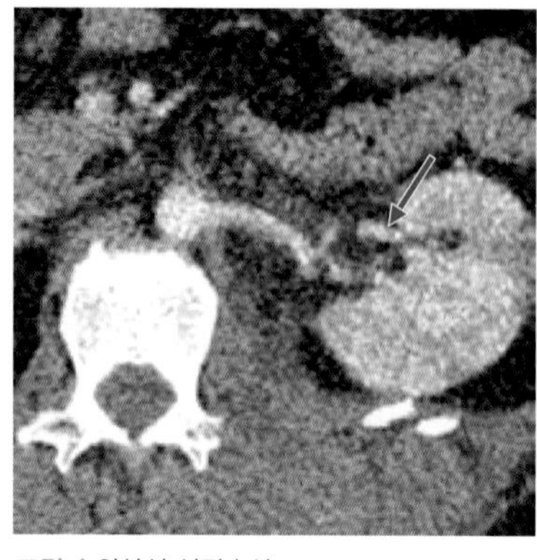

그림 6 외상성 신장손상.
CT혈관조영술은 손상에 대한 혈관중재술 혹은 하이브리드 치료의 가능성에 대한 정보를 얻는 데 유용하다.

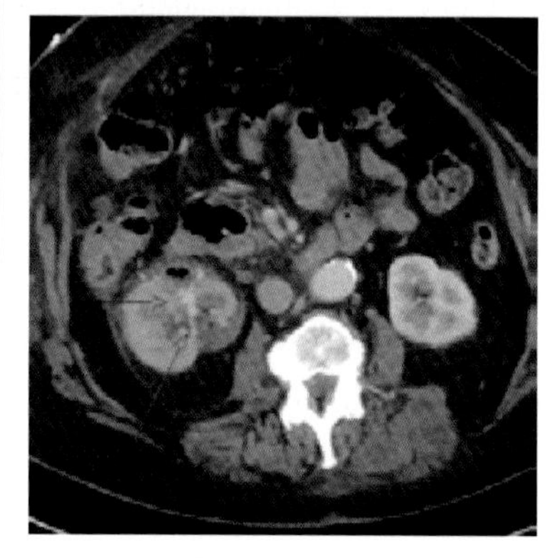

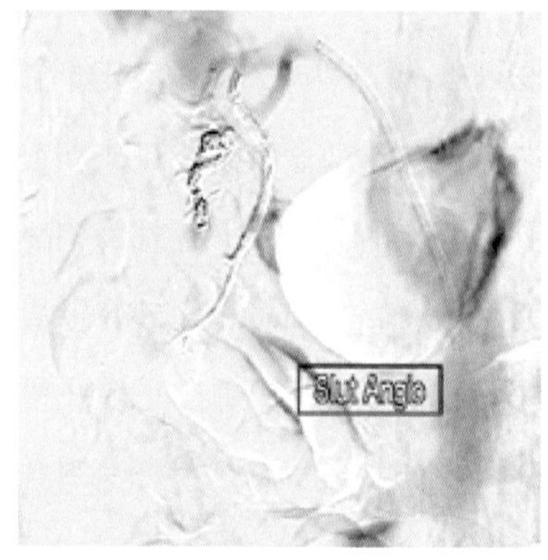

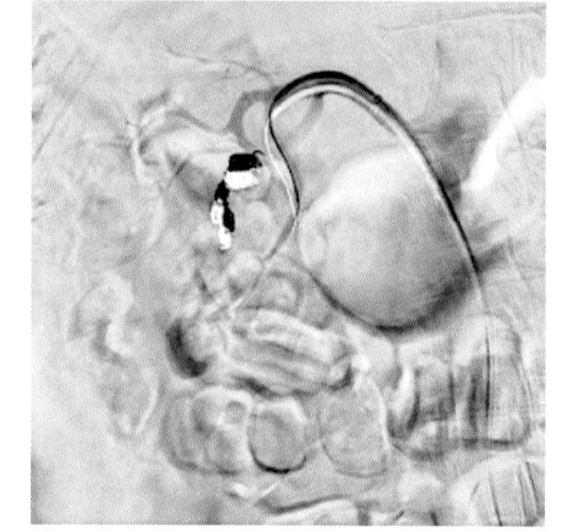

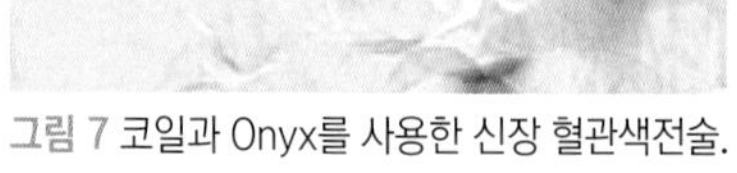

그림 7 코일과 Onyx를 사용한 신장 혈관색전술.

둔상의 경우, CT혈관조영술에서 때로 조영되지 않는 완전히 어두운 신장을 볼 수 있다. 그 이유는 둔상으로 인한 신장동맥의 신전(stretching) 손상이 혈전증과 혈관폐쇄로 이어지기 때문이다. 이러한 경우 출혈에는 문제가 없겠지만 막힌 동맥에 스텐트를 삽입함으로써 동맥혈류를 다시 순환시키는 재관류를 고려할 수 있을 것이다. 신장은 허혈을 잘 견디지 못하며, 내원 후 첫 1시간 내에 혈액 재순환이 이루어져야 한다. 결과는 보장할 수 없고, 향후 혈압 문제의 위험도 있지만, 몇몇 경우에는 시도해 볼만한 가치가 있다. 진단과 스텐트 삽입을 빨리 끝내기만 하면 되고, EVTM을 이러한 환자에게 적용해볼 만할 것이다.

5. 늑간동맥 및 요추동맥

Intercostal and lumbar arteries

늑간 및 요추동맥 출혈은 외상 없이 저절로 발생하기도 한다. 특히 응고장애가 있는 경우 여러 개의 동맥에서 출혈이 있을 수 있는데, 이러한 출혈에 대해서는 수술이 필요할 수 있다. 그러나, 요추동맥으로 접근하는 것은 사실상 불가능하다. CT혈관조영술에서 현저한 조영제 유출이 확인되는 심각한 출혈의 경우, 혈관조영술을 위해 환자를 혈관조영실로 옮기는 것을 고려해야 한다. 늑간 출혈은 흉벽과 늑막이 보통 같이 손상을 받으며 자체적인 압력효과가 없는 흉강으로 출혈되기 때문에 훨씬 더 많은 출혈이 일어날 수 있다. 늑간 출혈은 보통 자연적으로 멈추지만, 특히 응고능력이 저하된 경우에는 지속적으로 출혈이 될 것이다. 이럴 때 어떻게 반응할 것인가? 빨리 응고장애를 교정할 수 없고 출혈이 계속되면, 무언가 조치를 취해야 한다. 이러한 출혈에 대한 혈관색전술은 경험이 많은 사람만이 할 수 있다. 측부순환으로부터 재출혈되는 것을 피하기 위해 인접한 늑간동맥 몇 개와 동측의 내흉동맥을 차단해야 하는데 여기에는 시간이 걸린다.

혈관내시술과 수술의 장단점을 생각해야 한다. 개흉술은 큰 수술이지만 환자가 안 좋아지고 있거나 다른 이유(동반 폐손상, 심장손상, 혈종 제거 필요성, 혈관 확보의 어려움 등)가 있을 때에는 시행되어야 하고, 환자의 상태가 덜 불안정한 상황에서는 혈관색전술을 시행할 수 있다. 그러나 개흉술을 해서 손으로 출혈 부위를 누르는 것에 비해 늑간 혈관 하나하나에 접근하는 것은 오랜 시간이 걸릴 수 있다. 또한 근위부를 막더라도 늑간과 요추 모두 어느 정도 측부순환이 존재하여 혈관색전술로 출혈을 완벽히 멈추는 것은 불가능할 수도 있다. 이미 출혈성 골반골절과 같은 다른 이유로 혈관중재술을 하는 중이라면, 요추동맥을 확인하고 출혈을 조절해야 한다.

Tips

출혈 부위의 "뒷문(back door)"을 닫기 위해 액상 색전제를 사용하여 색전술을 시행할 수도 있다.

6. 사지

Extremities

생명을 위협할 정도의 사지 출혈은 지혈대(tourniquet)나 직접압박(manual compression)을 통해 즉각적으로 제어할 수 있다. 만약 출혈이 샅고랑이나 겨드랑에서 일어난다면, 당신은 아마도 샅고랑인대(inguinal ligament) 바로 위나 겨드랑보다 내측 높은 곳을 매우 강하게 눌러야 조절할 수 있을 것이다. 일차 지혈 후에는 출혈 부위의 근위부를 조절해야 한다. 샅고랑에서는 엉덩뼈오목(iliac fossa)을 복막외측으로 노출시키고 외장골동맥을 결찰할 수도 있다. 이 방식은 비교적 간단하고 해볼 만하다. 복강으로 들어가는 것을 피하면서 샅고랑인대 위쪽에서 절개하여 혈관까지 박리하면서 들어가면 된다. 샅고랑에 비해 겨드랑의 경우는 완전히 다르며 훨씬 더 까다롭다. 겨드랑출혈의 수술과 봉합은 일반 외과의사들은 거의 갖고 있지 않는 전문지식을 필요로 한다. 하지만, 혈관조영술을 고려해보자. 상처 부위의 출혈을 국소 압박이나 풍선카테터로 제어하는 것이 가능하다면, 근위부 통제를 위한 응급 쇄골하동맥 혈관내풍선폐쇄술을 시행해 볼 수 있을 것이다. 심지어 스텐트 삽입술로 동맥손상을 완전히 처리할 수도 있다. 적어도 시간이 많이 걸리는 쇄골하동맥의 수술적 노출을 위한 시간을 벌게 될 것이며 수술은 풍선폐쇄 후에 진행할 수 있다. 샅고랑 출혈에서 앞서 제시된 바와 같은 반대쪽 동맥이나 표재대퇴동맥을 통한 동맥풍선폐쇄술을 시행해볼 것을 권장한다.

Remark

이 문제에 대한 더 많은 팁과 요령은 다른 챕터를 참고하기 바란다.

EVTM 손상통제의 개념에 따라, 혈류를 재관류시키는 목적이든, 지혈을 위한 폐쇄든 혈관내에서 무언가를 하면 된다. 환자의 CT혈관조영술에서 쇄골하동맥의 "cut off" 소견이 보인다. 만약 적절한 직경의 스텐트가 있는 경우, 스텐트 이식편 삽입술을 시행하여 손상 부위를 다시 재개통시킬 수 있다. 당장은 최적상태가 아닐지 몰라도 동맥혈이 유지되고 사지에 대한 위험이 적어진다. 이러한 시술의 종류와 성공률은 시술자에 따라 다르다. 심지어 어려운 환자의 경우에서도 대퇴동맥에서 상완동맥/요골동맥으로 "through-and-through" 방식으로 재개통을 할 수도 있다. 다시 말하지만, 초보자가 할 수 있는 것은 아니다.

간단히 말해서, 두 가지 유형의 주요 사지 동맥이 있다: 큰 혈관과 작은 혈관. EVTM의 견해에서 작은 동맥은 아무런 위험없이 막을 수 있지만, 큰 동맥의 혈류는 회복되어야 한다. 심부대퇴동맥, 회선대퇴동맥(circumflex femoral arteries), 흉견봉동맥(thoracoacromialis)과 같은 동맥 가지의 출혈은 가능하면 막아야 한다. 간단한 혈관내 이식편 시술(endograft)로 표재대퇴동맥이나 슬와동맥과 같은 혈관으로부터의 말초 출혈을 막고 싶은 유혹에 빠질 수 있다. 그러나 이러한 시술 후에 환자는 오랫동안 항응고제를 복용해야 한다는 것을 기억해야 한다. 환자의 연령, 치료 순응도, 후속검사 가능성 등등에 중점을 두어야 한다. 오랫동안 항응고제를 복용해야 한다면 젊은 환자에게는 최선이 아닐 수도 있지 않을까?

혈관조영술이 최적이 아니라고 생각되면 근위부 통제를 위해 풍선을 출혈 부위에 바로 위치시키도록 한다. 측면 봉합술은 외상수술 중 최악이 아니며 효과가 매우 좋다. 정맥혈관 이식술(vein interposition)은 믿을 만한 해결책으로, 적응증이라면 피하지 말아야 한다!

CHAPTER 11

자원이 제한된 상황에서의 EVTM

EVTM when you have limited resources

Viktor Reva and Tal Hörer

레벨 I 외상센터에서 일한다면 운이 좋은 것이다. 외상시스템이 잘 갖춰져 안정되어 있고, 모든 사람들이 무엇을 해야 하는지 알고 있으며, 모든 장비들을 쉽게 구할 수 있다.

심한 흉부외상 환자가 병원으로 이송되었다고 가정해보자. 다발성 늑골골절과 쇄골골절이 있다. 왼손의 맥박이 약하고, 쇄골 위쪽에서 박동성 종괴가 보이지만, 환자는 안정적이다. CT혈관조영술에서 왼쪽 쇄골하동맥의 첫 번째/두 번째 위치에 부분적인 손상이 있고 조영제유출 소견이 보인다. 당신은 0.035 inch 가이드와이어를 사용하여 병변 내부를 덮는 스텐트를 넣는다. 문제는 해결되었고 흉골절개술이나 "open book" 절개의 개흉술을 피할수 있었다.

하지만 만약 당신이 여러가지 장비, 스텐트, 카테터 등의 치료장비가 없다면 수술실에서 무엇을 할 것인가? 당신 병원에는 혈관조영실이 없고, 당직 영상의학과 전문의도 없다. 광범위한 범위의 수술을 통한 근위부 동맥 결찰은 외상환자에게 이차적 손상을 줄 것이 분명하다. 당신은 그것을 알고 있고 외상 수술의 관행을 바꾸고 싶다. 이를 위해 당신에게 필요한 것이 무엇인가?

1. 환자에게 가능한 최선의 치료를 제공하겠다는 의지.
2. 수술과 혈관내시술 두가지 모두에 대한 적절한 훈련.
3. 투시검사장치(이동식 C-arm).
4. 최소한의 장비.

첫 번째는 논쟁의 여지가 없다. 병원의 오래된 표준권장사항을 완전히 따르기만 한다면 EVTM을 적용할 수 없다고 쉽게 말할 수 있다. 어떤 환자들은 큰 절개창을 잘 견디고, 어떤 환자들은 그렇지 않다. 당신 병원의 관행을 바꾸는 것은 당신의 능력이고, 당신은 기본적인 혈관내시술에 대한 교육을 받아야한다(본 책의 다른 부분 참조).

투시검사(fluoroscopy) 장비가 없는 경우에는 EVTM 술기 중 X-ray촬영으로 가능한 REBOA만으로 제한될 수 있다(REBOA 챕터 참조). 그러나 다른 모든 시술은 투시검사장치가 필요할 것이다. 초음파 유도하에서 어렵지만 와이어와 카테터를 잘 볼 수가 있어서 초음파를 사용하여 목표한 혈관에 위치시킬 수는 있다.

채택할 수 있는 EVTM 술기는 다음 두 그룹으로 나뉠 수 있다: "occlusive" 또는 "closing" 술기 그리고 "opening" 술기. 첫 번째 술기의 영역에서는 많은 시술이 가능하지만, 장비가 제한되어 있다면 두 번째 술기는 어렵다. 파괴보다는 만드는 것이 더 어렵기 때문이다. "Occlusive" 시술은 어떤 종류이든 색전술을 의미한다. 시중에는 코일, Onyx, emboshperes, NBCA 등 여러 가지 다양한 재료가 있는데 가격은 상당

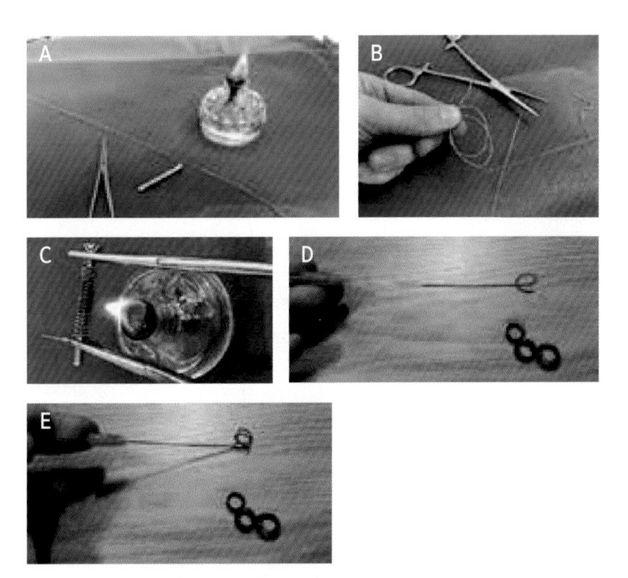

그림 1 와이어를 이용한 자체제작 코일.

B. 코일을 만들기 위해 와이어에서 core 부분을 제거하고 external winding을 사용한다. core를 구불구불한 코일을 카테터에 삽입하기 전에 펴는 데 사용한다.

C. 와이어의 부드러운 부분을 screw에 끼우고 몇 분간 가열한다. 식으면 조각으로 자른다. 코일을 펴기 위해 와이어 core를 사용한다.

히 비싸다. 이런 유형의 시술의 유일한 목적은 어떻게든 혈관을 막는 것이다. 작은 동맥 또는 동맥 가지에서 시작되는 어떠한 출혈이라도 막기 위해 starting 가이드와이어부터 coils 등을 준비할 수는 있지만, 그다지 추천되지 않는다. 하이브리드룸의 와이어를 하루만에 다 써버릴지도 모른다!

흔하게 사용되는 또 다른 접근법은 젤라틴 스펀지나 파우더 또는 훨씬 저렴한 콜라겐 스펀지를 사용하는 것이다. 진단 카테터를 통해 주입된 스펀지가 일시적으로 목표 혈관을 차단하여 골반 출혈, 비장손상, 동

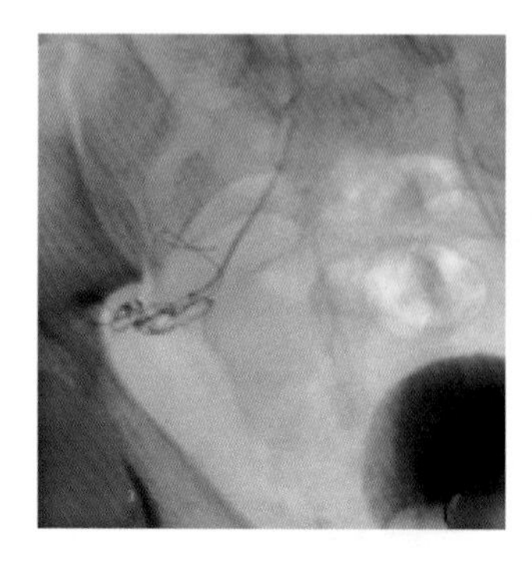

그림 2 총상으로 인한 둔부동맥 손상에 선택적 혈관색전술. 자체제작 코일을 사용하였다.

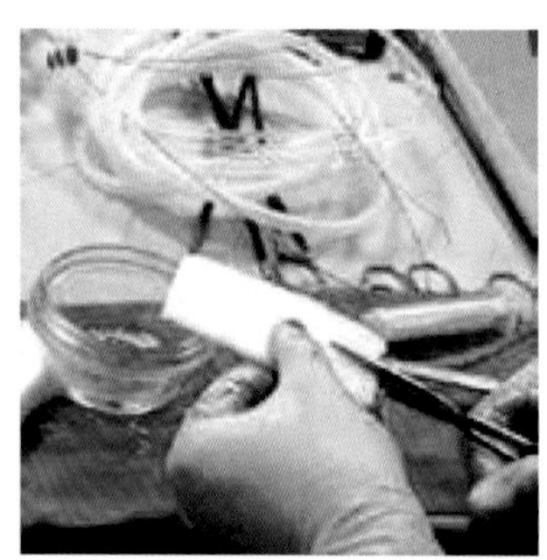

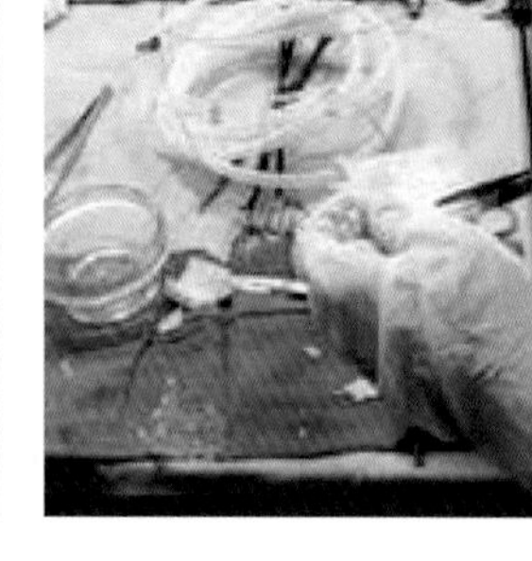

그림 3 콜라겐 스펀지 색전술.

맥 가지 등의 출혈에 탁월한 지혈을 제공한다. 자세한 내용은 이 책의 다른 부분을 참고하도록 한다.

파우더는 식염수와 조영제를 혼합하여 희석하면 된다. 혈관조영술을 하는 동안, 카테터로부터 약간의 혈액을 빼내어 응고시키면, 당신은 이렇게 만들어진 무균 응고물질을 혈관색전술에 사용할 수 있다. 그것은 즉시 사용 가능하고 대부분의 경우 일시적인 지혈을 할 수 있게 해주며, 최소한 다른 병원으로 전원될 때까지 도움이 될 것이다. 또 다른 저렴한 색전재료는 봉합사이다. 수술용 봉합사의 짧은 조각을 카테터에 넣고

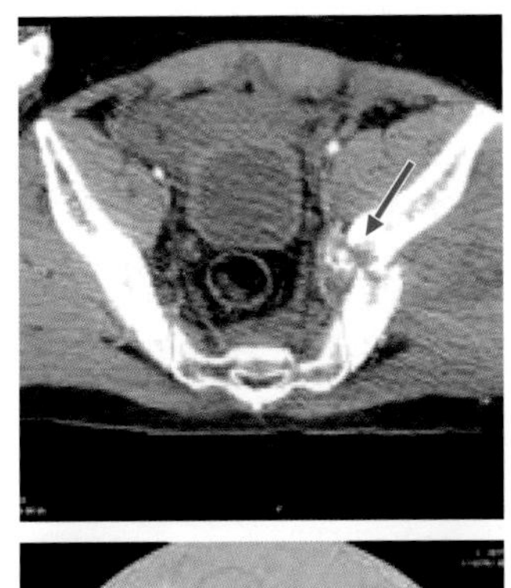

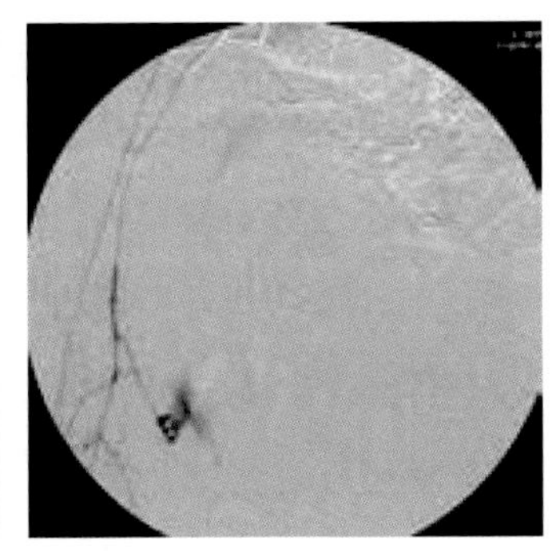

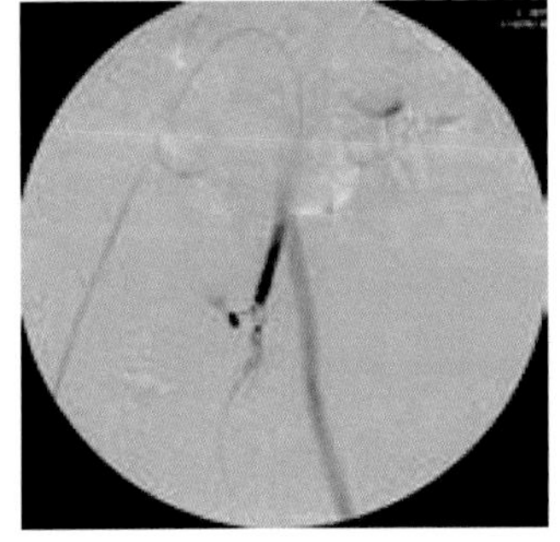

그림 4 골반골절 환자의 CT혈관조영술에서 조영제 유출 소견.
혈관조영술과 삽입된 코일. 단순 C-arm 및 앞서 언급된 어떤 재료로도 색전술이 가능하다. 혈관색전술을 하기 위하여 중요한 것은 시술자의 기술이지, 화려한 장비가 아니다!

주사기로 밀기만 하면 된다. 필요에 따라 반복하면 된다.

이제 당신은 무료로 혈관색전술을 하는 방법을 배웠다. 당신이 필요한 모든 것은 단지 목표 혈관에 혈관조영을 위한 카테터를 넣는 것뿐이다. 카테터의 종류는 혈관과 개별적인 해부학에 따라 다르다. 카테터의 종류는 매우 다양하지만 대부분의 경우 Judkins Right 카테터, Simmons 카테터, 그리고 Cobra 카테터 등 몇 가지만으로도 충분하다. 이 카테터들의 끝부분은 각기 달라서 색전술을 위해서는 이러한 몇 가지의 카테터가 필요하다. 보관함에 이 중 하나밖에 없는 경우에는 끓는 주전자를 사용하여 증기 위에서 카테터의 끝을 부드럽게 하고 원하는 대로 변형시킬 수 있다. 가이드와이어의 끝부분도 변형시킬 수 있는데 증기는 필요없고 일반 주사바늘과 손가락을 사용하여 끝부분을 매만지면 된다.

이 모든 기구들은 일회용이지만 만약 병원에서 기구를 구입하지 않는다면, 이론적으로 이 기구들을 플라즈마 살균기에 재소독시킬 수 있다. 그러나, 다시 살균하는 것은 절대로 권장되지 않는다.

단언컨대, 위에서 설명한 방법으로는 동맥 손상에 대해 혈관중재술을 시행할 수 없을 것이다. 이럴 경우 "closing" 술기 대신 "opening" 술기 중 하나를 사용해야 한다. 출혈을 근치적으로 조절할 수 있는 스텐트가 없어도 값싼 경피혈관성형(PTA) 풍선을 이용하여 근위부 동맥을 통제하거나, 손상 영역 내의 국소 제어를 위해 사용할 수 있다. 보통 우리는 경피혈관성형(PTA) 풍선의 팽창을 위해 압력계가 달린 팽창장치를 사용하지만 여기서는 Luer-Lock 주사기를 3-way stopcock과 함께 사용하여, 혈관을 부드럽게 막기만 하면 성공할 수 있다. 혈관의 근위부 제어가 이루어지면 혈종에 대한 수술을 시행한다. 환자가 심각하게 불안정하거나 다른 병원으로 가야하는 경우 풍선을 부풀린 채로 놔둘 수도 있다. 대부분의 혈관 관통상의 경우 이러한 방법을 사용할 수 있고, 동맥재건술이 끝나는 시점에 대퇴동맥에 있는 sheath를 통해 혈관조영술을 할 수도 있다.

그렇다면 EVTM을 시행하기 위해 필요한 것은 무엇인가?

- 천자바늘(puncture needle) 18G
- Sheath 5-6Fr
- 긴 와이어(곧은 팁)
- 진단용 카테터
- 큰 비순응(non-compliant) 풍선(8-9 mm)
- REBOA 풍선
- 젤라틴 또는 콜라겐 스펀지(또는 파우더)

장비의 적절한 사용을 위해서는 정신적으로 그리고 경험적으로 준비되어야 한다. 팀원들을 훈련시키고, 기본적인 도구를 마련하는 데 비용을 투자할 것을 권한다. 이 모든 것들이 언젠가 환자의 생명을 구해야 할 위기 상황에서 큰 자산이 될 것이다.

CHAPTER 12

중환자실에서 REBOA 환자의 관리

Management of the REBOA patient in the Intensive care unit

Jan O. Jansen, Tal Hörer, Kristofer F. Nilsson

REBOA를 시행 받은 환자는 수술(시술)방에서 벗어나 중환자실로 가게 된다. 순조롭다면 수술방에서 REBOA를 제거하거나 풍선감압을 하게 될 것이고, 상황이 좋지 않으면 여전히 풍선확장이 된 상태일 수도 있다. 그럼 이때 어떻게 해야 할까? REBOA에 대한 임상적 근거는 실망스러울 수 있다. REBOA와 관련된 임상 보고는 여전히 많이 부족하다. 특히 중환자실에서 REBOA를 시행 받은 환자를 관리하는 명확한 지침이 없다. 외상이나 혈관 질환 환자의 일반적인 수술 후 관리로부터 많은 부분 추정해 볼 수 있으나, 외상/비외상에 관계없이 순환허탈(circulatory collapse)이 발생하여 중환자실에서 시행한 REBOA에 대한 임상근거는 아직 미미하다.

1. 문제가 무엇인가?

What are the issues?

중환자실에 도착한 환자들은 저체온 및 산증, 응고장애, 혈관수축제 주입, 무뇨증이 있거나 관련 동반손상이 많고, 아직 손상평가가 제대로 이루어지지 않거나 해결되지도 않았을 것이다. 물론, 순조롭게 치료되어 좋은 상태일 수도 있다. 수술방에서 중환자실로 환자 인계가 될 때는 일반적인 사항에 덧붙여 시행되었던 REBOA의 풍선 확장 및 감압상태, 허혈시간, 감압 시도가 있었는지, 부분폐쇄 또는 간헐적 폐쇄를 했는지(pREBOA, iREBOA)에 대한 정보를 전달한다면 좋을 것이다. 또한 REBOA 거치 부위(Zone I 또는 III) 뿐만 아니라 풍선폐쇄의 전체 시간을 알리는 것도 중요하다.

REBOA 임상기록지의 예 (단국대학교병원)

I. Patient information

Hospital number:
Name
Sex/age
* CPR before arrival: □Yes / □No * Ongoing CPR on arrival: □Yes / □No
* CPR after arrival: □Yes / □No

II. Sheath insertion

* Sheath insertion by doctor (   )
* Approach (□Right / □Left) □Common femoral a.
  □Superficial femoral a. □Brachial a. □Others: ________
* Insertion during CPR: □Yes / □No
* BP: _____/_____ mmHg, HR: _____/min
* Ultrasound-guided vascular access: □Yes / □No
* 5 Fr sheath insertion: □Yes / □No
  Start time ________ Completion time ________
* Number of puncture attempts till success (number of trial): _____ times
* 7 Fr sheath insertion: □Initial / □Upsizing
  Start time _____:_____ Completion time _____:_____
* Open technique: □Yes / □No
  Start time _____:_____ Completion time _____:_____
* Comment:

III. Balloon insertion

* Balloon insertion by doctor (   ) and assistant doctor (   )
* Insertion during CPR: □Yes / □No
* Insertion time _____:_____ Positioning(Inflation) time _____:_____
* Guidewire position check: □Yes / □No
* Balloon position check: □Yes / □No …by □X-ray
  □Sonography □Fluoroscopy □Others
* Number of position adjustments (number of trial): ________ times
* Target: □Zone I □Zone III □Zone I → □Zone III □Zone III → □Zone I
  □Others
* Comment:

IV. Balloon management

* Just before inflation BP: _____/_____ mmHg, HR: _____/min
* Initial inflation: time _____:_____, total (   ) mL
☐Complete occlusion ☐Partial occlusion
* REBOA strategy: ☐Complete REBOA ☐Partial REBOA
☐Intermittent REBOA

Time (___:___) BP: ___/___ mmHg, HR: ___/min, ☐Inflation ☐Deflation (   ) mL, total (   ) mL
Time (___:___) BP: ___/___ mmHg, HR: ___/min, ☐Inflation ☐Deflation (   ) mL, total (   ) mL
Time (___:___) BP: ___/___ mmHg, HR: ___/min, ☐Inflation ☐Deflation (   ) mL, total (   ) mL
Time (___:___) BP: ___/___ mmHg, HR: ___/min, ☐Inflation ☐Deflation (   ) mL, total (   ) mL
Time (___:___) BP: ___/___ mmHg, HR: ___/min, ☐Inflation ☐Deflation (   ) mL, total (   ) mL
Time (___:___) BP: ___/___ mmHg, HR: ___/min, ☐Inflation ☐Deflation (   ) mL, total (   ) mL
Time (___:___) BP: ___/___ mmHg, HR: ___/min, ☐Inflation ☐Deflation (   ) mL, total (   ) mL
Time (___:___) BP: ___/___ mmHg, HR: ___/min, ☐Inflation ☐Deflation (   ) mL, total (   ) mL
Time (___:___) BP: ___/___ mmHg, HR: ___/min, ☐Inflation ☐Deflation (   ) mL, total (   ) mL
Time (___:___) BP: ___/___ mmHg, HR: ___/min, ☐Inflation ☐Deflation (   ) mL, total (   ) mL
Time (___:___) BP: ___/___ mmHg, HR: ___/min, ☐Inflation ☐Deflation (   ) mL, total (   ) mL
Time (___:___) BP: ___/___ mmHg, HR: ___/min, ☐Inflation ☐Deflation (   ) mL, total (   ) mL

* Total ballooning time: _______ mins
* Complete occlusion time: _______ mins
* Partial occlusion time: _______ mins
* Comment:

V. Removal

* Balloon removal time _____:_____
* Sheath removal time _____:_____
* Removal technique: □Manual compression □Closure device (   )
  □Surgery (   ) □Others (   )
* Heparin use: □Yes / □No; details:
* Removal problem: □Yes / □No; details:
* Comment:

Cardiopulmonary resuscitation, CPR; Blood pressure, BP; Heart rate, HR.

2. 소생술

Resuscitation

수술팀이 지혈을 하고 있는 동안, 양질의 소생술이 환자의 예후를 결정 짓기 때문에, 환자에게는 더 적극적인 소생술 및 허혈 상태에 대한 보상이 이루어져야 한다. 특히 풍선확장이 되어 있을 때는 더욱 그러하다. 풍선감압으로 체내혈액의 재분포가 이루어질 때 환자가 제대로 소생술을 받지 못하면 치명적인 혈역학적 악화가 발생한다. 그렇기에 풍선감압은 복부대동맥류 복원수술 후 대동맥 교차겸자(aortic cross-clamp)를 제거할 때와 같은 맥락으로 다루어져야 한다.

성공적인 풍선감압이 이루어진다 하더라도 환자는 지속적인 소생술이 필요할 것이다. 달리 말하면 혈역학적으로 안정화가 되었더라도 환자가 안정적이라고 말할 수 없다. 치료 목표는 저체온증 및 산증, 응고장애를 교정하고 가능하면 빨리 혈관수축제를 중단하는 것이다. 체온, 염기결손, 젖산수치, 응고검사(사용하는 검사가 무엇이든지 상관없음)가 정상화되고 혈관수축제 주입을 중단하며 적절한 소변량을 유지하는 것이 소생술의 종점이다. 하지 순환 또한 "정상화"해야 한다. 대퇴동맥에 혈관로를 확보했다는 것을 잊어서는 안 된다.

대부분 수혈이 필요한 경우가 많을 것이다. 지속적인 출혈이 있더라도 혈색소 수치가 정상일 수도 있기 때문에 혈색소 농도 자체는 소생의 목표가 아니다. 대사장에 측면에서 볼 때, 지속적인 쇼크는 전신순환반응을 악화시키기 때문에 적혈구 및 혈장, 혈소판, 동결침전물 등의 수혈 소생술이 신속하게 지속되어야 한다. 1:1 비율의 적혈구와 혈장의 수혈은 합리적인 전략이고, 부족하다면 추가적인 정맥확보도 필요할 수 있다. 가장 손쉬운 방법은 쇄골하정맥이나 내경정맥에 "Cordis" 또는 폐동맥 카테터 introducer sheath를 삽입하는 것이다. 임상의사가 선호하는 혈관접근법에 따라서 대퇴정맥 sheath를 사용하고 나중에 중심정맥관으로 교체할 수도 있다. 하지만, 반드시 기억해야 할 것은 복부 출혈이 있는 환자에서는 대퇴동맥보다는 쇄골하정맥을 이용하는 것이 수혈 및 수액 소생법에 더 유리하다.

합성 결정질용액(synthetic crystalloid)의 사용은 최소화해야 한다. 이런 수액은 고염소혈증 및 대사성 산증, 혈액희석을 일으킨다. 외상 소생술에서는 합성 콜로이드(colloid) 또한 마찬가지이다. 완충 수액(중탄산염)은 뚜렷한 근거가 없지만 상대적으로 사용이 권고된다.

전해질 불균형에 주의해야 한다. 저칼슘혈증은 흔하고 심근수축력과 혈관반응에 지속적인 영향을 줄 수 있기 때문에 염화칼슘이나 글루콘산

칼슘을 보충해 주어야 한다. 비슷하게, 혈액제제의 주입이나 급성신손상, 세포내 칼륨방출로 인해 고칼륨혈증이 나타나기도 하고, 산증역시 고칼륨혈증을 일으킬 수 있다. 따라서 혈청 칼륨 농도를 주기적으로 측정해야 하며 필요시 인슐린이나 신대체요법으로 치료한다. 저체온증은 예방이 중요하고 적극적으로 치료해야 한다. 가온침대 같은 체하부 장치가 특히 유용하다. 체표면 강제온기 주입장치는 덜 효과적이나 체하부 가온장치에 추가적으로 사용할 수 있다.

3. 모니터링

Monitoring

특별히 심폐질환과 같은 동반 질환이 없다면 일반적으로 복잡한 심혈관 모니터링이 필요하지는 않다. 환자의 동맥로가 확보되어 있다면 지속적인 혈압모니터링 및 채혈이 용이해진다. 일부 동맥로 sheath는 압력 변환 기능도 있다. 하나 이상의 중심정맥관도 확보해야 하는데 모니터링보다는 주로 약물 주입을 목적으로 사용된다. 중심정맥압은 소생술의 목표점(endpoint)은 되지 않기에 외상환자에서 중심정맥압 측정은 의미가 크지 않다. 이 시기에 PiCCO™ 또는 LiDCO™, CardioQ™, Flotrac/Vigileo™ 등의 최신 혈역학 모니터링 장비는 상대적으로 많이 사용하지 않는다. 출혈성 쇼크는 쉽게 얻을 수 있는 기본적인 지표로 어렵지 않게 진단되며, 앞서 기술된 소생술의 목표점이 심혈관 활동지표(cardiovascular performance parameter)보다는 더 유용하다. 손상의 결과로서나 기존 만성질환, 과소생(over-resuscitation) 등으로 인한 심장기능의 이상이 우려될 때에는 병상 심초음파로 수축력뿐만 아니라 전부하(preload)를 측정하는 것이 가장 좋다. 복부고혈압이나 복부구획증후군이 예상될 때는 방광내압을 측정하는 데 도뇨관(Foley) 압력계로 이를 쉽게 측정할 수 있다. 12 mmHg 이상의 압력이 측정될 때 복부고혈압으로 정의한다(단, 환자 위치 및 통증, 다른 인자에 따라 영향받는다). 20-24 mmHg 이상의 압력이 측정되면서 소변량 감소, 다발성 장기부전이 나타날 때는 복부구획증후군으로 정의한다. 이런 환자들은 압력을 떨어뜨리기 위한 적극적인 치료가 필요하며 그렇지 않으면 환자가 사망하게 된다. 복부구획증후군에 대해서는 다른 전문서적이나 인터넷에서 알아볼 수 있다(예: World society of abdominal compartment syndrome).

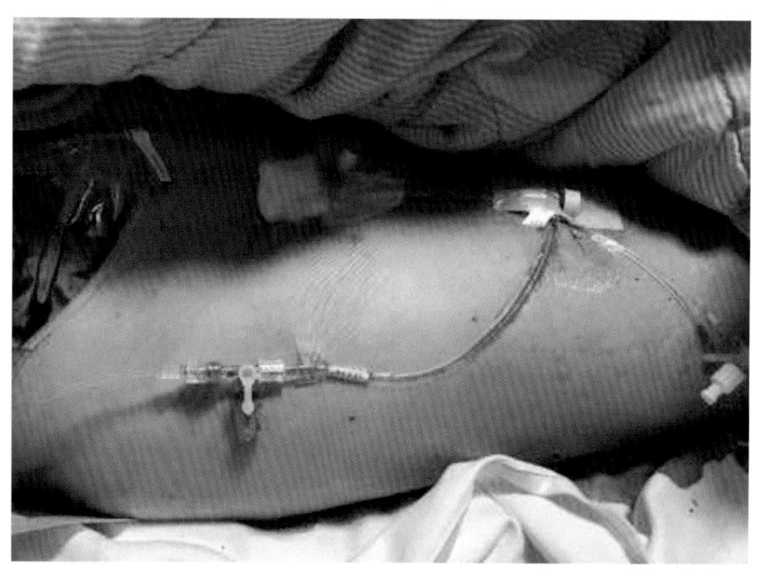

그림 1 REBOA 시행 시 혈압 모니터링을 위해 사용되는 12Fr sheath. pREBOA에 대한 원위부 혈압 모니터링을 위해 사용되었다.

특히 복부대동맥류 파열환자를 마주할 때는 입원 당일에 환자 상태가 괜찮다고 하더라도 긴장해야 한다. 중환자실에서 대사 상태를 교정하고 필요하다면 REBOA도 준비되어야 한다. 입원 2일차에 놀랄 만한 일이 발생할 수도 있기 때문이다.

4. 재관류후증후군

Post-reperfusion syndrome

REBOA는 설계상 국소적 또는 전반적인 하반신 허혈을 일으키고, 이 허혈의 정도는 풍선의 확장 정도와 시간에 비례하여 커진다. 허혈은 세포내 에너지 저장량을 소모시킨다. 관류가 되면 다시금 에너지가 보충되면서 재관류후증후군을 일으키는데, 백혈구와 혈소판의 활성 및 부착, 염증 매개체 생성, 세포내 칼슘 유입, 세포막 이온펌프 파열, 자유기(free radical) 생성, 그리고 세포사(cell death)와 같은 일련의 손상 연쇄반응이 나타난다. 임상적으로 이 증후군은 부종, 체내혈류량고갈, 미오글로빈(myoglobin) 및 칼륨, 젖산의 유실, 미세혈전의 전신 확산, 고칼륨혈증, 저칼슘혈증 악화, 횡문근융해증 및 신부전, 복부구획증후군, 부정맥 발생 등으로 특징지어진다. 이 모든 합병증들을 예측하고 적극적인 치료가 시행되어야 한다. 하지만 재관류후증후군이 출혈성 쇼크와 저관류의 징후와 겹쳐 나타나기 때문에 인지하기에 쉽지 않을 수 있다. 특히 급성 신손상이 일어나면 대사성 산증의 회복을 소생술의 목표로 하는 것은 더 이상 의미가 없다. 이런 상황에서는 경험과 노련한 판단이 요구된다.

5. 전신염증반응

Systematic inflammation

손상 및 REBOA, 수술, 재관류후증후군이 함께 전신성 염증반응을 일으킨다. 전신염증반응증후군(systemic inflammatory response syndrome, SIRS)은 1991년 American College of Chest Physicians/Society of Critical Care Medicine Consensus Conference에서 처음 정의되었다. SIRS는 진단이라기보다는 생리학적인 상태를 말한다. SIRS는 복부대동맥류 복원 수술을 받은 환자뿐만 아니라 외상환자에서도 흔히 관찰되며 선행 원인을 치료하는 것이 그 치료방법이 된다. 어쨌건 SIRS는 유용한 개념이며, 그 기간과 회복이 예후 인자로 사용된다.

6. 합병증 예측

Anticipating complications

REBOA의 시행은 잠재적으로 여러 심각한 합병증과 연관된다. 이 중 확보했던 혈관로의 출혈이 가장 뚜렷한 합병증이며 상대적으로 쉽게 치료된다. 혈전의 생성과 뒤이은 급성 하지허혈은 서서히 나타나 치명적 결과를 초래할 수 있다. 따라서 하지의 반복적인 진찰 또는 영상 촬영이 필수적이다.

구획증후군이 하지에 발생하는 경우 근막절개술이 초기에 시행되는 것이 중요하다. 앞서 언급한 복부구획증후군은 골반 및 후복막 혈종형성과 재관류에 의한 위장관 부종(허혈은 아님)이 복합적으로 나타나면서 발생할 수 있다. 수시로 방광내압(Foley 압력계)을 측정하는 것이 이 증후군의 발생을 예측하는 데 도움이 된다.

Zone I이나 의도치 않게 Zone II에 장시간 거치가 될 때 장간막과 신장 허혈 및 색전이 발생할 수 있다. 장간막 혈관 혈전(mesenteric vascular thrombosis)은 전신염증반응과 같이 나타날 때는 특히 발견하기 어려워 치명적인 합병증이 될 수 있다. "과도한" 염증반응이 일어나거나 상태가 회복되지 않는 등 예상되는 임상 과정에서 벗어나는 경우에는 가능한 원인에 대해 적극 탐색해야 한다. 그러나 이런 임상 과정 이탈에 대해 인식하는 것 자체가 매우 어려우며 경험과 적절한 판단, 강력한 의심이 필요하다. 급성세뇨관괴사(acute tubular necrosis, ATN)는 출혈로 인한 저혈압에 의해 발생할 수 있으며 조영제 투여로 악화되는데 Zone I REBOA를 시행 받은 환자에서 잘 관찰된다. 급성신손상이 대사에 미치는 영향으로 인하여 쇼크의 개선 정도, 소생술과 수액 요법의 적절성에 대한 평가가 더 어려워질 수 있다. 신부전이 진행되면 저관류에 의해 생기는 젖산산증(lactic acidosis)과 달리 비젖산 대사성 산증이 발생하게 되는데, 이는 젖산 수치를 측정하여 감별할 수 있다. 무뇨증과 고칼륨혈증이 발생하면 신대체요법 또한 요구된다. 혈액여과 및 혈액투석여과, 혈액투석과 같은 투석의 종류는 크게 중요하지 않다.

7. 동반손상

Associated injuries

일반적으로 REBOA를 시행 받은 환자는 일차평가를 완료하지 못한다. 전문외상소생술에서 "ABCDE(기도, 호흡, 순환, 신경학적 장애, 노출)" 패러다임에 따라 이 환자들은 "C"의 평가와 치료에 집중하게 된다. 좀 더 최근의 "〈C〉ABCDE" 개념에서라면 〈C〉는 치명적인 출혈에 대한 치료를 의미하는 것으로서 환자에 대한 평가보다 우선순위를 갖는다. 따라서 중환자실에 환자가 도착하자마자 철저한 이차평가를 시행하고 이어서 삼차평가까지 시행해야 한다. 이때 추가적인 영상 촬영을 해볼 수 있으나 환자의 혈역학적 및 대사성 상태가 불안정하다면 보류해야 한다. 그래도 어쨌든, 응급치료가 필요한 다른 손상이 있는지 가급적 신속히 환자를 철저하게 평가해야 한다.

이외에도 생각해봐야 하는 많은 문제들이 있다. 예를 들면, 항생제의 선택, 사용된 합성물질(이식편 또는 혈관내 이식편)의 존재, 장천공, 전신염증반응, 다발성 장기부전 등이 있다. 목표 장기나 사지의 혈액순환은 어떤 상태일까? 건강한 젊은 환자라면? 여러 동반 질환을 가진 환자라면? 이런 수많은 요인들을 외상성 출혈 환자에서 REBOA나 다른 EVTM 치료를 할 때 고려해야 한다.

Comment

외상환자에서 체외막산소화장치(ECMO)의 역할은 아직까지 분명하지 않지만 곧 이와 관련한 많은 정보와 근거들이 나오게 될 것이다.

요약정리

– 중환자실에서 REBOA 환자를 다루는 경험들은 아직 제한적이다. 하지만 대부분의 중환자 치료와 같이 상세하고 빈번한 재평가, "기본적인 일부터 잘하는 것", 강력한 의심과 적절한 판단으로 좋은 결과를 도출할 수 있다.
– 혈관내시술은 시간을 줄이면서 환자를 살릴 수 있는 기회를 높이지만 중환자실에서 수시로 재평가하고 반복적으로 고민하는 것이 필요하다. "끝날 때까지 끝난 게 아니다!"

TOP STENT

The art of EndoVascular hybrid Trauma
and bleeding Management

CHAPTER 13

혈관내시술과 REBOA 관련 합병증에 대한 몇 가지 견해

Some thoughts and remarks on endovascular and REBOA complications

Tal Hörer

이 책의 다른 부분에서도 언급했듯이 여러 가지 문제와 합병증을 예측할 수 있어야 한다. 혈관내시술을 할 때는 항상 마음 한구석에 혈관로 부위의 출혈뿐만 아니라 혈전 및 혈관박리, 천공을 생각하고 있어야 한다. 혈관을 천자할 때는 침습적 시술을 시행 중이고 정상적인 해부학 구조를 파괴하는 것임을 잊지 않아야 한다. 대부분의 경우 혈관로를 확보하는 것은 손상이 심하지 않아 잘 관리된다면 회복된다. 천자할 때나 시술 후에도 혈관이 기능적으로 이상이 없는지 촉진, 초음파, 도플러 등의 방법으로 확인해야 하고, 항상 혈관로 원위부를 강한 의심 하에 관찰해야 한다. 대퇴동맥에 혈류가 없을(혈전, 박리) 때는 직감적으로 무언가를 해야 한다(개방성 탐색). 최근까지 REBOA는 큰 sheath(보통 12Fr)를 사용했었다. 출혈 환자의 혈관은 혈액량이 감소되어 비어있거나 때에 따라서는 막혀 있어 이는 혈전이 발생하기 쉬운 최적의 장소가 된다. 그래서 REBOA를 할 때마다 혈전 발생을 예측하고 대책을 세워놓아야 한다.

Tips

- 혈관로 확보를 위해 혈관 천자를 했는가? 출혈 및 혈전, 박리 같은 합병증을 염두에 두어야 한다. 항상 수술 직후부터 혈관로 부위를 면밀히 관리해야 한다.
- 뭔가 잘못된 것 같거나, 대퇴동맥의 혈류가 이상하다고 느껴지는가? 그럼 바로 평가하고 복원해야 한다. 대부분의 환자들은 혈관합병증에 취약할 수 있다.

만약 하이브리드 또는 혈관내시술을 시행하게 될 때, 풍선이나 혈관내 이식편 삽입 등으로 인해 잠재적 혈관손상만이 아니라 목표장기의 관류에도 영향을 줄 수 있음을 명심해야 한다. 가능하면 혈관조영술을 시행하는 것은 항상 좋은 선택이다. 스텐트 이식편이나 대동맥 풍선폐쇄를 시도했는가? 혈관내 복원이 가능한지 알 수 있는 방법으로 CT혈관조영술이나 혈관조영술을 시행하여 혈류를 확인하면 된다. 이는 혈관 및 목표장기 관류, 출혈, 혈종 형성, 다른 손상 여부에 대한 정보를 줄 것이다. CT혈관조영술을 시행할 때는 신장에 손상을 줄 수 있는 고농도 조영제 100-150 mL를 주입하게 된다. 이것이 문제가 되더라도 확인해야 할 사항들을 파악하여 혈관폐쇄 및 천공 등의 더 심각한 문제를 피해야 한다.

REBOA가 허혈 및 재관류손상을 유발할 수 있음을 언급한 바 있다. 수술을 마치더라도 "끝날 때까지 끝난 게 아니다". 복부구획증후군, 장허혈, 하지허혈, 고칼슘혈증, 산증 등을 예측하자. 최소한 24-48시간 동안 중환자실에서 선제적으로 대처하는 것이 강력히 추천된다. 빠르게 지혈되고 회복력이 좋은 환자라 하더라도 손상점수(Injury severity score,

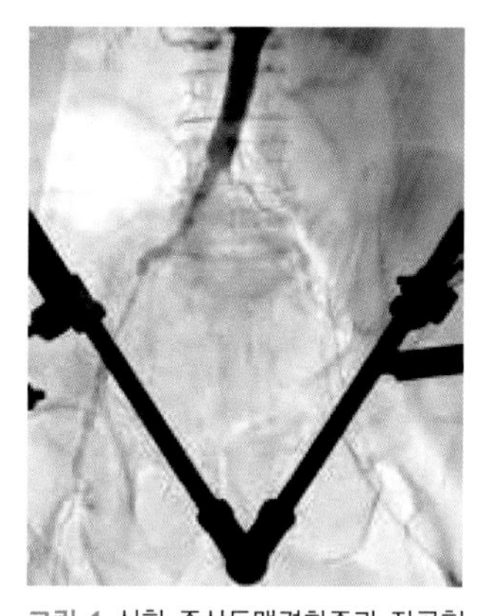

그림 1 심한 죽상동맥경화증과 장골혈관의 협착이 있는 외상환자.
이런 환자에서 혈관폐쇄를 혈관 확보를 시도하는 것은 폐쇄를 유발하고 허혈의 위험을 증가시킬 수 있다.

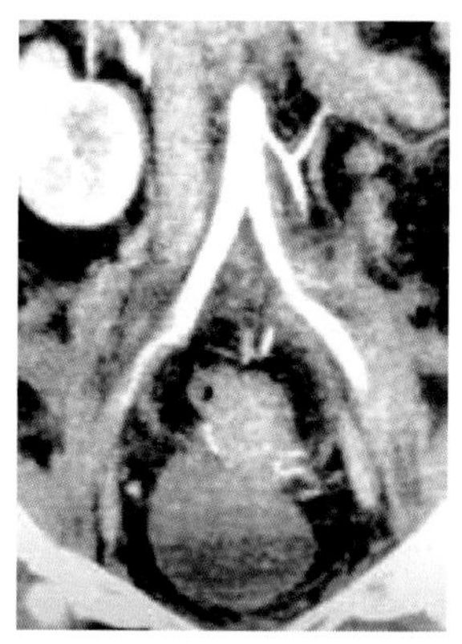

그림 2 우측 장골동맥 혈전.
혈관로 확보가 어려울 수 있고 문제를 해결하기 위한 여러 조치가 필요하다.

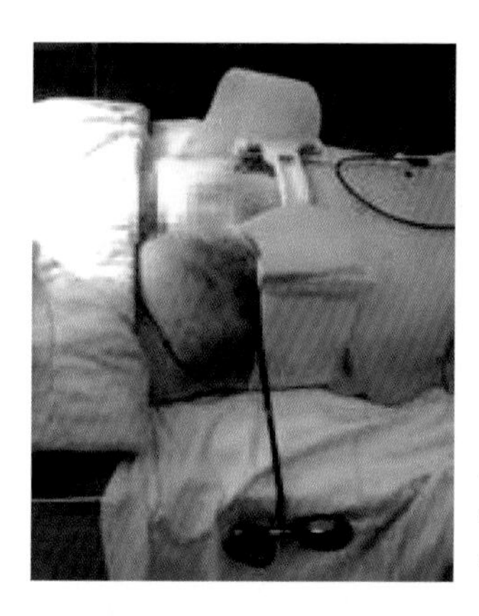

그림 3 정규 혈관조영술 후 서혜부에 생긴 혈종. 이를 해결하기 위해 수술적 탐색이 필요하다.

ISS)가 높은 환자에서는 모든 것이 확실할 때까지 중환자실에 집중관찰하는 것이 좋을 것이다. 원위부 하지상태 및 전신 상태, 모든 수술상처, 복강내압, 혈관 확보 부위를 면밀히 모니터링해야 한다. 때에 따라서 첫 24시간 동안 매시간 하지상태를 점검하기도 한다. 다른 종류의 항응고제로 환자를 치료하는 것이 유익할 수 있지만 개개의 환자 특성에 맞추어 사용해야 한다.

총대퇴동맥 혈관 확보를 위한 천자방법에는 또 다른 이슈가 있다. 높은 부위 천자를 피하고, 확실하지 않거나 환자가 혈역학적으로 불안정해지면, 후복막출혈을 감별하도록 한다.

혈관내시술 및 하이브리드 시술 후에는 환자를 재평가해야 한다. 때로 최소침습 시술은 "비가시적인" 문제를 유발한다. 많은 임상 경험뿐만이 아니라 높은 임상적 추정 능력도 필요하다. 임상적 판단에 따라 모든 기술을 사용하여 결과를 관찰한다. 모든 문제가 해결되었나? 다른 문제가 생기진 않았나? REBOA로 인해 장허혈이 유발되지는 않았나? 상장간막동맥이나 장골동맥은 괜찮은가? 하지 관류는 좋은가? 허혈-재관류 손상이 발생하지는 않았나? 지혈을 위한 온갖 노력을 다했다면 수술 후 적절한 장소에서 환자를 치료하고 완쾌될 수 있도록 해야 한다. 그렇지 않으면 한두 시간 지나서 하지가 차갑고 도플러 신호가 없다는 콜을 바로 받게 될 것이다.

이렇게 혈관내시술 및 하이브리드 시술은 위험적 요소도 갖고 있다. 제때에 합병증을 찾아야한다. "괜찮다"라는 말은 잊도록 하자. 끝날 때까지 끝난 게 아니다. 환자가 걸어서 나갈 때까지는 말이다.

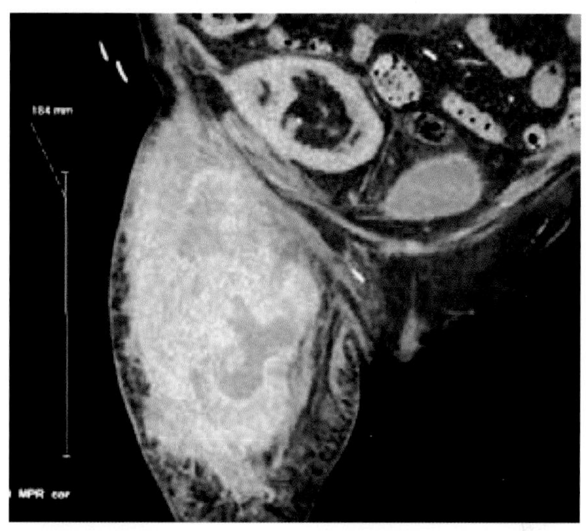

그림 4 단순 심장 혈관내시술 2-3주 후 생긴 거대한 혈종.
가성동맥류의 파열.

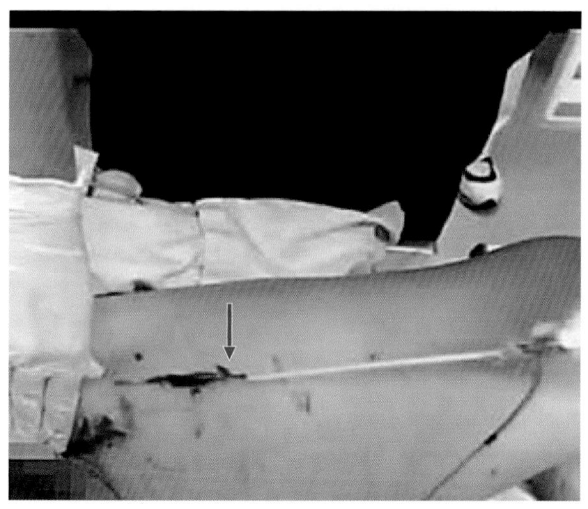

그림 5 REBOA와 sheath의 제거.
풍선카테터에 있는 혈전이 보인다. 이는 심각한 문제를 유발할 수 있다.

TOP STENT

The art of EndoVascular hybrid Trauma
and bleeding Management

CHAPTER 14

수행, 학습 및 훈련방법

How to perform, learn, and train

Marta Madurska, Viktor Reva, Jonathan Morrison and Tal Hörer

과거에는 혈관내기법이 주로 인터벤션영상의학과 전문의(interventional radiologist)의 영역 내에 있었으며, 대부분의 시술은 응급상황이 아닌 질병치료에 초점을 맞추고 있었다. 지난 15년 동안 아프가니스탄과 이라크에서의 전쟁과 관련된 외상 치료의 주된 발전과 혈관내장치 및 기법의 발달에 영향을 받아, 출혈 통제를 위한 혈관내기법의 적용이 최근 급증하고 있다. 따라서, 외상 치료에 대한 중재술 적용의 증가에 따라 외상외과의사 및 응급의학과의사와 같은 인터벤션 비영상의학과 전문의인 시술자에게도 기본적인 혈관내술기 적용이 가능할 수 있도록 패러다임이 변해야 한다. 외상치료에 있어 혈관내 접근법은 초기 단계에 있고 이 분야에서 훈련을 최적화하기 위해서는 앞으로 많은 것들이 이루어져야 한다. 이 장에서는 이와 같은 훈련을 효과적으로 전달하기 위해 필요한 철학 및 학습과 같은 혈관내 하이브리드를 이용한 외상 및 출혈 관리(EndoVascular hybrid Trauma and bleeding Management, EVTM)의 상위 개념을 제시하는 것을 목표로 하며, 이렇게 진화하는 혈관내기법을 훈련하기 위한 다양한 선택사항을 제시하는 것 또한 목표로 한다.

1. EVTM 기술
EVTM Skills

혈관내기법은 복잡하고 주로 인터벤션영상의학 영역에서 사용되는 기술이 필요하다. EVTM을 정확하게 시행하기 위해서는 접근에 사용되는 기구 및 sheath, 와이어, 카테터 및 색전제를 비롯한 출혈 통제에 필요한 장비들 사용에 익숙해야 하고 정교한 술기 및 정확한 절차를 알고 있어야 한다. 이러한 기술은 일반 외상진료 및 각 기관에서 출혈 통제를 위한 전체적인 진료 패러다임, 즉 혈관내기법 및 하이브리드 접근방식으로 인지되고 통합되어야 한다. 혈관내기법을 사용하여 외상환자에게 최적의 치료를 제공하기 위해 시술자는 기본적인 외상술기와 혈관 확보, REBOA, 주요 대동맥 분지에 대한 카테터 삽입, 색전술 및 스텐트 적용을 포함한 다양한 혈관내기술을 보유해야 한다.

Remark

두려운가? 이런 것들을 배우는 데 시간이 오래 걸릴 것 같은가? 그 말에는 일리가 있다. 이 모든 것들은 매우 심각한 문제이고 EVTM 기구들을 사용하기 위해서는 훈련이 필수적이다. 사람에 따라 기본적인 EVTM 기술을 빨리 배울 수도 있고, 1년이 걸릴 수도 있다.

시술자는 다양한 방법[혈관절개술, 맹목접근(blind), 초음파 및 투시검사 유도하천자]을 사용하여 혈관 확보를 하고, CT, 초음파 및 혈관조영술을 통해 획득한 영상을 해석하며, 혈관조영실 또는 하이브리드실에서 방사선노출에 대하여 환자 및 의료진의 안전을 극대화하기 위해 필요한 조치를 전반적으로 이해해야 한다. 일반적인 인터벤션영상의학 시술과 외상치료에 있어 중요한 차이점은 시술자가 혈역학적으로 불안정한 환자에게 시술을 수행하는 데 필요한 속도이며, 환자의 생리학적 징후와 혈관조영 결과의 변화에 신속하게 대응할 필요가 있다는 점이다.

2. 팀의 철학

A Team Philosophy

"혈관내치료 시스템이 외상외과의사, 인터벤션영상의학과의사 또는 응급의학과의사 등 누구에 의하여 주도되는가"와는 별개로, EVTM의 성공적인 구현을 위해서는 다학제적 접근이 필요하고 외상외과의사, 인터벤션영상의학과의사 및 마취과의사 등의 적극적인 참여가 필요하다. 소수의 센터만이 외상 환자에게 혈관내치료법 적용을 최적화하기 위하여 인터벤션영상의학과의사나 혈관외과의사를 외상팀의 필수적인 인원으로 받아들이고 있다. 이러한 개인의 참여는 환자가 응급실에 도착할 때부터 시작하여 치료의 연속성을 유지하면서 진료 절차에 책임을 진다. 이와 같은 모델이 조만간에 전세계적으로 채택될 가능성은 낮지만 EVTM의 적용이 증가하고 일상적인 응급진료에 통합될 가능성이 높아짐에 따라 병원내 외상팀과 시술자를 위한 구조화된 학습 과정이 개발되어야 할 필요성이 강조된다.

특히 혈관내중재술을 시행함에 있어 성공적인 팀은 그들의 기술의 범위와 한계를 알고 있는 시술자가 이끌어야 하며, 또한 간호사와 방사선사를 포함한 나머지 팀의 능력도 알아야 한다. 특히, 잘 구성된 외상팀을 구축하고, 모든 구성원이 제자리에서 환자에게 최적의 치료를 제공할 수 있도록 하기 위해서는 적절한 팀기반 훈련은 대단히 중요하다. 여기에는 이온화방사선(ionizing radiation)에 불필요하게 노출되는 것을 방시해야 하는 방사선사와 특정 수술이나 중재술에 필요한 장비를 준비하는 간호사도 포함된다. 팀훈련은 사실에 입각한 시나리오를 이용하여 응급 진료의 팀워크를 연습함으로써 강화될 수 있다.

각 의료기관의 시설(혈관중재실, 하이브리드 수술실 등)에서 능숙하게 사용이 가능한지에 대해 심층적인 그리고 정기적인 평가를 하고, 혈관중재팀

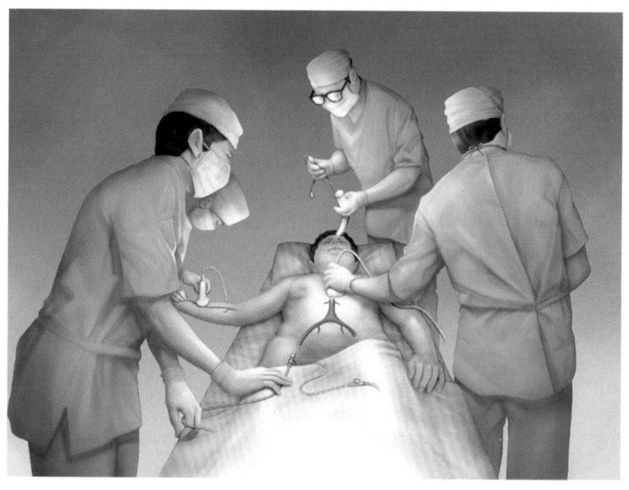

그림 1 REBOA 동안의 팀접근의 예.

그림 2 EVTM 워크숍, 외레브로(Örebro), 스웨덴.

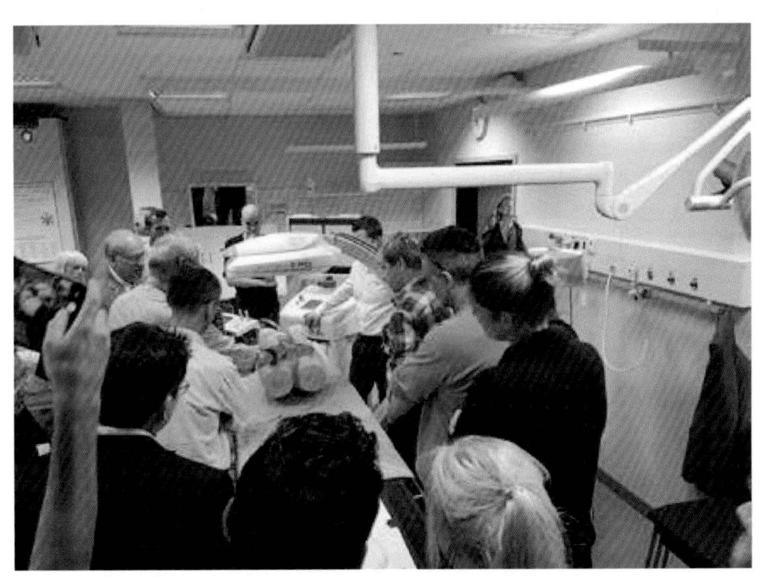

그림 3 EVTM 워크숍, 외레브로(Örebro), 스웨덴.

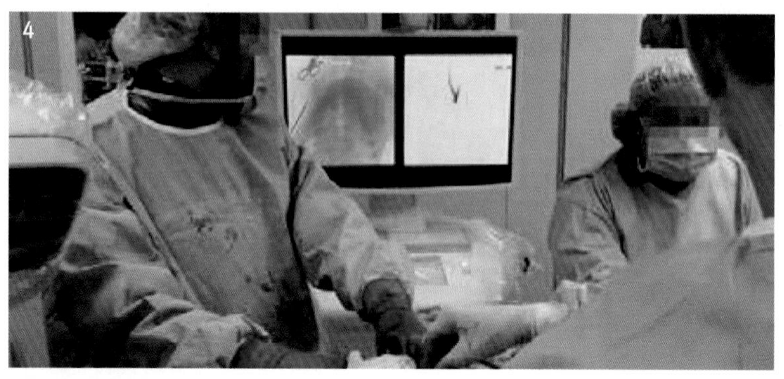

그림 4 EVTM 워크숍, 외레브로(Örebro), 스웨덴.

이 특정 혈관내 장비와 기구의 가용성에 대한 평가와 비축된 재고 유무까지 확인하는 것은 혈관중재술이 필요한 중요한 순간에 시간을 절약할 수 있는 매우 중요한 과정이다.

3. EVTM 훈련 과정
EVTM Training Courses

이 책이 출판되는 시점 기준으로 몇몇 코스가 외상외과의사와 응급의학과의사, 인터벤션영상의학과의사 및 외상환자들을 돌보는 데 관여하는 중환자의학과의사들에게 직접 혈관내중재술에 대한 훈련을 제공하는 것으로 국제적으로 알려져 있다.

EVTM 워크숍은 스웨덴의 외레브로(Örebro)에서 2년에 한 번씩 개최되는 유럽 유일의 워크숍으로, 기본적인 혈관내접근 기술, REBOA, 기본 색전술 및 출혈 통제를 위한 하이브리드 방법을 가르치고 있다. 이 이틀간의 워크숍은 혈관내 가상현실(VR) 시뮬레이터 및 인체 모델을 이용한 실습인 dry lab과 동물실험 및 cadaver 실습을 통한 wet lab, 그리고 토론과 논쟁사례 등을 이용하여 그룹 토론을 비롯한 세미나 형식으로 이루어져 있다. 혈관 확보와 REBOA는 이 워크숍의 주요 이슈 중 일부에 불과하다. EVTM 워크숍은 정보와 기술을 공유하기 위한 플랫폼으로 전 세계의 외과의사, 중환자의학과의사, 인터벤션영상의학과의사 등을 대상으로 한다. 스웨덴의 전공의를 위한 외상워크숍(Swedish Residents Trauma Workshop, 스웨덴 외레브로)도 매년 실시되며, 이는 전통적인 외상 진료와 REBOA와 같은 몇 가지 기본적인 혈관내중재 치료방법을 혼합한 것이다.

The Endovascular Skills for Trauma and Resuscitative Surgery (ESTARS)는 미국에 기반을 둔 총 2일 과정으로 가상현실 시뮬레이터, 동물실험을 활용하여 대퇴동맥 접근, 근위부 및 원위부 동맥 통제기술, 혈관조영술, 코일색전술, REBOA, shunt placement 등을 훈련한다.

The Basic Endovascular Skills for Trauma (BEST™) 과정은 미국외상외과위원회(the American College of Surgeons Committee in Trauma, ACS COT)에 의해 채택되었다. 원래 볼티모어에 있는 메릴랜드 대학의 쇼크외상센터(the University of Maryland's Shock Trauma Center in Baltimore)에서 개발되었으며, 이 코스는 미국 전역의 다른 지역으로 확장될 계획이다. 하루 동안 진행되는 간결하고 집중적인 교육과정은 가상현실 시뮬레이션과 혈액순환 기능이 있는 cadaver 모델을 사용하여 REBOA를 훈련시키는 데 초점을 맞추고 있다.

또 다른 교육으로는 일본에서 개발되어 일본어로 가르치고 있는 응급, 중환자, 외상영역의 진단 및 중재방사선 학회(the Diagnostic and Interventional Radiology in Emergency, Critical care, and Trauma, DIRECT)의 과정이 있다. 이 행사는 1일 과정으로 응급의학과 및 내과의사뿐만 아니라 외상외과의사와 인터벤션영상의학과의사들을 대상으로 하며 가상현실 시뮬레이터 및 색전물질을 이용한 교육 세미나와 실습 워크숍으로 구성된다. 유럽에서는 새로운 워크숍과 강좌가 열리고 있으며(런던 등), 강좌에 대한 관심이 매우 큰 것으로 보인다.

한국에는 Endovascular Training for Resuscitative Endovascular Balloon Occlusion of the Aorta (ET-REBOA) 교육 코스가 있다. 이는 REBOA의 전과정을 코스참가자가 주어진 임상상황에 맞추어 REBOA의 실질적인 적용 및 노하우 등을 직접 경험해보고 시행해 볼 수 있도록 개발된 시뮬레이션 코스이다. 교육방법은 다음과 같다.

1. REBOA의 개념 및 응급상황에서 혈관내 접근법의 중요성에 대해 이론 교육을 시행한다.
2. 임상에서 적용하는 REBOA의 indication과 protocol을 이해하고 그 실제와 시행 후 손상통제술에 대해 동영상을 토대로 간접 교육한다.
3. REBOA에 대한 적용 팁과 합병증, 실패 사례에 대하여 자유토론을 한다.
4. 실습(Dry lab)
   1) 초음파를 이용한 혈관내 천자(Sono-guided vascular puncture)
   2) 풍선카테터 거치를 위한 혈관집 크기 확대(Sheath upsizing)
   3) EVE® model을 이용한 REBOA Zone I과 III에 풍선 카테터 거치 (REBOA positioning)

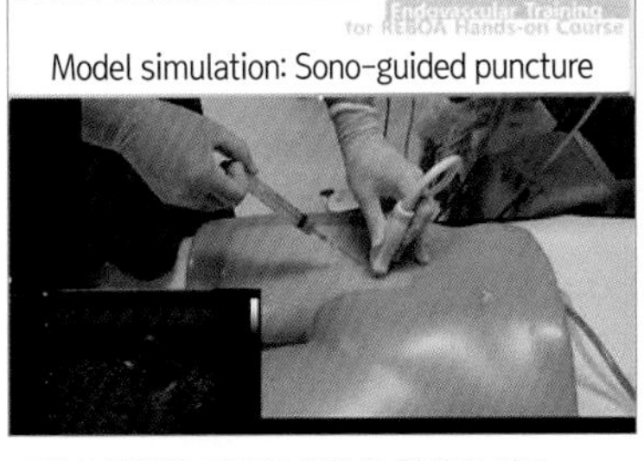

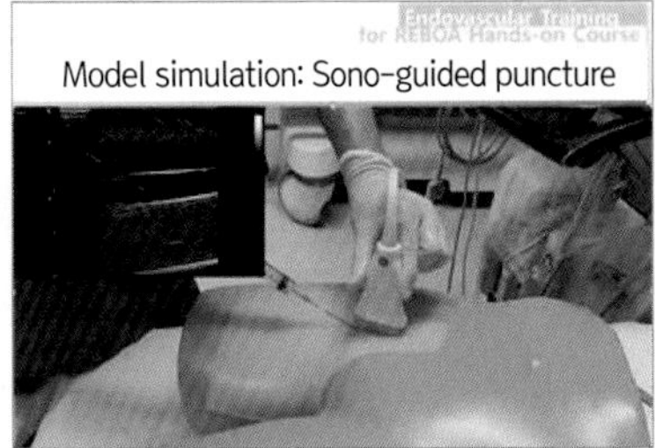

그림 5 초음파 모델을 이용한 혈관로 접근.

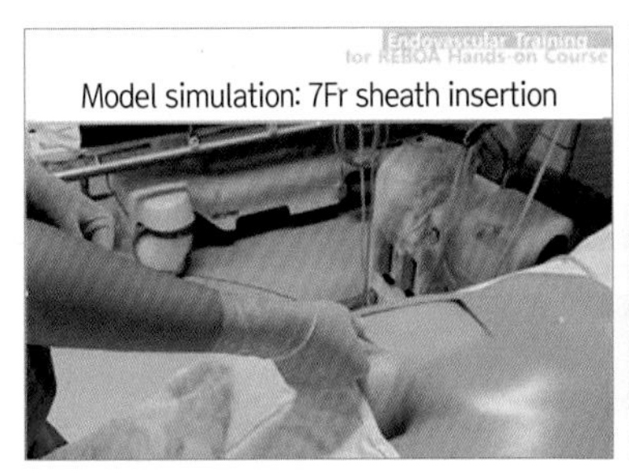

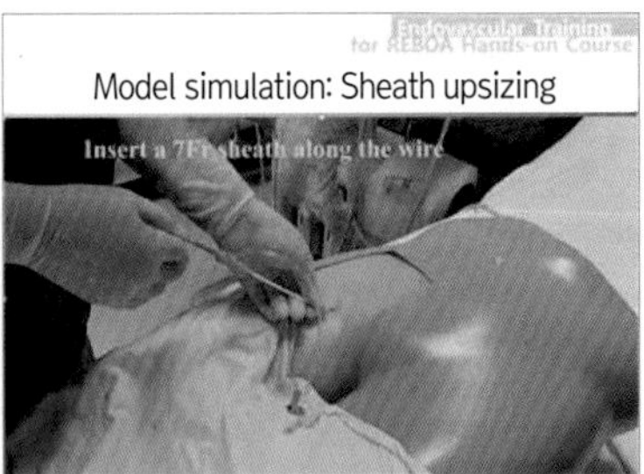

그림 6 7Fr sheath.

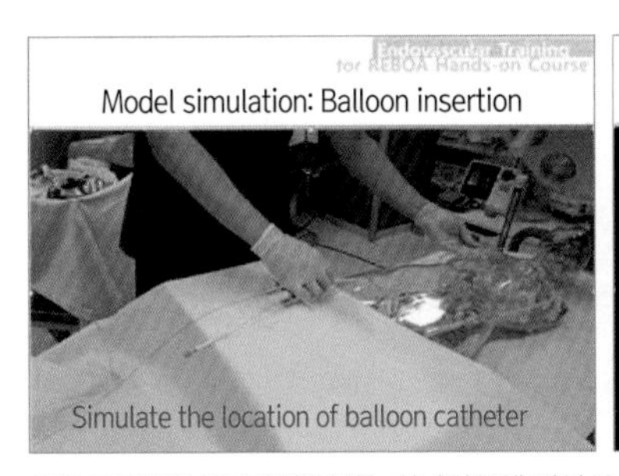

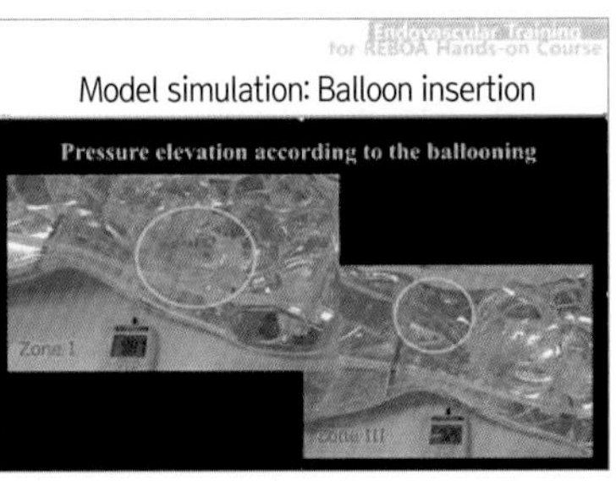

그림 7 대동맥 3D모델을 이용, 시나리오에 따라 Zone I과 Zone III REBOA를 시행.

- 대한외상학회의 저널(Journal of trauma and injury) 홈페이지에서 ET-REBOA 교육코스의 동영상 일부를 볼 수 있다.
- Educational Simulation Videos for Performing Resuscitative Endovascular Balloon Occlusion of the Aorta
- Journal of Trauma and Injury 2020; 33(3): 140-143.
- DOI: https://doi.org/10.20408/jti.2020.0035

4. 시뮬레이션

Simulation

혈관내중재술은 평면 스크린을 통해 와이어의 위치를 관찰하면서, 혈관의 해부학적 3차원 구조 내에서 와이어를 조작해야 하는 것으로 특징지어진다. 혈역학적 불안정한 외상환자의 생명을 구하기 위해서 복잡한 혈관내중재술 과정은 생리학적 변화를 지속적으로 예측하고 소요시간을 단축시키는 방향으로 확대되고 있다. 그러나, 다행히 외상환자에게 시행되는 혈관내술기는 상대적으로 복잡하지 않고, 숙련도를 얻는데 필요한 학습곡선(learning curve)이 상대적으로 가파르기 때문에 전통적인 혈관내술기 교육 모델은 비효율적일 수 있다.

다양한 수준의 경험을 가진 교육생들은 다양한 시뮬레이션 형식을 통해 환자의 안전을 유지하면서 술기를 연습하고 학습할 수 있다. 물론, 가상현실 시뮬레이션보다 cadaver 또는 동물실험이 더 현실적이지만 사용가능 여부와 비용 측면에서의 이 둘은 차이가 있으므로, 혈관 확보, 와이어 또는 카테터 조작과 같은 기본적인 기술은 시뮬레이션을 통해 연습하고, cadaver 혹은 동물실험은 색전술이나 스텐트 삽입과 같은 보다 전문적 혈관내기술을 훈련하는 데 한정하는 것이 더 나을 수가 있다.

1) 인공 모델(Synthetic models)

연습이 필요한 기술에 따라 여러 종류의 인공 트레이너(man-made trainer), 신체모형과 마네킹을 상업적으로 구할 수 있다. 혈관로 확보를 위해 초음파 유도 Seldinger 방식을 사용할 수 있는 단순 마네킹부터 복잡한 혈관 가지와 혈압까지 구현되는 보다 정교한 신체모형까지 다양하다. 간단한 인공 트레이너는 혈관 역할을 하는 튜브 모형과 같은 기본 재료를 작업 테이블에 고정시키면 가정에서도 조립할 수 있으며, 이는 혈관천자, 와이어 사용 및 카테터 삽입 등을 통한 혈관 확보 연습을 가능하게 한다. 투명한 플라스틱 튜브를 서로 다른 각도로 연결하여 동맥가지를 나타냄으로써, 우리는 각각의 가지들에 대하여 카테터 삽입을 연습할 수 있을 뿐 아니라 심지어 손으로 만든 코일로 동맥색전술을 연습할 수도 있다. 몇몇 사실적인 인공 시뮬레이터는 박동성 동맥에 천자를 할 수 있지만 보통 비싸므로, 가용성에 따라(일반적으로 대형 센터로 제한됨) 박동펌프를 인공혈관에 연결하여 사용할 수가 있다. 동맥을 좀 더 사실적으로 표현하기를 원하는 경우에는 액체가 있는 박동펌프를 닭 허벅지혈관에 연결하는 장치를 만들어 사용하기도 하고, 이는 초음파 유도 혈관 확보 연습에 더 현실적인 도구가 될 수 있다. 현재 시판 중인 3차원 모델에는 "실제" 해부학(예: 3D Imprimo Ltd 등) 구조를 갖춘 제품도 있다.

2) 가상현실 시뮬레이터(VR Simulators)

실제 환자의 진료 경험을 대체할 수 있는 것은 없지만, 지속적인 기술의 발전으로 디지털 소프트웨어 기반의 가상현실 시뮬레이터 사용이 증가하고 있다. 가상현실 시뮬레이터는 비용이 많이 들고 사용을 위한 접근 측면에서는 제한점도 있으나 언제든지, 방사선노출 또는 환자에 대한 위험 없이 교육지향적인 환경에서 혈관내술기를 훈련하는 데 사용될 수 있다는 장점도 있다. 또한, 제공되는 소프트웨어에 따라 가상현실 술기교육을 환자마다 다르게 설정할 수가 있으며, 설정된 투시검사 영상을 사용하여 내부 출혈을 제어하는 방법과 REBOA를 포함한 다양한 시나리오에 대응하여 훈련할 수 있다. 가상현실 시뮬레이터는 술기 훈련을 가능하게 할 뿐만 아니라 술기의 기법에 대한 평가를 포함하여 방사선노출 및 조영제 사용에 대한 객관적 평가를 제공할 수 있고, 그 사용에 대한 검증까지도 가능하게 한다. 이렇게 다양한 장점에도 불구하고 가상현실 시뮬레이터는 비용이 많이 들고, 설치를 위하여 넓은 공간이 필요하며, 잦은 고장으로 인해 높은 유지보수 비용이 필요하다는 단점이 있다. 따라서, 가상현실 시뮬레이터는 규모가 큰 센터와 훈련 코스가 가능한 병원 등으로 한정된다.

3) 동물생체를 이용한 훈련(Live animal training)

혈관내술기를 향상시키기 위하여 마취된 대동물실험(대개 돼지나 양)은 가장 현실적이고 중요한 경험을 제공할 수는 있지만, 전문적인 시설을 필요로 한다. 동물실험 모델은 비용이 많이 들고 윤리적, 법적인 문제가 있어 이를 쉽게 시행할 수는 없다. 실제적으로 동물사체 속의 혈관은 인간보다 얇고 작아 접근이 더 어렵고, 또한 동물은 주로 동맥경화증이 없어 죽상경화판에 의한 동맥경화증이 있는 사람의 치료 시 발생할 수 있는 문제점 해결을 위한 훈련은 가능하지 않을 수가 있다. 동물생체를 이용한 훈련은 여러 가지 다른 시나리오에서 할 수 있으며 최근에는 병원 전 REBOA 헬리콥터 이송 또는 전쟁 지역에서의 이송 등이 돼지를 사용하여 실시되었다. 이 모델 또는 이와 유사한 모델은 병원 전 처치 훈련에 관심이 있는 경우 도움이 될 수 있다.

4) 인간의 사체(Human cadavers)

인간 사체에 혈전용해 후 인공펌프로 심장의 박동을 대신함으로써, 동맥의 맥박이 생성되는 실험의 경우 혈관 확보부터 폐쇄, REBOA 등을 훈련받을 수 있는 최적의 과정이라고 할 수가 있다. 그러나, 동물 모델처럼 복잡한 보존절차 및 시체의 저장 등 필요한 절차에 높은 비용이 발생한다는 점은 제한점이라고 할 수 있다. 현재 혈관내술기 훈련에 매우 현실적인 관류사체모형(perfusion cadaver model)도 있고, 개발 중인 모델도 있다.

5. 증례 고찰

Case reviews

증례 검토가 이루어지는 다학제팀 회의는 EVTM 교육에서 훌륭한 방법이다. 영상의학과의사, 정형외과의사, 응급의학과의사 및 마취과의사 등 관련 부서 간의 협업은 지식과 경험을 공유하는 데 있어 교육 효과를 향상시킬 수 있다. 이러한 증례 검토 동안에 두 개의 그룹(즉, 혈관내 접근법을 지지하는 그룹과 외과 수술을 지지하는 그룹)으로 나뉠 수가 있는데, 이러한 회의에서는 일반적으로 이미 알려진 결과를 바탕으로 환자의 진료 기록을 고찰함으로써 토론을 진행할 수가 있다. 이러한 과정을 통하여 결론을 도출하면서, 모든 사례에서 장단점에 초점을 맞춘 두 가지 치료방법에 특히 주의를 기울여 볼 수 있다.

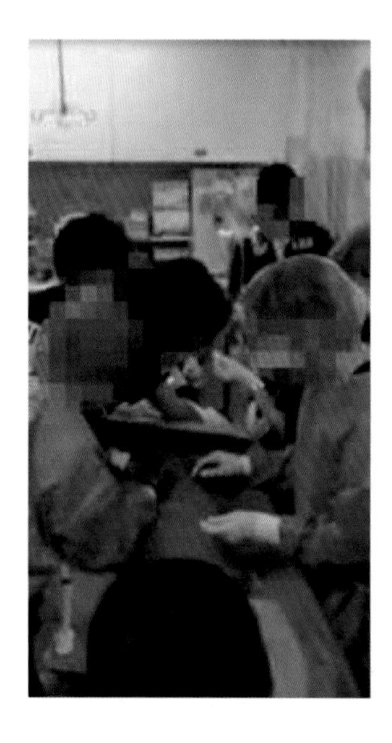

그림 8 응급실에서 시행되는 REBOA.
홈페이지 www.jevtm.com 에서 발췌.

6. 시청각 자료

Visual documentation

개별 사례에 대한 시청각자료(비디오 녹화, 방사선 영상 등)는 증례검토에 훌륭한 요소이며 외상외과의사에게 훌륭한 학습도구가 된다. 집도의 대화 및 해설이 포함된 이상적인 비디오녹화는 교육생이 진료 절차의 순서에 따라, 특정 단계에서 필요로 하는 의료행위 및 이에 관한 의사결정 능력을 향상시키는 데 도움이 될 수 있다. 마찬가지로, 진료절차가 완료된 후 교육생과 관련된 녹화는 그들의 술기에 대한 건설적인 평가를 위해 검토되고 사용될 수 있다.

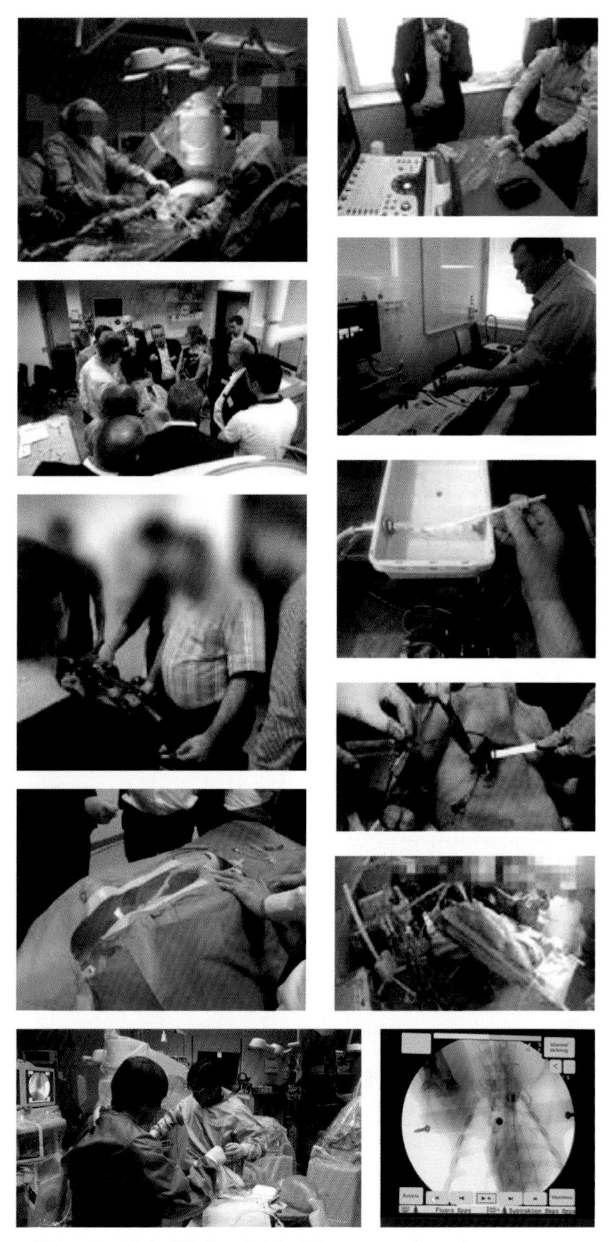

그림 9 EVTM에서 시행되는 각각의 다른 REBOA 교육 모델.

7. 훈련프로그램

Training programs

대부분의 임상의사는 외상 환자를 진료함에 있어 최소침습적 시술의 중요성을 높이 인정하며 특정 유형의 외상 진료를 위해서 사용가능한 훈련 매뉴얼과 비디오형식 및 훈련을 위한 보조기구의 필요성 또한 알고 있다. 그리고, 사용가능한 시뮬레이션 및 교육과정이 있음에도 불구하고, 임상실습에서 구조화된 EVTM 훈련을 감독할 수 있는 교육자가 없다면 젊은 외상외과의사는 임상술기를 발전시키기 어려울 것이다. 잘 구성된 교육프로그램과 EVTM 워크숍에 쉽게 참여하기는 어려울 수 있다. 또한, 외상수술에서 단 몇 가지 혈관중재술 훈련 프로그램만이 짧은 교육과정(최대 6개월)으로 포함되는 것이 현재 임상술기 및 "혈관내술기" 교육 측면에서 최적의 것으로 간주될 수도 있다. 그러나, 외상환자에 대한 표준수술 접근방식보다 EVTM 접근방식이 증가함에 따라, 외상환자 수술과 진료 발전을 위해서 전공의 EVTM 교육과정에 대한 검토가 점점 더 필요할 것이다. 그리고, 지역 또는 국가에서 영상의학 및 외과의사회 간의 네트워크 개발은 EVTM 교육의 지원 확보 및 최적화에 매우 중요하다.

Word of advice

EVTM 방식으로 환자들을 치료하기 전에 워크숍이나 기타 교육 등 최소한 기본적 교육을 받기를 강력히 권장한다!

몇 가지 EVTM의 주요 사항 목록

Here is a list of some of the major points of EVTM

- ▶ AABCDE- 혈관 확보에 관한 것이다. 가능한 빨리 확보하자.
- ▶ 다학제적 방식으로 협력하라. 우리는 무엇을 가지고 있고 누가 나를 도와줄 수 있는가?
- ▶ 필요하면 REBOA를 시행하라. 최종치료까지의 가교역할을 할 것이다. 특히 pREBOA나 iREBOA가 선호된다.
- ▶ 혈관조영술이 가능한 테이블이나 슬라이딩 테이블에서 출혈환자를 치료하도록 한다.
- ▶ 현재 출혈환자에게 적합한 혈관내시술이 있는가? 이 술기를 위한 적절한 장비도 있는가?
- ▶ EVTM은 혈관내시술과 하이브리드를 결합한 개념이다.
- ▶ 가능하다면 CTA를 시행하자.

그러나…

- ▶ 혈관내시술은 하나의 치료도구일 뿐이다. 어떤 환자에게 누가 어떻게 시행할 것인지 고려해야 한다.
- ▶ 단순히 당신이 혈관내시술을 할 줄 안다고 해서 환자에게 시행하지 말아야 함을 기억하자. 환자에게 필요한 것이 무엇인지 고민해야 한다.
- ▶ 자존심을 세우지말자. 환자는 지금 최선의 치료가 필요하다. 다른 동료들과 협업하도록 한다.

혈관내시술은 개방성 수술을 대신하는 것이 아니다. EVTM을 생각해야 한다!

필자는 여기에 EVTM 이슈들을 열거하려고 했다. 이 부분은 현재 발전중인 영역이므로 추후에 나올 책(2판)과 웹사이트인 www.jevtm.com에서 더 많은 정보를 찾을 수 있을 것이다. EVTM과 REBOA에 관한 보다 흥미진진한 최신의 정보로 업데이트 하도록 노력하겠다. 의학저널인 JEVTM (Journal of EVTM)에서는 이러한 문제에 대한 과학적 데이터를 제공할 것이다.